Po[...]

para todos

Iniciación

Solange Parvaux
Inspector General
de Educación Nacional

Jorge Dias da Silva
Asistente Asociado

Laís Viegas de Valenzuela
Profesora de portugués

LAROUSSE

Av. Diagonal 407 Bis-10   Dinamarca 81   21 Rue du Montparnasse   Valentín Gómez 3530
08008 Barcelona   México 06600, D. F.   75298 París Cedex 06   1191 Buenos Aires

Esta obra se terminó de imprimir y encuadernar en enero de 1998
en Impresora Carbayón, S.A. de C.V., Calz. de la Viga núm. 590,
Col. Santa Anita, México 08300, D. F.

La edición consta de 5 000 ejemplares

PORTUGUÉS / Iniciación

© 1983, Presses Pocket

"D. R." © 1996, por Ediciones Larousse, S. A. de C. V.
                     Dinamarca núm. 81, México 06600, D. F.

PRIMERA EDICIÓN — 3ª reimpresión

ISBN 2-266-02512-0 (Presses Pocket)
ISBN 970-607-598-4 (Ediciones Larousse)

Sumario

4

PRONUNCIACIÓN

Letras	Nombre	código	español	ej. portugués
a	(a)	[á]	gato	clara, já
		[a]	gula	chama, vila
		[ã]	cantar	maçã, estudante, samba
b	(bê)	[b]	bala	bebe, bala
c	(cê)	[s]	cielo	céu, face, faça
		[k]	coca	casa, cola
d*	(dê)	[d]	de	dedo, duas
		[dch]	como una ch, pero más cerrada	dia, tarde
e	(é)	[ê]	pelo	medo, francês
		[é]	selva	ela, café
		[e]	peligro	pedir, gelado
		[ẽ]	sentir	vento, tempo
		[i]	hidalgo	tarde, noite
f	(éfi)	[f]	falta	face, feliz
g*	(yê)	[y]	ayer	gelo, giz
		[gu]	gana	gago, guerra
h	(agá)	[mudo]	hombre	homem, hora
i	(i)	[i]	hijo	vila, aqui
		[ĩ]	cinco	simpático, vinte
j*	(yóta)	[y]	yo	jogo, jarra
l*	(éli)	[l]	lilas	lilás, lula
		[u]	alma	alto, Brasil
		[ly]	julio	julho, palha
m*	(émi)	[m]	mamá	mimar
			campo	bom, fim
n*	(éñi)	[n]	nuevo	novo, mina
		[ñ]	sueño	senhor, ganhar, Anita
o	(ó)	[ó]	nota	pode, avó, sol
		[ô]	bolo	avô, amor, sou
		[õ]	compra	põe, ponto, rombo
		[u]	lucha	bonito, voar
p	(pê)	[p]	papa	pipa, palácio
		[mudo]		captar
q	(kê)	[k]	que	que, quilo, quase
r*	(éji)	[r]	cura	caro, quarto
		[j]	jarabe	roca, carro, flor
s*	(ési)	[z]	como un zumbido de abeja	casa, rosa
		[s]	salir, clase	sala, classe
		[sh]	como una ch, pero más suave	basta, custo
t*	(tê)	[t]	total	total, pato
		[ch]	chino	antigo, noite
u	(u)	[u]	rubro	tudo, mudar
		[ũ]	punto	junto, rumba
v*	(vê)	[v]	vela	vale, cantava
x*	(shis)	[sh]	mexica	xícara, baixo
		[s]	raso	próximo, trouxe
		[z]	como un zumbido de abeja	exame
		[ks]	taxi	táxi, complexo
		[eis]		exceto, exclusivo
z*	(zê)	[z]	como un zumbido de abeja	zelo, luzes
		[s]	luz	rapaz, luz, feliz

Prólogo

Los autores de este método han partido de constataciones sencillas:

■ Muchas personas que han estudiado portugués durante 3 ó 4 años (o hasta 6 ó 7 años) no disponen de los medios que permitan comunicarse en una forma útil en ese idioma.

■ Sus conocimientos pueden ser vagos, difusos, mal dominados y poco movilizables; por lo tanto no son operativos.

■ Además, no constituyen una base sólida como para permitir progresos posteriores; es bien conocida la dificultad de "construir sobre la arena".

Para reaccionar contra esta imprecisión, esta ausencia de claridad de los conocimientos y por lo tanto esta inutilidad práctica los autores del presente método han preferido:

■ asegurar el **conocimiento claro y neto de las bases principales del idioma** a querer describir todos sus mecanismos sin preocuparse por su verdadera adquisición;

■ asegurarse de que todos los elementos presentes (gramática, pronunciación, vocabulario) sean **definitivamente asimilados y por lo tanto utilizables en forma práctica.**

■ cabe aclarar que este libro hace énfasis en el portugués que se habla en Brasil, y siempre que es necesario se hace una comparación con el portugués de Portugal.

En el dominio de los idiomas, de nada sirve tener nociones de todo si esas nociones no resultan en la capacidad de expresarse;

■ ilustrar los mecanismos descritos con oraciones y giros de lenguaje **que constituyan un medio concreto de comunicación.** Los ejemplos dados son siempre fórmulas de **gran frecuencia** y de utilización corriente en la vida diaria.

Para alcanzar esos fines, la obra contiene:

■ **unidades sencillas y fácilmente asimilables,** que no acumulan varias dificultades, sino que aseguran el dominio de cualquier mecanismo tomado aisladamente;

■ **notas y explicaciones,** que, asociadas a las traducciones en español, permiten a cada persona encontrar una respuesta a las preguntas planteadas;

■ **ejercicios de control,** que, asociados a la repetición sistemática de los aspectos estudiados, aseguran una asimilación completa.

■ La sencillez de las unidades, la progresividad de las dificultades, la repetición, el control sistemático de todas las adquisiciones, el valor práctico de las estructuras y giros enseñados permiten al lector adquirir un medio de comunicación eficaz.

■ En resumen, más que la enseñanza del idioma, los autores han querido privilegiar su aprendizaje.

La descripción y los consejos que siguen van a permitir utilizar el método y organizar su trabajo en modo eficaz.

La obra comprende:
— 40 lecciones de 6 páginas,
— 1 resumen gramatical.

Se encontrará en todas las lecciones una organización idéntica, destinada a facilitar el autoaprendizaje: contienen 3 partes (**A, B** y **C**), de dos páginas cada una.

De esa manera se podrá trabajar al ritmo que convenga. Aunque no se disponga de tiempo para aprender el conjunto de una lección, podrá abordarse y estudiar solamente una de sus partes, sin perder el hilo o tener la sensación de dispersarse.

Plan de las lecciones

Parte A: se subdivide en 4 secciones (A1, A2, A3 y A4).

A1   PRESENTACIÓN

Esta primera sección aporta los nuevos materiales básicos (gramática, vocabulario, pronunciación) que se necesita conocer y saber utilizar para construir oraciones.

A2   APLICACIÓN

A partir de los elementos presentados en A1, se propone un grupo de oraciones modelo (que enseguida el lector deberá construir).

A3   NOTAS

Diversas notas relativas a las oraciones de A2 precisan ciertos aspectos de gramática, vocabulario o pronunciación.

A4   TRADUCCIÓN

Esta última sección trae la traducción integral de A2.

Parte B: igualmente subdividida en 4 secciones (B1, B2, B3 y B4), sigue un esquema idéntico a la parte A, profundizando y complementando las mismas nociones gramaticales, con una nueva aportación de vocabulario.

Parte C: sus 4 secciones (C1, C2, C3 y C4) están consagradas a los ejercicios, a las informaciones prácticas y a algunos elementos ilustrativos.

C1 EJERCICIOS

Sirven para controlar la adquisición de los mecanismos aprendidos en A y B.

C3 CORRECCIÓN

Ahí se encuentra la solución completa de los ejercicios de C1, lo que permite una autocorrección.

C2 y C4 ENSEÑANZAS PRÁCTICAS Y CIVILIZACIÓN

Frases usuales de la vida cotidiana e informaciones complementarias sobre la lengua portuguesa y sobre la vida y cultura de Brasil y Portugal.

El resumen gramatical (p. 252) proporcionará una síntesis del conjunto de los problemas gramaticales básicos.

Consejos generales

■ **Trabaje regularmente**

Es más productivo trabajar con regularidad, aún durante un tiempo limitado, que tratar de absorber varias lecciones a la vez en una manera discontinua.

Así, estudiar media hora todos los días, aun en una sola de las tres partes de una lección, es más productivo que hojear varias lecciones durante tres horas durante diez días.

■ **Programe su esfuerzo**

Se debe trabajar cada lección de acuerdo a sus divisiones: de este modo, no se debe pasar a B sin haber comprendido, aprendido y retenido bien A.

Eso sirve, naturalmente, para todas las lecciones: no empiece una nueva lección sin haber dominado la precedente.

■ **Venga de regreso**

No dude en retomar las lecciones ya estudiadas, ni en rehacer varias veces los ejercicios.

Una vez más, asegúrese bien de que todo ha sido comprendido y retenido.

Método de trabajo

Para las partes A y B

1. Después de haber conocido A1 (o B1), lea varias veces el grupo de oraciones A2 (o B2).

2. Remítase a las notas A3 (o B3).

3. Regrese a A2 (o B2), tratando de traducir al español, sin consultar A4 (o B4).

4. Verifique su traducción, leyendo A4 (o B4).

5. Trate de reconstituir las oraciones de A2 (o B2), partiendo de A4 (o B4), sin mirar a A2 (o B2)... Verifique después; etc.

Para la parte C

1. Siempre que sea posible, haga los ejercicios C1 escritos antes de compararlos con la corrección C3.

2. No debe considerarse que una lección ha sido asimilada:

— si no se puede traducir al portugués A4 y B4 sin la ayuda de A2 y B2.

— si no se puede hacer, sin errores, la totalidad de los ejercicios C1.

Utilización del índice

El índice (p. 282) no reúne la totalidad de las palabras presentadas en las lecciones y que son necesarias para la redacción de los ejercicios, sino solamente las más difíciles.

A medida que vayan surgiendo, usted puede escribir en el lado derecho de la columna las traducciones proporcionadas en las partes A y B.

Así, podrá construir su propio diccionario.

A1 PRESENTACIÓN

■ la **o** final indica que un verbo está en la primera persona del singular del presente del indicativo. No es necesario expresar el pronombre sujeto, pero los brasileños lo usan casi siempre.

chamo, *llamo*

■ la **o** final indica que un nombre es masculino: **Nuno** (*nombre de hombre*)

■ la **a** final indica que un nombre es femenino: **Rosa** (*nombre de mujer*)

chamo	[**shá**mu]	*llamo*
me	[**mi**]	*me*
Nuno	[**nu**nu]	*Nuno*
Hugo	[**u**gu]	*Hugo*
Bruno	[**bru**nu]	*Bruno*
Rodolfo	[jô**dô**ufu]	*Rodolfo*
Rosa	[**jó**za]	*Rosa*

■ **Nota:** No todas las sílabas de una palabra tienen el mismo valor: de entre ellas, una es siempre más intensamente marcada, más larga.
Esa sílaba acentuada se llama sílaba tónica, porque lleva el acento tónico.
Ese **acento tónico** no siempre es **gráfico**.
Es muy importante saber reconocer la sílaba acentuada, toda vez que las vocales no se pronuncian de la misma forma, dependiendo de que estén o no en la sílaba tónica.

■ Para habituarse a reconocerla, la escribiremos siempre en negrita en la transcripción fonética.

A2 APLICACIÓN

1. – **Eu me chamo Nuno.**
2. – **Eu me chamo Rosa.**
3. – **Eu me chamo Hugo.**
4. – **Eu me chamo Rodolfo.**
5. – **Eu me chamo Bruno.**

A3 NOTAS

■ La **antepenúltima sílaba** de una palabra es más acentuada cuando la palabra termina en **o** o **a**. Es una sílaba tónica.

chamo   Rosa   Nuno   Rodolfo   Roberto

■ La vocal **u** se pronuncia siempre *u*, como en *duda*.

Nuno [**nu**nu]   Hugo [**u**gu]   Bruno [**bru**nu]

■ La **e** [e] de **me** se pronuncia como la *i* de *fila*.

■ La pronunciación de las otras vocales cambia según se encuentren en la sílaba acentuada (**tónica**) o en la sílaba no acentuada (**átona**).

■ Pronunciación de la **o:**
– en la sílaba tónica, la **o** se puede pronunciar *o* como en *cola:* **Ro**sa [**jó**za] (transcrita [ó])
– la **o** seguida de **l** se pronuncia como en *polvo:* **Rodolfo** [jô**dôu**fu] (transcrita [ô]);
– en la sílaba átona final, la **o** se pronuncia siempre *u:*
   Nuno [**nu**nu], **Rodolfo** [jô**dôu**fu].

■ Pronunciación de la **a:**
– en una sílaba átona, la **a** se pronuncia como la *a* de *palillo*.
– la **a** tónica seguida de **m** tiene pronunciación nasalizada: **chamo, llamo**.

■ Las consonantes del texto se pronuncian todas como en español, excepto:
– la **r** inicial o interna antes de una consonante, que se pronuncia como la *j* del español (se transcribe [j]): **rua** [**jua**], **Roberto** [jo**béj**tu].
– la **l** al final de la sílaba (o de la palabra), que se pronuncia como *u:*
   Rodolfo [jô**dôu**fu]; **mal** [**mau**].

■ El pronombre personal complemento **me** se coloca después del verbo (conectado a éste por medio de un guión) en una proposición principal o independiente afirmativa, a menos que antes del verbo exista una llamada **palabra de atracción,** es decir, una palabra que tenga el poder de atraer el pronombre complemento. Esas palabras son adverbios, pronombres relativos e indefinidos y conjunciones: **chamo-me,** *me llamo;* **não me chamo,** *no me llamo.* Esta es la regla gramatical, pero en Brasil predomina la tendencia del pronombre complemento antes del verbo, aun cuando no haya ninguna palabra de atracción, sin constituir una incorrección gramatical. Tal estilo suaviza el lenguaje, sobre todo en el imperativo. La gramática prohíbe el uso de los pronombres personales complementos al inicio de la frase, pero en el portugués de Brasil se usa esa forma, sobre todo en el lenguaje coloquial. **Eu me chamo** o **me chamo,** *me llamo.*

A4 TRADUCCIÓN

1. – Me llamo Nuno. 2. – Me llamo Rosa. 3. – Me llamo Hugo.
4. – Me llamo Rodolfo. 5. – Me llamo Bruno.

B1 PRESENTACIÓN

■ **não:** esta **negación** se coloca antes del verbo, en una oración negativa.

■ el lugar del pronombre personal complemento **(me):**
– en las proposiciones principales o independientes afirmativas, en Brasil se coloca antes del verbo, considerando los casos mencionados en I, A3.

> **me chamo Ana,** *me llamo Ana.*

– en las oraciones negativas, se coloca antes del verbo (entre la negación y el verbo), debido a que **não,** por ser un adverbio de negación, se incluye en la categoría de **palabra de atracción.**

> **não me chamo Ana,** *no me llamo Ana.*

não	[nãu]	*no*	**Marta**	[**máj**ta]	*Marta*
João	[yu**ãu**]	*Juan*	**Ana**	[**á**na]	*Ana*
Clara	[**klá**ra]	*Clara*	**Joana**	[yu**á**na]	*Juana*

■ La lengua portuguesa se caracteriza fonéticamente por la presencia de un fuerte acento tónico, por una modulación sutil de las vocales, cuya pronunciación cambia según se encuentren en la sílaba tónica o en la sílaba átona, por la pronunciación silbante de la **s** final y por una fuerte nasalidad. Presenta también un cierto número de formas gramaticales originales, que no se encuentran en ninguna otra lengua romance. Las estudiaremos posteriormente.

B2 APLICACIÓN

1. — Não me chamo João.
2. — Me chamo Bruno.
3. — Não me chamo Clara.
4. — Me chamo Marta.
5. — Não me chamo Ana.
6. — Me chamo Joana.

B3 NOTAS

Pronunciación

■ La vocal **a**, en la sílaba tónica:

– la **a** se pronuncia abierta como la *a* de *gato*: **Clara** [**klá**ra], **Marta** [**máj**ta]; se transcribe [á], para indicar que es tónica, sea oral, como en *gato*, o nasal, como en *cama*.

Ana [**á**na] *Ana*, **Joana** [yu**á**na] *Juana*.

■ (˜) este signo, llamado **til** en portugués, se coloca sobre una vocal para indicar que es nasal, es decir, se pronuncia por la nariz (se utilizará para indicar una pronunciación de este tipo).

■ El grupo **ão** se pronuncia como **ãu**, y así se transcribe. Es un diptongo nasal, porque una de las vocales que lo componen está nasalizada (**ã**): **não** [**nãu**]; **João** [yu**ãu**] *Juan*.

■ La **j** tiene en todos los casos una pronunciación que se acerca a la de la **y** en español (ej.: *yo*), **João** [yu**ãu**].

■ La **r** entre dos vocales suena como en la palabra *caro* del español, es decir, haciendo vibrar ligeramente la punta de la lengua atrás de los dientes, cerca de la raíz (se transcribe [r]): **Clara** [**klá**ra].

■ Entre una vocal y una consonante, la **r** suena muy similar a la *j* del español, igual que la **r** inicial: **Marta** [**máj**ta].

■ **El acento tónico (continuación)**: la **última sílaba** se acentúa si la palabra termina en **ão**: **João** [yu**ãu**].

B4 TRADUCCIÓN

1. – No me llamo Juan.
2. – Me llamo Bruno.
3. – No me llamo Clara.
4. – Me llamo Marta.
5. – No me llamo Ana.
6. – Me llamo Juana.

1. **Traducir:**
   a) Eu me chamo Joana.
   b) Não me chamo Clara.

2. **Transformar en forma negativa:**
   Eu me chamo Rodolfo.

3. **Subrayar la sílaba tónica:**
   a) Rodolfo
   b) Joana
   c) João
   d) Bruno
   e) chamo

C2 PRONUNCIACIÓN

Clara	[**klá**ra]	Bruno	[**bru**nu]
Rodolfo	[jô**dô**ufu]	Joana	[**yuá**na]
Nuno	[**nu**nu]	me chamo	[mi **shá**mu]
João	[yu**ãu**]		

■ **Atención:** es muy importante saber dónde se coloca el acento tónico, pues la pronunciación de una misma vocal no es igual en una sílaba tónica que en una átona.

1.
  a) me llamo Juana.
  b) no me llamo Clara.

2.
  Eu não me chamo Rodolfo.

3.
  a) **Rodol**fo
  b) **J**oana
  c) **J**oão
  d) **Bru**no
  e) **cha**mo

C4   EL PORTUGUÉS DE PORTUGAL

El portugués hablado en Portugal presenta, respecto al portugués hablado en Brasil, diferencias de pronunciación, vocabulario y gramática. Señalaremos las más características, a medida que se presenten.

■ **Pronunciación:** la **r** inicial se pronuncia de manera muy parecida a la *r* inicial del español.

■ **Gramática:** la colocación del **pronombre personal** es una de las principales diferencias gramaticales. En las **proposiciones principales** o en las **independientes afirmativas**, en Portugal el pronombre se coloca generalmente después del verbo, como en el caso de la primera persona. En las **oraciones negativas**, el pronombre viene antes del verbo, tanto en Portugal como en Brasil.

  Portugal: **chamo-me João; não me chamo João.**
  Brasil: **me chamo João; não me chamo João.**

A1 PRESENTACIÓN

■ la **s** final: la segunda persona del singular del presente del indicativo del **verbo** termina en **s**. Sin embargo, en Brasil la segunda persona es poco usada (excepto al extremo sur del país) y se remplaza por **você**, cuyo uso corresponde al tuteo del español.

você se chama, te llamas.

■ **a**: la **a** indica que ese verbo pertenece a la primera conjugación, cuyo infinitivo termina en **ar: chama** (inf. **chamar**: *llamar*) (la **r** se pronuncia como la **j** del español).

■ la **e** al final de un sustantivo corresponde a una palabra femenina o masculina.

Felipe (*nombre de hombre*)   **Clarisse** (*nombre de mujer*)

chama (chamar)	[**shá**ma]	*se llama*
te	[**chi**]	*te*
Pedro	[**pê**dru]	*Pedro*
Felipe	[fi**li**pi]	*Felipe*
Clarisse	[kla**ri**si]	*Clarise*
Sebastião	[sebash**chiãu**]	*Sebastián*

■ Notas:
1. El **tuteo** se usa en muy pocos estados del país. Es de uso frecuente en Portugal.
2. La forma **interrogativa** se indica:
— en la escritura, por un signo de interrogación final;
— oralmente, por una entonación diferente en la oración: el tono sube al final de la oración, mientras que baja al final de una oración no interrogativa:

você se chama, *te llamas* ↘   você se chama? *¿te llamas?* ↗

A2 APLICACIÓN

1. — Você se chama Rosa?
2. — Não, eu não me chamo Rosa.
3. — Me chamo Clarisse.
4. — Você se chama Pedro?
5. — Não, eu não me chamo Pedro.
6. — Me chamo João.
7. — Você se chama João?

A3 NOTAS

La **antepenúltima sílaba** de la palabra se acentúa cuando ésta termina en la letra **e** (como es el caso para **o** y **a**) seguida eventualmente de la consonante **s.**

Pedro   **Ro**sa   **Fe**lipe   **cha**ma

■ Pronunciación de la vocal **e:**
— en la sílaba tónica, la **e** se pronuncia **ê**, cuando es cerrada, como en *dedo* (se transcribe [ê]): **Pedro** [**pê**dru];
— Atención: en la sílaba átona, al comienzo de la palabra, la **e** se pronuncia como en el español *tarde* (se transcribe [e]).

Fernando [fej**nã**du], **Sebastião** [sebash**chiãu**].

— al final de la palabra, se pronuncia *i*; ej. **tarde** [**táj**dchi]. Se transcribe [i].

■ Pronunciación de la vocal **i:**
— en sílaba acentuada o no acentuada, la **i** se pronuncia siempre como en español.

■ La consonante **s**, situada entre dos vocales, tiene pronunciación dura y sorda. Se transcribe [z]: **Rosa** [**jó**za].
— **Pero** si **s** está al final de la palabra, se pronuncia como en español y se transcribe [s]: **chamas** [**shá**mas];
— al final de la sílaba, antes de una consonante (excepto **d** y **t**) suena como **s**, y así se transcribe: **espelho** [is**pê**lyu];
— al final de una sílaba, antes de **d** y **t**, suena como un pedido de silencio [sh] en la mayoría de los estados de Brasil; se transcribe [sh]: **Sebastião** [Sebash**chiãu**].

■ La doble **s** se pronuncia como la *s* del español *mesa*, y se transcribe [s]: **Clarisse** [**kla**risi].

■ **ti** se pronuncia siempre como en la palabra *chico* del español: **ativo** [a**chi**vu].

A4 TRADUCCIÓN

1. — ¿Te llamas Rosa?
2. — No me llamo Rosa.
3. — Me llamo Clarise.
4. — ¿Te llamas Pedro?
5. — No me llamo Pedro.
6. — Me llamo Juan.
7. — ¿Te llamas Juan?

B1 PRESENTACIÓN

■ **El lugar de los pronombres personales complementos (me, te):**
En una oración interrogativa, el pronombre personal complemento se coloca:
— antes del verbo, aun cuando la pregunta no se inicia con una palabra interrogativa.

como você se chama? *¿cómo te llamas?*
você se chama João? *¿te llamas Juan?*

■ En Brasil, es más usual el empleo de las expresiones **como é (o) seu nome?** *(¿cómo te llamas?)* y **meu nome é..., seu nome é...** *(me llamo, se llama)* en lugar de **como você se chama? eu me chamo, ela se chama** etc.

como?	[komu]	¿cómo?
Carlos	[**káj**lus]	*Carlos*
Joaquim	[yua**kĩ**]	*Joaquín*
Manuel	[manu**éu**]	*Manuel*
Manuela	[manu**éla**]	*Manuela*
Cristina	[krish**chi**na]	*Cristina*
Maria	[ma**ria**]	*María*

B2 APLICACIÓN

1. — Como você se chama?
2. — Me chamo Carlos.
3. — Você se chama Joaquim?
4. — Não, não me chamo Joaquim.
5. — Me chamo Manuel.
6. — Você se chama Cristina.
7. — Me chamo Maria.

B3 NOTAS

Pronunciación

■ Cuando una palabra termina en **i** o **im**, o en cualquier otra consonante que no sea **s** o **m**, se acentúa en la última sílaba.

■ En una sílaba tónica, la **o** se pronuncia como la *o* del español *nota*: **Rosa** [**jó**za] (se transcribe [ó]);

■ No se pronuncia la **m** de **Joaquim;** la **i** se pronuncia por la nariz, es una *i* nasalizada (se transcribe [ĩ]).

■ Todas las vocales pueden nasalizarse en portugués si están seguidas de **m** o **n**. La consonante **m** o **n** no se pronuncia y la vocal se pronuncia por la nariz. La **a** y la **o** también pueden ser nasalizadas con el uso del **til**.

■ La **l** se pronuncia como en español, excepto al final de una palabra o al final de una sílaba, en donde se pronuncia como **u** (se transcribe [u]). La **e** que la precede se pronuncia como la *e* de *bello*: **Manuel** [manu**éu**], **Manuela** [manu**é**la].

– Jamás se usa la doble **l** en portugués.

bela, *bella.*

B4 TRADUCCIÓN

1. – ¿Cómo te llamas?
2. – Me llamo Carlos.
3. – ¿Te llamas Joaquín?
4. – No me llamo Joaquín.
5. – Me llamo Manuel.
6. – Te llamas Cristina.
7. – Me llamo María.

1. **Traducir:**
   a) como é seu nome?
   b) meu nome é Clarisse.
   c) meu nome não é Manuela.
   d) seu nome é Joaquim?

2. **Pasar las oraciones a la forma afirmativa:**
   a) meu nome não é Manuel.
   b) seu nome é Manuel?

3. **Plantear la pregunta o las preguntas que permitan obtener la respuesta siguiente:**
   meu nome é Carlos.

4. **Subrayar la sílaba tónica de cada palabra:**
   a) Manuel   f) Felipe
   b) Clarisse   g) Sebastião
   c) Rodolfo
   d) Joaquim
   e) Cristina

C2 PRONUNCIACIÓN Y ENSEÑANZAS ÚTILES

Joaquim	[yuakî]
Sebastião	[sebashchiãu]
Felipe	[filipi]
como é seu nome?	[komu é sêu nomi?]
meu nome é Joana	[mêu nomi é yuána]
seu nome é João	[sêu nomi é yuãu ↘]
seu nome é João?	[sêu nomi é yuãu ↗?]

■ Los nombres Joaquim, Pedro, Manuel y Manuela son muy tradicionales en Portugal. Uno de los reyes portugueses más célebres del Renacimiento (fallecido en 1521) se llamaba Dom Manuel.
Se designa con su nombre el arte que se desarrolló durante ese período muy próspero: el arte manuelino.

1.

    a) ¿Cómo te llamas?
    b) Me llamo Clarisse.
    c) No me llamo Manuela.
    d) ¿Te llamas Joaquín?

2.

    a) meu nome é Manuel.
    b) seu nome é Manuel.

3.

    como é seu nome? o: seu nome é Carlos?

4.

    a) Manu**e**l   f) Fe**l**ipe
    b) Clari**ss**e   g) Sebas**tiã**o
    c) Ro**d**ol**f**o
    d) Joa**qu**im
    e) Cri**s**tina

C4   EL PORTUGUÉS DE PORTUGAL

■ El portugués hablado en Portugal presenta diferencias de pronunciación respecto a Brasil. Dos de ellas son muy características:
— la **s** al final de una palabra (o al final de una sílaba y seguida de consonante) se pronuncia como *sh*:

    Portugal: **chamas** [**shá**màsh]
                 Carlos [**kar**lush]
    Brasil: **chamas** [**shá**mas]
                 Carlos [**ká**jlus]

— la **t** seguida de **e** o **i** se pronuncia **t**, y no **ch**, como en Brasil: **Sebastião** [sebàsh**ti**ãu]

A1 PRESENTACIÓN

■ **Sou** es la primera persona del singular del presente del indicativo del verbo ser (**ser**), *soy* (excepcionalmente, este verbo no termina en **o** en la 1ª persona del singular).

■ **Um** es el artículo indefinido masculino singular.

■ **Uma** es el artículo indefinido femenino singular.

um homem, *un hombre;* **uma mulher,** *una mujer.*

sou	[sô]	*soy*
eu	[êu]	*yo*
um	[ũ]	*un*
uma	[uma]	*una*
homem	[õmẽy]	*hombre*
mulher	[mulyéj]	*mujer*
português	[pojtuguês]	*portugués*
francês	[frãsês]	*francés*
portuguesa	[pojtuguêza]	*portuguesa*
francesa	[frãsêza]	*francesa*

■ **Atención:** En Brasil generalmente se usa el pronombre sujeto, aún cuando la forma del verbo lo identifica.

Eu me chamo João, *me llamo Juan.*
Eu sou brasileiro, *soy brasileño.*

A2 APLICACIÓN

1. – Eu sou um homem.
2. – Eu sou português.
3. – Eu sou uma mulher.
4. – Eu sou portuguesa.
5. – Eu sou francês.
6. – Eu não sou francesa; sou portuguesa.

A3 NOTAS

Pronunciación

■ Cuando la sílaba acentuada no corresponde a las reglas que hemos definido en las lecciones anteriores, lleva un **acento gráfico**. Ese acento puede ser circunflejo (^).
El acento circunflejo indica un desplazamiento del acento tónico y cierra la vocal, que se pronuncia como la *e* de *miedo*. Se transcribe [ê]: **francês** [frãsês].

■ Las vocales seguidas de **m** o **n** (+ consonante) son vocales nasales; se pronuncian por la nariz y no se articulan la *m* o la *n*. Se transcribe esa pronunciación nasal con el signo [˜]: **um** [ũ], **an** [ã].
— **em** al final de las palabras se pronuncia como **êy**. Se transcribe [ẽy]: o **homem** [u õmẽy].

■ **ou** se pronuncia como ô, y así se transcribe este diptongo: **sou** [sô], *yo soy*.

■ La consonante **c** se pronuncia como *k* en español (transcrita [k]), cuando está seguida de *o, a, u*; y como *s* si está seguida de *e, i*.

■ **La consonante h:**
— no se pronuncia al comienzo de las palabras: **homem** [õmey];
— **lh** se pronuncia aproximadamente como *millón* en el español. Se transcribe [ly]: **mulher** [mulyéj].

■ Observe que desaparece el acento circunflejo escrito cuando el adjetivo masculino terminado en **ês** toma la forma del femenino.

português	[pojtu**guês**]	*portugués*
portuguesa	[pojtu**guê**za]	*portuguesa*.

A4 TRADUCCIÓN

1. – Soy un hombre.
2. – Yo soy portugués.
3. – Soy una mujer.
4. – Yo soy portuguesa.
5. – Soy francés.
6. – Yo no soy francesa; soy portuguesa.

B1 PRESENTACIÓN

■ **és** corresponde a la 2ª persona singular del presente del verbo *ser*. Sin embargo, dicha forma, muy usual en Portugal, en Brasil no se emplea y en su lugar se usa **é** con el pronombre **você**.

■ la **o** indica que un **adjetivo** o un **sustantivo** es **masculino**.

■ la **a** indica que un **adjetivo** o un **sustantivo** es **femenino**.

— **Los adjetivos que terminan en o** en el masculino cambian la **o** por **a** en femenino: **bonito** (masc.) *bonito,* **bonita** (fem.) *bonita;*

— los adjetivos que terminan en **ês** u **or** añaden **a** para formar el femenino.

português, *portugués;* **trabalhador,** *trabajador.*
portuguesa, *portuguesa;* **trabalhadora,** *trabajadora.*

é	[é]	*es*
você	[vôsê]	*tú*
rapaz	[japás]	*muchacho*
moça	[môsa]	*muchacha*
brasileiro	[brazilêiru]	*brasileño*
baixo	[báishu]	*bajo*
alto	[áutu]	*alto*
bonito	[bunitu]	*bonito*
bonita	[bunita]	*bonita*
simpático	[sĩpáchiku]	*simpático*
simpática	[sĩpáchika]	*simpática*
trabalhador	[trabalyadôj]	*trabajador*
trabalhadora	[trabalyadôra]	*trabajadora*

B2 APLICACIÓN

1. — você é trabalhador.
2. — você é um rapaz simpático.
3. — você é argentina.
4. — você é uma moça trabalhadora.
5. — eu sou português; você é brasileiro.
6. — você é bonito.
7. — você é uma moça bonita.
8. — eu sou alto; não sou baixo.

B3 NOTAS

■ Cuando el acento tónico no está en la sílaba normal, lleva un acento gráfico. Ese acento puede ser circunflejo (^) o agudo (´).

■ **El acento agudo** indica así un desplazamiento del acento tónico normal en una palabra de varias sílabas; por otra parte, abre la vocal. La **é** se pronuncia como en *café*. Se transcribe [é].
— Nota: el acento gráfico agudo se puede colocar sobre todas las vocales y no sólo sobre la e. El acento circunflejo va sobre todas las vocales, excepto **i** y **u.**

■ **ai** y **ei** se pronuncian respectivamente *ay* y *ey*, como en *mayo* y *ley*. Se transcriben [ai] y [ei].

■ **Atención**: se debe hacer una unión cuando la **s** se encuentra al final de una palabra, seguida de otra palabra empezada por vocal. No se debe pronunciarla *s*, sino *z*: **és um rapaz** [éz ũ ja**pás**].
— la **s** no se pronuncia *s*, sino *z* (se transcribe [z]).

■ La **z** colocada al final de una palabra se pronuncia como la *s*. No olvide que todas las palabras terminadas en una consonante que no sea *s* se acentúan en la última sílaba: **rapaz** [ja**pás**].

■ La **x** después de un diptongo se pronuncia casi siempre *sh*: **baixo** [**bái**shu].

■ La **l** al final de la sílaba, seguida de una consonante, se pronuncia como *u*: **alto** [**áu**tu]; **Manuel** [ma**nuéu**].

B4 TRADUCCIÓN

1. — Tú eres trabajador.
2. — Eres un muchacho simpático.
3. — Tú eres argentina.
4. — Eres una muchacha trabajadora.
5. — Yo soy portugués; tú eres brasileño.
6. — Eres bonito.
7. — Tú eres una bella muchacha.
8. — Yo soy alto; no soy bajo.

III **■ C1** EJERCICIOS

1. **Traducir:**
   a) eu sou um homem; eu sou brasileiro.
   b) você é uma mulher bonita.
   c) você é um rapaz simpático.

2. **Traducir:**
   a) soy una mujer; yo soy brasileña.
   b) tú eres bajo; yo soy alta.

3. **Pasar al femenino:**
   a) eu sou um rapaz alto.
   b) você é um homem baixo.
   c) você é paraguaio; eu sou brasileiro.

4. **Subrayar la sílaba tónica de las palabras siguientes:**

a) brasileiro	e) mulher
b) simpático	f) francesa
c) Sebastião	g) rapaz
d) português	h) moça

C2 PRONUNCIACIÓN

1. **Pronunciar:**
   a) Rosa, você é uma mulher bonita [**jó**za, vô**sê** é **u**ma mu**lyéj** bu**ni**ta].
   b) Pedro, você é baixo [**pê**dru, vô**sê** é **bái**shu].
   c) como se chama o homem? [**ko**mu si **shá**ma u ō**mey**?]
   d) você é brasileira? [vô**sê** é brazil**êi**ra↗]
   e) você é português [vô**sê** é pojtu**guês**↘]
   f) você é uma moça simpática [vô**sê** é **u**ma **mô**sa sī**pá**chika]

Ciertas diferencias de vocabulario entre **Portugal** y **Brasil** podrían generar malentendidos. **Atención** a la palabra **rapariga**:
– en Portugal, **rapariga** significa *muchacha*
– en Brasil, **rapariga** designa a una *prostituta*. *Muchacha* se traduce por **moça**.

1.

   a) soy un hombre; yo soy brasileño.
   b) tú eres una mujer bonita.
   c) eres un muchacho simpático.

2.

   a) sou uma mulher; eu sou brasileira.
   b) você é baixo; eu sou alto.

3.

   a) eu sou uma moça alta.
   b) você é uma mulher baixa.
   c) você é paraguaia; eu sou brasileira.

4.

a) bra**si**leiro	e) mu**lher**
b) sim**pá**tico	f) fran**cesa**
c) Sebas**tião**	g) ra**paz**
d) portu**guês**	h) **mo**ça

C4   REPASO

■ **El pronombre sujeto:**
— el pronombre sujeto tiene un empleo muy frecuente en Brasil; *me llamo*:

               Brasil: **eu me chamo**.
               Portugal : **chamo-me**

— **Atención:** la 2ª persona es poco usada en Brasil, excepto en el sur.

■ **Repaso: pronunciación de las vocales (a, o, i, u)**
La pronunciación de las vocales es delicada, pues cambia según se encuentren en la sílaba acentuada o tónica, o en la sílaba no acentuada o átona:
— **u** se pronuncia siempre **u**, en todas las sílabas;
— **i** se pronuncia como en español;
— la **a** se pronuncia como la *a* de *gato* en sílaba tónica [á]: **Clara** [**klá**ra];
— la **o** se puede pronunciar: en una sílaba tónica,

            como la *o* de *nota* [ó]: **Rosa** [**jó**za];
            como la *o* de *boda* [ô]: lobo [**lô**bu];

— en una sílaba átona, se pronuncia *u* como en *fulano* [u]: **como** [**ko**mu].

A1 PRESENTACIÓN

■ La 3ª persona del singular del presente del indicativo de los verbos de la primera conjugación termina en **a**.

> **chama**, *llama* (del infinitivo **chamar**, *llamar*).

■ **é** es la 3ª pers. sing. del presente del indicativo de *ser* (**ser**).

■ **o** es el **artículo definido** masculino sing.: **o homem**, *el hombre*.

■ **a** es el **artículo definido** femenino sing.: **a mulher**, *la mujer*.

■ un adjetivo terminado en singular en **e** o en la mayoría de las consonantes tiene una forma única, en el femenino y en el masculino.

> **o homem pobre e amável**, *el hombre pobre y amable*.
> **a mulher pobre e amável**, *la mujer pobre y amable*.

e	[i]	y	é	[é]	es
o	[u]	el	a	[a]	la
ele	[êli]	él	ela	[éla]	ella
se	[si]	se			
senhor	[señôj]	señor	chama	[sháma]	llama
senhora	[señóra]	señora			

Inês Silva Bastos	[inês siuva báshtus]		
José Alves	[yuzé áuvis]	*José Alves*	
Silva	[siuva]	*Silva* (apellido)	
Bastos	[báshtus]	*Bastos* (apellido)	
inteligente	[iteliyêchi]	*inteligente*	
amável	[amávéu]	*amable*	
rico	[jiku]	*rico*	pobre [póbri] *pobre*
sim	[sĩ]	*sí*	não [nãu] *no*

■ **Atención**: no confundir **é**, que significa *es* (verbo) con **e**, que significa *y* (**conjunción de coordinación**).

A2 APLICACIÓN

1. — Ele se chama José Bastos Alves.
2. — Ela se chama Inês Bastos Alves?
3. — Não, ela não se chama Inês Bastos Alves.
4. — Ele se chama José? Sim, ele se chama José.
5. — O José é inteligente e a Inês é amável.
6. — A senhora Alves é rica e o senhor Silva é pobre.

A3 NOTAS

Pronunciación

■ Observar el papel de los acentos gráficos (agudo y circunflejo) en las palabras siguientes: José [yuzé]; Inês [inês].
– Esos acentos gráficos señalan un desplazamiento del acento tónico normal y modifican la pronunciación de la **e**: **é** se pronuncia como la *é* de *café*; **ê** como la *e* de *dedo*.

■ **nh** se pronuncia como ñ, y se transcribe [ñ].

senhor [señôj]; **senhora** [señóra]

■ Observe que el artículo definido **o** se pronuncia siempre *u*, y el artículo definido **a** se pronuncia siempre *a*.

o senhor [u señôj]; **a senhora** [a señóra].

■ Del mismo modo, observe la diferencia de pronunciación de los pronombres personales.

ele [êli] *él*; **ela** [éla] *ella*.

Gramática

■ **La concordancia de los adjetivos en el femenino:**
– un adjetivo terminado en **o** átona cambia la **o** en **a**:

o rapaz rico, *el muchacho rico*.
a moça rica, *la muchacha rica*.

– a un adjetivo terminado en **ês** u **or** se agrega una **a**:
um rapaz português trabalhador, *um muchacho portugués trabajador*.
uma moça portuguesa trabalhadora, *una muchacha portuguesa trabajadora*.
– un adjetivo terminado en **e** o en consonante (excepto **ês** y **or**) no varía:
um rapaz (o **uma moça**) **inteligente e amável**, *un muchacho* (o *una muchacha*) *inteligente y amable*.

A4 TRADUCCIÓN

1. – Él se llama José Bastos Alves.
2. – ¿Ella se llama Inés Bastos Alves?
3. – No, ella no se llama Inés Bastos Alves.
4. – ¿Él se llama José? Sí, él se llama José.
5. – José es inteligente e Inés es amable.
6. – La señora Alves es rica y el señor Silva es pobre.

B1 PRESENTACIÓN

■ La 3ª persona del plural de un verbo termina en **m**.

chamam, *llaman*; **falam**, *hablan*.

■ **São** es la tercera persona del plural del presente del indicativo del verbo *ser* (**ser**, verbo irregular).

são, *son*.

■ La **s** normalmente indica el plural de un **sustantivo** o de un **adjetivo**.

falar	[faláj]	*hablar*
falam	[fálãu]	*hablan*
eles	[êlis]	*ellos*
elas	[élas]	*ellas*
os	[us]	*los*
as	[as]	*las*
o turista	[u turishta]	*el turista*
inglês	[iglês]	*inglés*
ingleses	[iglêzis]	*ingleses*
argentino(s)	[ajyechinu(s)]	*argentino(s)*
boliviano(s)	[boliviano(s)]	*boliviano(s)*
trabalhadores	[trabalyadôris]	*trabajadores*
espanhol	[ispañóu]	*español*
muito	[mũitu]	*muy*

■ **Atención**: **muito** es invariable antes de un adjetivo.

muito ricos, *muy ricos*.

B2 APLICACIÓN

1. — **Eles são brasileiros e falam espanhol.**
2. — **Os turistas ingleses falam inglês.**
3. — **As turistas inglesas não falam português.**
4. — **Os turistas são bolivianos.**
5. — **Os turistas argentinos são ricos.**
6. — **Como eles se chamam?**
7. — **Eles se chamam Sauz. São espanhóis.**
8. — **Eles são muito trabalhadores.**

B3 NOTAS

■ La **antepenúltima sílaba** de una palabra se acentúa cuando la palabra termina en **am, em** o **s**.

cha**m**am **h**o**m**em **ric**os **ric**as inteli**gen**tes **h**o**m**ens

■ **ui** se pronuncia *ui* nasalizada (se transcribe [ũi]) en **muito** [mũitu] *muy*.

■ No olvidar las uniones cuando el artículo definido plural (**os**, masculino plural; **as**, femenino plural) está seguido de una palabra que empieza por vocal.

> **os argentinos** [uz ajye**ch**inus] *los argentinos*.

■ **El plural de los sustantivos y adjetivos** se forma (ver **Resumen gramatical**, p.254):
– agregando **s,** si la palabra termina en vocal.

os ricos **os argentinos** **os turistas**
– agregando **es**, si la palabra termina en otra consonante que no sea *m* o *l*.
sg. **mulher:** *mujer* pl. **mulheres**
    inglês: *inglés* **ingleses**
    rapaz: *muchacho* **rapazes**

■ **Atención:** si una palabra termina en **ês** en singular, el circunflejo desaparece en el plural y en el femenino: **inglesa,** *inglesa*.

■ Algunas palabras tienen la misma forma en el masculino que en el femenino (no olvidar hacer la concordancia del adjetivo que varía).
o turista boliviano é amável, *el turista boliviano es amable*.
a turista boliviana é amável, *la turista boliviana es amable*.

B4 TRADUCCIÓN

1. – Ellos son brasileños y hablan español.
2. – Los turistas ingleses hablan inglés.
3. – Las turistas inglesas no hablan portugués.
4. – Los turistas son bolivianos.
5. – Los turistas argentinos son ricos.
6. – ¿Cómo se llaman?
7. – Se llaman Sauz. Son españoles.
8. – Ellos son muy trabajadores.

1. **Traducir:**
   a) elas falam português.
   b) os turistas são brasileiros; não são portugueses.
   c) as turistas são ricas e amáveis.

2. **Pasar al femenino:**
   a) ele é um turista argentino muito rico.
   b) ele é um rapaz inteligente e amável.
   c) o homem é trabalhador.
   d) o turista francês fala inglês.

3. **Pasar al plural:**
   a) ele é português, não é brasileiro.
   b) o turista é inglês.
   c) a mulher é inteligente.
   d) o rapaz é trabalhador.

4. **Subrayar la sílaba tónica:**

   a) turista   e) trabalhador
   b) inteligente   f) falam
   c) homens   g) brasileiros
   d) amável

C2 PRONUNCIACIÓN Y VOCABULARIO

- **os brasileiros são muito simpáticos**
  [us brazilêirus **sãu mũi**tu sĩ**pá**chikus]
- **eles são turistas amáveis; elas são ricas**
  [êlis **sãu** tu**ri**shtaz a**má**veis; élas **sãu** ji**ka**s]
- **a moça é inteligente e bonita**
  [a **mô**sa é ĩteli**yê**chi i bu**ni**ta]

Brasil: *el nombre*: **o nome (de batismo), o nome próprio.**
           el apellido: **o sobrenome.**
           la cédula de identidad: **a carteira de identidade** o **RG** (abreviatura
           de **Registro Geral** = *registro general*).
Portugal: *el nombre*: **o nome próprio**
           el apellido: **o apelido**
           la cédula de identidad: **o bilhete de identidade.**

1.
- a) ellas hablan portugués.
- b) los turistas son brasileños; no son portugueses.
- c) las turistas son ricas y amables.

2.
- a) ela é uma turista argentina muito rica.
- b) ela é uma moça inteligente e amável.
- c) a mulher é trabalhadora.
- d) a turista francesa fala inglês.

3.
- a) eles são portugueses, não são brasileiros.
- b) os turistas são ingleses.
- c) as mulheres são inteligentes.
- d) os rapazes são trabalhadores.

4.
- a) tu**ris**ta
- b) inteli**gen**te
- c) **ho**mens
- d) a**má**vel
- e) trabalha**dor**
- f) **fa**lam
- g) brasi**lei**ros

C4 ENSEÑANZAS PRÁCTICAS

Los apellidos en Brasil y en Portugal

■ Normalmente, el apellido es doble: **José Bastos Alves**.
– el primero es el nombre de soltera de la madre: **Bastos**;
– el segundo es el del padre: **Alves**.
Si **José** se casa con **Maria Silva Lopes**, siendo **Silva** el apellido de la madre de **Maria**, y **Lopes** el apellido del padre, su esposa se volverá **Maria Silva Lopes Alves**, es decir, agregará a su propio nombre el segundo apellido de su marido. En Brasil, en casos frecuentes, la mujer se quita el apellido de su madre al casarse, adoptando sólo el del padre y agregando el del marido.
Sus hijos se llamarán: **João** o **Ana Lopes Alves**.
Sólo conservarán los apellidos de los abuelos paternos.
En una misma familia las cédulas de identidad llevarán:
    Padre: **José Bastos Alves.**
    Madre: **Maria Silva Lopes Alves.**
    Hijos: **Ana** y **João Lopes Alves.**

A1 PRESENTACIÓN

■ *Usted,* al dirigirse a una persona, se traduce por **o senhor, a senhora,** o **você;** el verbo va en la 3ª pers. del sing.

trabalha	[trabálya]	*trabaja*
você	[vôsê]	*usted*
o professor	[u prôfesôj]	*el profesor*
a professora	[a prôfesôra]	*la profesora*
espanhol	[ispañóu]	*español*
em	[ĕy]	*en*
Magalhães	[ɪnagalyãys]	*apellido*
Simões	[simõys]	*apellido*

■ El **tratamiento de usted,** corriente en Portugal, tiene un empleo delicado, debido a que las formas de tratamiento están muy matizadas.

■ **o senhor** (para un hombre)　　**a senhora** (para una mujer)

Para señalar cierta deferencia: **o senhor fala português?** *¿habla usted portugués?*

■ **você** (hombre o mujer) cuando uno se dirige a personas que conoce bien, aun a personas de rango inferior: **você fala português,** *hablas portugués.*

❚ En Brasil, se usa comúnmente **você** (no solamente respecto a inferiores). Remplaza el tuteo.

A2 APLICACIÓN

1. – Onde o senhor trabalha? Trabalho em São Paulo.
2. – O João não trabalha em Santos.
3. – Como o senhor se chama? É espanhol?
4. – Eu me chamo João Magalhães Simões. Sou português.
5. – A senhora fala português? É espanhola?
6. – Falo; não, não sou espanhola; sou brasileira.
7. – O senhor é professor?
8. – A senhora é professora?
9. – Você trabalha muito?
10. – Você é muito trabalhador (muito trabalhadora).

A3 NOTAS

Pronunciación

■ Observar la pronunciación de **você** [vôsê]: la **o** de la sílaba tónica se pronuncia ô y no *u*.

■ **ão** no es el único **diptongo nasal** del portugués; existen otros dos: **õe(s)** y **ãe(s)**. Esos diptongos son muy nasalizados; se transcriben así: **ões** (õis) y **ães** (ãis).

■ Una palabra terminada en **i** o **u**, seguida o no de **s** o **m**, se acentúa sobre la última sílaba: Joa**quim**, Pa**ris**.

■ la **e** en sílaba átona, al comienzo de una palabra y seguida de consonante se pronuncia como **i**: **espanhol** [ispañóu].

Gramática

■ Los adjetivos terminados en **l** son invariables en femenino, excepto aquellos que indican nacionalidad: **amável** (masc. y fem.); **espanhol** (masc.); **espanhola** (fem.).

− La forma interrogativa no requiere la inversión del sujeto.
    o senhor fala português?   *¿habla usted portugués?*

A4 TRADUCCIÓN

1. − ¿Dónde trabaja usted? Trabajo en São Paulo.
2. − Juan no trabaja en Santos.
3. − ¿Cómo se llama usted? ¿Es español?
4. − Me llamo João Magalhães Simões. Soy portugués.
5. − ¿Habla usted portugués? ¿Es española?
6. − Sí, hablo portugués; no soy española; soy brasileña.
7. − ¿Es usted profesor?
8. − ¿Es usted profesora?
9. − ¿Trabaja usted mucho? (a un hombre o una mujer)
10. − Usted es muy trabajador (muy trabajadora).

B1 PRESENTACIÓN

■ *Ustedes,* al dirigirse a varias personas, se traduce por **vocês**.

■ El verbo va en la 3ª persona del plural.

■ **La concordancia en el plural**: el sustantivo o adjetivo toma la marca del masculino plural, si se refiere a un grupo compuesto de sustantivos masculinos o masculino(s) y femenino(s).

> **ela e o João são médicos,** *ella y Juan son médicos.*

estudar	[ishtudáj]	*estudiar*
estudamos	[ishtudámus]	*estudiamos*
somos	[somus]	*somos*
o estudante	[u ishtudãchi]	*el estudiante*
a estudante	[a ishtudãchi]	*la estudiante*
o médico	[u médchiku]	*el médico*
a médica	[a médchika]	*la médica*
o empregado	[u ĩpregádu]	*el empleado*
a empregada	[a ĩpregáda]	*la empleada*
o animal	[u animáu]	*el animal*
útil	[uchiu]	*útil*
Maria	[maria]	*María*
Amália	[amálya]	*Amalia*
mas	[mas]	*pero*
também	[tãbẽy]	*también*

B2 APLICACIÓN

1. — Vocês são estudantes?
2. — Não, não somos.
3. — Como vocês se chamam? São muito amáveis.
4. — Ela se chama Maria, e eu Amália; somos estudantes.
5. — Vocês são empregados?
6. — Eu sou empregado, mas ela é médica.
7. — Os homens trabalham muito.
8. — Os animais são muito úteis; também trabalham.
9. — Eu sou médico; ela também é médica.

B3 NOTAS

■ Pronunciación de **ia: Maria** [maria] y **Amália** [amálya]:
– cuando no hay acento gráfico, el acento tónico va sobre la **i** (**i** y **a** se pronuncian separadamente).
Cuando un acento gráfico se encuentra sobre la sílaba que precede el grupo **ia**, éste se pronuncia **ya**, sin separar las vocales.

■ Atención a la pronunciación de los grupos **an**, **am** y **ão**:
– **am** y **an** en la palabra antes de una consonante: si la **a** es nasalizada, se transcribe [ã]: **também** [tãbẽy] *también*, **estudante** [ishtudãchi], *estudiante*;
– **ão** y **am** en las terminaciones de la 3ª pers. pl. se pronuncian ãu, muy fuertemente nasalizadas;
– si el grupo es tónico (como en el caso de **ão**), o átono (como en el caso de **am** al final de los verbos), se transcribe [ãu]: **João** [yuãu]; **falam** [fálãu] *hablan*.

■ **La formación del plural** de las palabras terminadas en **m** o **l**:
– se remplaza la **m** por **ns**: o **homem**, os **homens** (*los hombres*).
– la **l** por **is**: **el** → **éis**; **el** átono → **eis**; **al** → **ais**; **ol** → **óis**, **il** átono → **eis**.
o espanhol amável, os espanhóis amáveis;
o animal útil, os animais úteis.

B4 TRADUCCIÓN

1. – ¿Son ustedes estudiantes? (hombres, mujeres o ambos).
2. – No, no somos estudiantes.
3. – ¿Cómo se llaman? Son muy simpáticos.
4. – Ella se llama María y yo Amalia; somos estudiantes.
5. – ¿Son ustedes empleados? (a hombres o a hombres y mujeres).
6. – Sí, yo soy empleado, pero ella es médica.
7. – Los hombres trabajan mucho.
8. – Los animales son útiles; ellos también trabajan.
9. – Yo soy médico, y ella también es médica.

1. Traducir:
a) como a senhora se chama?
b) como ele se chama?
c) vocês são professores? Somos.
d) eles são estudantes? Não, eles não são estudantes.
e) vocês falam português? Falamos.

2. Traducir:
a) ¿cómo se llaman ustedes? (a personas desconocidas).
b) ¿es usted médico?
c) ¿son estudiantes? (a amigos).
d) ellos no son profesores.
e) ellos se apellidan Silva.

3. Pasar al plural:
a) o animal é muito útil.
b) o homem fala português; a mulher fala espanhol.
c) o trabalhador brasileiro é simpático.

4. Pasar al femenino:
a) o estudante espanhol é amável.

5. Pronunciar:
a) a mulher se chama Maria. Não se chama Amália.
b) o senhor João Simões Magalhães é médico.

C2 ENSEÑANZAS PRÁCTICAS

■ **Las formas de cortesía**: por deferencia, cuando uno se dirige a una persona que no conoce bien, le dice: **doutor** (a un ingeniero, arquitecto, profesor, médico, abogado, o cualquier persona que tenga un título universitario). En Portugal: **senhor doutor, senhor engenheiro, senhor arquiteto, etc.**

– Esas mismas indicaciones hacen parte de la dirección que figura en un sobre, o en el encabezado de cualquier documento escrito:
Dr. José Bastos Alves.

■ En un sobre, se utiliza la fórmula:
   Excelentíssimo Senhor Doutor, abreviada en **Exmo. Sr. Dr....**

1.

   a) ¿cómo se llama usted?

   b) ¿cómo se llama él?

   c) ¿son profesores? Sí (somos profesores).

   d) ¿son estudiantes? No, no son estudiantes.

   e) ¿hablan portugués? Sí (hablamos portugués).

2.

   a) como vocês se chamam?

   b) o senhor é médico?

   c) vocês são estudantes?

   d) eles não são professores.

   e) eles se chamam Silva.

3.

   a) Os animais são muito úteis.

   b) os homens falam português; as mulheres falam espanhol.

   c) os trabalhadores brasileiros são simpáticos.

4.

   a) a estudante espanhola é amável.

5.

   a) a mul**yéj** si **shá**ma maria. **Nãu** si **shá**ma am**á**lya.

   b) u se**ñój** yu**ãu** sim**õys** magal**yãys** é **mé**dchiku.

C4 REPASO

■ **¿Cómo reconocer la sílaba tónica?:**

— la **antepenúltima sílaba**, si la palabra termina en **a** , **e, o**, seguidas o no de **s** o de **m** (**as, es, os; am, em, om**).

Nuno Ana   estu**dan**te   **Al**ves empre**ga**dos empre**ga**das **fa**lam

— la **última sílaba** si la palabra termina en:

   las vocales **i** y **u**, seguidas o no de **s** o **m**

a**li** (*allá*)   Pa**ris**   Joa**quim**

   un diptongo, nasal o no: ej. : **ão, ões, ães**.

Sebas**tião**   Si**mões**   Maga**lhães**

   una consonante que no sea **s** o **m**, después de **a, e, o**.

Man**uel**   mul**her**   ra**paz**

■ Cuando la sílaba acentuada no corresponde a esas reglas, lleva un acento gráfico, agudo (´) o circunflejo (^):

Jo**sé**   por**tu**guês   a**má**vel   **mé**dico

A1 PRESENTACIÓN

■ **mos** al final de un verbo indica que éste está en la 1ª persona del plural.

■ **nós**: pronombre personal de la 1ª pers. del plural (sujeto).

nós	[nós]	*nosotros*
de, do, da	[dchi, du, da]	*de, del, de la*
Belo Horizonte	[bèlu orizõchi]	*Belo Horizonte*
Lisboa	[lisbôa]	*Lisboa*
o Rio de Janeiro	[u jiu dchi yanêiru]	*Río de Janeiro*
Brasília	[brazilya]	*Brasilia*
o Brasil	[u braziu]	*Brasil*
Portugal	[pojtugáu]	*Portugal*
Antônio	[ãtonyu]	*Antonio*
o rio	[u jiu]	*el río*
o porto	[u pôjtu]	*el puerto*
o Paraná	[u paraná]	*el Paraná (río)*
a cidade	[a sidádchi]	*la ciudad*
a capital	[a kapitáu]	*la capital*
o amigo	[u amigu]	*el amigo*
a amiga	[a amiga]	*la amiga*
importante	[ĩpojtãchi]	*importante*
belo	[bélu]	*bello*
mesmo	[mêsmu]	*mismo*

A2 APLICACIÓN

1. – Nós somos do Rio, você é de São Paulo.
2. – Buenos Aires é a capital da Argentina.
3. – O Rio de Janeiro não é a capital do Brasil.
4. – Brasília é a capital do Brasil.
5. – Nós somos de Santos.
6. – O porto da cidade de Santos é importante.
7. – O Paraná é um belo rio.
8. – O Rio de Janeiro é uma cidade bela e importante.
9. – Eu sou amigo do Antônio, você é amiga da Maria.
10. – Nós somos amigos, mas não somos da mesma cidade.

A3 NOTAS

■ Los grupos **io, ia** se pronuncian de la misma manera; las dos vocales se pronuncian separada y distintamente (la **i** es tónica): **o rio** (u **jiu**) *el río*, **Maria** (ma**ri**a) *María*. **Excepto** si se pone un acento sobre la vocal anterior; entonces, la **i** es átona y se pronuncia [y]: **Antônio** [ãtonyu], **Brasília** [brazilya].

■ la **s** al final de la sílaba y seguida de **b** o **m** se pronuncia *s*.
Lisboa [lisbôa] *Lisboa*, **mesmo** [mêsmu] *mismo, aun*.

■ El artículo definido se contrae con ciertas preposiciones.

> **de + o = do**, *del*　　**de + os = dos**, *de los*
> **de + a = da**, *de la*　　**de + as = das**, *de las*

■ **Los usos del artículo definido** (**o** = *el*; **a** = *la*):
– delante de los nombres propios: ej.: **a Maria** (mención);
– delante de los nombres de ciudades que son un sustantivo común.

> **O porto**, *el puerto*, **o Porto**, *Porto*.
> **O rio**, *el río*, **o Rio de Janeiro**, *Río de Janeiro*.

Se omite el artículo definido antes de ciertos nombres de países, en particular Portugal, Angola, Guinea, Mozambique.

> **Lisboa é a capital de Portugal.**
> *Lisboa es la capital de Portugal.*

■ Conjugación del presente del indicativo de **ser: sou, é, somos, são.**

A4 TRADUCCIÓN

1. – Nosotros somos de Río; tú eres de São Paulo.
2. – Buenos Aires es la capital de Argentina.
3. – Río de Janeiro no es la capital de Brasil.
4. – Brasilia es la capital de Brasil.
5. – Somos de Santos.
6. – El puerto de la ciudad de Santos es importante.
7. – El Paraná es un bello río.
8. – Río de Janeiro es una ciudad bella e importante.
9. – Yo soy amigo de Antonio; tú eres amiga de María.
10. – Somos amigos, pero no somos de la misma ciudad.

B1 PRESENTACIÓN

■ **amos**: esta **terminación** indica que el verbo está en la 1ª pers. del plural para un verbo de la 1ª conjugación (infinitivo en **ar**).

■ El artículo definido se contrae con ciertas preposiciones.

em + o = no (*en el, en lo*)   em + os = nos (*en los*)
em + a = na (*en la*)   em + as = nas (*en las*)

gostamos de	[goshtámus dchi]	*nos gusta*
viajar	[viayáj]	*viajar*
passear	[pasiáj]	*pasear*
ficar	[fikáj]	*quedar*
ler	[lêj]	*leer*
escrever	[iskrevêj]	*escribir*
sair	[saij]	*salir*
estar em casa	[eshtár ẽy káza]	*estar en la casa*
a viagem	[viáyẽy]	*viaje*
o romance	[u jomãsi]	*la novela*
o campo	[u kãpu]	*el campo*
até	[até]	*hasta*
em	[ẽy]	*en*
cedo	[sêdu]	*temprano*

■ El verbo **gostar** es siempre seguido de la preposición **de**.

gosto de viajar, *me gusta viajar.*

■ **em** indica siempre el lugar donde uno está, cualquiera que sea la preposición correspondiente: **estar em São Paulo**, *estar en São Paulo.*

■ cuando la **r** al final de la palabra está antes de una palabra que empieza por vocal, suena como la **r** de *caro*, porque se hace la unión:
estar em casa [eshtár ẽy káza].

B2 APLICACIÓN

1. — Nós gostamos de falar português.
2. — Nós gostamos de viajar. Não gosto de ficar em casa.
3. — Gostamos de estar em casa.
4. — Gostamos de ler um romance em casa.
5. — Você gosta de escrever em casa.
6. — Eu gosto de sair cedo. O senhor gosta de sair tarde.
7. — Ela gosta de passear no campo.
8. — Eles gostam de estar na cidade.
9. — Eu gosto de estar em São Paulo, mas sou de Brasília.
10. — A viagem até Brasília é longa.

B3   NOTAS

■ En el grupo **ea**, la **e** se pronuncia **i**: **passear** [pasiáj] *pasear.*

■ La **g** seguida de **e** o **i** se pronuncia más o menos **y** (se transcribe [y]): **a viagem** [a viáyẽy] *el viaje.*

– Se pronuncia **gu** delante de **a**, **o** (se transcribe [g]): **o amigo** [u amigu] *el amigo,* **a amiga** [a amiga] *la amiga.*

– Para mantener el sonido **y** antes de **a** y **o**, **u** se escribe **j** y no **g**: **a viagem**, pero **viajar**.

■ Las palabras terminadas en **gem** (español *aje*) son siempre femeninas. El adjetivo debe concordar en género y número con el sustantivo: **a viagem longa**, *el viaje largo.*

■ Hay tres conjugaciones regulares cuyo infinitivo termina en: **ar** (1ª conjugación): **falar** (*hablar*); **er** (2ª conjugación): **escrever** (*escribir*); **ir** (3ª conjugación: **sair** (*salir*).

■ Presente del indicativo de los verbos de la 1ª conjugación **falar**: fal-**o**, fal-**a**, fal-**amos**, fal-**am**.

B4   TRADUCCIÓN

1. – Nos gusta hablar portugués.
2. – Nos gusta viajar. No me gusta quedarme en la casa.
3. – Nos gusta estar en la casa.
4. – Nos gusta leer una novela en la casa.
5. – Te gusta escribir en la casa.
6. – Me gusta salir temprano. A usted le gusta salir tarde.
7. – A ella le gusta pasear en el campo.
8. – A ellos les gusta estar en la ciudad.
9. – Me gusta estar en São Paulo, pero soy de Brasilia.
10. – El viaje hasta Brasilia es largo.

VI   ■ C1 EJERCICIOS

1. Traducir:

a) vocês gostam de viajar; nós gostamos de ficar em casa.
b) gosto de estar em São Paulo, mas sou do Rio.
c) você gosta de passear no campo.
d) nós somos da mesma cidade.

2. Completar con EM, NO, NA, DE, DO, DA:

a) você gosta.... estar.... casa.
b) nós passeamos.... cidade.... Rio de Janeiro.
c) nós gostamos.... cidade.... Brasília.
d) gosto.... estar.... Rio.

3. Pasar a la 1ª persona del singular:

a) nós somos de Fortaleza.
b) nós ficamos em casa.
c) nós viajamos a Recife.

4. Traducir:

a) me gusta pasear en la ciudad.
b) te gusta leer en la casa.
c) el viaje hasta Belem es largo.

C2 PRONUNCIACIÓN

■ **Pronunciar:**
– **eu sou de Brasília, mas gosto de passear em Montevidéu** [êu **sô** dchi brazilya, mas **gósh**tu dchi pasi**áj** ẽy mõchivi**déu**].
– **somos da mesma cidade** [**so**mus da mêsma si**da**dchi].

■ Atención a la pronunciación del verbo **gostar** al indicativo presente:

gosto de	[**gósh**tu dchi]
gosta de	[**gósh**ta]
gostamos de	[gosht**á**mus]
gostam de	[**gósh**tãu]

1.
- a) a ustedes les gusta viajar; a nosotros nos gusta quedarnos en la casa.
- b) me gusta estar en São Paulo, pero soy de Río.
- c) te gusta pasear en el campo.
- d) nosotros somos de la misma ciudad.

2.
- a) você gosta DE estar EM casa.
- b) nós passeamos NA cidade DO Rio de Janeiro.
- c) nós gostamos DA cidade DE Brasília.
- d) eu gosto DE estar NO Rio.

3.
- a) eu SOU de Fortaleza.
- b) eu FICO em casa.
- c) eu VIAJO a Recife.

4.
- a) gosto de passear na cidade.
- b) você gosta de ler em casa.
- c) a viagem até Belém é longa.

C4 ENSEÑANZAS PRÁCTICAS

EL PORTUGUÉS EN EL MUNDO

■ Casi *180 millones* de personas hablan el portugués.

En *Portugal*, alrededor de 10 millones.
Capital: **Lisboa** (1 millón de habitantes).
En *Brasil*, país de gran extensión, casi 160 millones.
Capital: **Brasilia**.
En *África*, varios países, independientes desde 1974:
Angola, casi 6 millones.
Capital: **Luanda**.
Mozambique, más de 8 millones.
Capital: **Maputo**.
Cabo Verde (capital: **Praia**).
Guinea-Bissau (capital: **Bissau**).
Santo Tomé y Príncipe (capital: **Santo Tomé**).
En *Asia*: **Macao, Timor, Oceanía.**

A1 PRESENTACIÓN

■ **é que** es una locución **invariable** que refuerza todas las palabras interrogativas. Su uso es muy frecuente en el lenguaje hablado.

onde é que	(õdchi é **ki**)	*dónde*
está	(esh**tá**)	*está*
fica	(**fi**ka)	*se encuentra*
a estação	(a ishta**sãu**)	*la estación*
o escritório	(u eskri**tó**riu)	*la oficina*
a faculdade	(a fakul**dá**dchi)	*la facultad*
o correio	(u ko**jêi**u)	*correos*
o café	(u ka**fé**)	*el café*
o cinema	(u **si**nema)	*el cine*
o ônibus	(u **ô**nibus)	*el autobús*
a parada, o ponto	(a pa**rá**da, u **põ**tu	*a parada*
do ônibus	du **ô**nibus)	
o número	(u **nu**meru)	*el número*
sete	(**sé**chi)	*siete*
longe de	(**lõ**yi di)	*lejos de*
perto de	(**pé**jtu di)	*cerca de*

– **estar** se emplea en el sentido de *encontrarse en.*
– **ficar** también se puede utilizar en el sentido de *quedarse.*

A2 APLICACIÓN

1. – Onde é que fica Brasília? Brasília fica no Brasil.
2. – Onde é que fica Santiago? Santiago fica na Chile.
3. – Onde é que fica o Rio? O Rio fica no Brasil.
4. – Onde é que a Maria está? A Maria está na faculdade.
5. – Onde é que o Pedro está? O Pedro está no escritório.
6. – O escritório não fica (o não é) longe da estação.
7. – Onde é que fica o ponto do ônibus?
8. – O ponto do ônibus fica (o é) perto do Capibaribe.
9. – É o ponto que fica perto do correio?
10. – Como é que se chama o café, perto do cinema?

A3 NOTAS

■ Pronunciación de **au**: se debe pronunciar casi distintamente la **a** y la **u**; por lo tanto se pronuncia **au**; se transcribe [au]:
automóvel [automóvéu].

■ La pronunciación de **rr** se parece a la de la **r** inicial. Ambas son alargadas (se transcribe [j]): **Rosa** [józa], **correio** [kojêyu].

¿Cómo reconocer el género de los sustantivos? (ver **Resumen gramatical**, p. 253.)

■ **Por la terminación:**
– una palabra terminada en **o** átona (es decir, no acentuada) es normalmente **masculina**: o escritório, *la oficina.*
– una palabra terminada en **a** átona es normalmente **femenina**:
a casa, *la casa.*
– existen innumerables excepciones: o turista, o dia, o cinema.
– las palabras terminadas en **ade** o **agem** son siempre femeninas:
a faculdade, *la facultad;* a viagem, *el viaje.*
– únicamente el uso permite conocer el género de las palabras que tienen otras terminaciones: o café, *el café;* a estação, *la estación.*

■ **Por la naturaleza:**
– Los seres vivos son masculinos o femeninos, según el sexo:
o estudante, a estudante, *el estudiante, la estudiante.*
o turista, a turista, *el turista, la turista.*
– Los nombres de ríos son masculinos: o São Francisco, *el San Francisco.*

A4 TRADUCCIÓN

1. – ¿Dónde está Brasilia? Brasilia está en Brasil.
2. – ¿Dónde está Santiago? Santiago está en Chile.
3. – ¿Dónde está Río? Río está en Brasil.
4. – ¿Dónde está María? María está en la facultad.
5. – ¿Donde está Pedro? Pedro está en la oficina.
6. – La oficina no está lejos de la estación de autobús.
7. – ¿Dónde se encuentra (o dónde está) la parada del autobús?
8. – La parada del autobús está cerca del Capibaribe.
9. – ¿Es la parada que está cerca del correo?
10. – ¿Cómo se llama el café que está cerca del cine?

B1 PRESENTACIÓN

■ **quem**, interrogativo, se usa para las **personas** (¿*quién?*).

estão	[eshtãu]	*están*
estás	[eshtás]	*estás*
estou	[eshtô]	*estoy*
a mãe	[a mãi]	*la madre*
o pai	[u pái]	*el padre*
o irmão	[u ijmãu]	*el hermano*
a irmã	[a ijmã]	*la hermana*
a escola	[a iskóla]	*la escuela*
a reunião	[a jeuñiãu]	*la reunión*
a fábrica	[a fábrika]	*la fábrica*
o cachorro	[u kashôju]	*el perro*
a loja	[a lóya]	*la tienda*
a rua	[a jua]	*la calle*
dois, duas	[dôis, duas]	*dos* (masc. y fem.)
com	[kõ]	*con*

■ **Atención:** *un* (**um, uma**) y *dos* (**dois, duas**) concuerdan con el sustantivo: **um amigo, uma amiga,** *un amigo, una amiga;* **dois amigos, duas amigas,** *dos amigos, dos amigas.*

B2 APLICACIÓN

1. – Onde (é que) a mãe da Maria está?
2. – A mãe da Maria não está em casa.
3. – Onde (é que) o irmão e a irmã da Maria estão?
4. – Eles estão na escola.
5. – Onde (é que) o cachorro está? Não está em casa?
6. – Não, o cachorro não está em casa; está na rua.
7. – Onde (é que) fica a loja do pai do João?
8. – A loja fica perto da estação rodoviária.
9. – Com quem (é que) você está no restaurante?
10. – Eu estou com dois amigos e duas amigas.
11. – O Diretor está?
12. – Está; está em reunião na fábrica.
13. – O senhor Alves está?
14. – Não, o senhor Alves não está.

B3 NOTAS

■ **ã**, fuertemente nasalizada, se pronuncia como **am** y **an** + la consonante (lección V B3-3); se transcribe [ã].

■ **ãe** se pronuncia como **ã**, más fuertemente nasalizado (como si uno estuviera agripado); se representa [ãy].

— Una palabra terminada en **ã** o **ãe** (seguida o no de s) se acentúa sobre la última sílaba: a ir**mã**, *la hermana*; Maga**lhães**.

■ Ciertas palabras terminadas en **ão** hacen el femenino en **ã**: **o irmão**, *el hermano;* **a irmã**, *la hermana.*

■ **estar** es irregular, entre otros, en el presente del indicativo: **estou** [eshtô], **está** [eshtá], **estamos** [eshtámus], **estão** [eshtãu].

■ Después de **sim** o **não**, hay que retomar el verbo de la pregunta. En las respuestas afirmativas, se contesta con el mismo verbo de la pregunta.

    O diretor está?   **Não, não está.**

                     Está, (sim).

B4 TRADUCCIÓN

1. — ¿Dónde (es que) está la madre de María?
2. — La madre de María no está en casa.
3. — ¿Dónde (es que) están el hermano y la hermana de María?
4. — Están en la escuela.
5. — ¿Dónde (es que) está el perro? ¿No está en la casa?
6. — No, (el perro no está en la casa); está en la calle.
7. — ¿Dónde está la tienda del padre de Juan?
8. — La tienda está cerca de la estación de autobuses.
9. — ¿(Pero) Con quién estás en el restaurante?
10. — Yo estoy con dos amigos y dos amigas.
11. — ¿Está el señor director ?
12. — Sí, (el señor director está). Está en reunión en la fábrica.
13. — ¿Está el señor Alves?
14. — No, el señor Alves no está (el señor Alves está ausente).

1. **Traducir:**
   a) onde é que os dois amigos do João estão?
   b) estão no cinema, perto da faculdade.
   c) onde fica a loja do Manuel?

2. **Hacer la concordancia del adjetivo, cuando sea necesario:**
   a) (longo) a viagem até Belem é . . . . .
   b) (belo) o Amazonas é . . . . .

3. **Pasar a la 1ª persona del singular:**
   a) nós estamos no restaurante.
   b) nós não falamos português.
   c) nós somos de Brasília, somos brasileiros.

4. **Emplear ficar, ser o estar, según el caso:**
   a) onde é que o João . . . . . ?
   b) o João . . . . . no restaurante.
   c) o restaurante . . . . . perto do rio.

5. **Traducir:**
   a) ¿dónde está usted? Estoy en Argentina.
   b) soy de Río; Río es una bella ciudad.
   c) ella está en Río.

C2 ENSEÑANZAS PRÁCTICAS

■ **contamos de um até dez**, *contamos de uno hasta diez.*

0 **zero** [zéru]	4 **quatro** [kuátru]	8 **oito** [ôitu]
1 **um/uma** [ū/uma]	5 **cinco** [sīku]	9 **nove** [nóvi]
2 **dois/duas** [dôis/duas]	6 **seis** [sêis]	10 **dez** [dés]
3 **três** [três]	7 **sete** [séchi]	

■ *Cuando uno da el número de su teléfono* (**o telefone**), *dice número por número* (*Portugal y Brasil*):
Telefone: 586-72-01: cinco, oito, seis, sete, dois, zero, um.

■ En Brasil, cuando se trata de teléfono, se traduce *seis* por **meia** [mêya], que significa *"media"*. Es la abreviatura de **meia dúzia** [mêya duzya] *"media docena"*. El número 586-7201 se enunciará: cinco, oito, **meia**, sete, dois, zero, um.

1.
   a) ¿dónde (es que) están los dos amigos de Juan?
   b) están en el cine, cerca de la facultad.
   c) ¿dónde está la tienda de Manuel?

2.
   a) a viagem até Belém é **longa.**
   b) o Amazonas é **belo.**

3.
   a) eu **estou** no restaurante.
   b) eu não **falo** português.
   c) eu **sou** de Brasília; **sou** brasileiro.

4.
   a) onde é que o João **está**?
   b) o João **está** no restaurante.
   c) o restaurante **fica** (o é) perto do rio.

5.
   a) onde é que você está? Estou na Argentina.
   b) eu sou do Rio; o Rio é uma bela cidade.
   c) ela está no Rio.

C4   EL PORTUGUÉS DE PORTUGAL

■ **La ortografía**: existen algunas ligeras diferencias.
Los brasileños nunca escriben las letras que no oyen, pero los portugueses sí las escriben:
   Director:
   Brasil: **diretor.**
   Portugal: **director.**

■ **Ciertos hábitos** de la vida cotidiana: en Brasil, se usa "alô" en el teléfono. Cuando se contesta se dice **alô [alô]**, mientras que en Portugal se usa **"está?"**.

A1 PRESENTACIÓN

■ Observar el uso del artículo definido **o, a** antes de los posesivos. Es facultativo el empleo del artículo antes del posesivo, sobre todo cuando éste tiene una función adjetiva:

o meu pai o **meu pai**, *mi padre*.

En algunos casos, es forzoso el uso del artículo (cuando se quiere enfatizar o identificar la cosa poseída): **este livro é o meu, e aquele é o seu.**

■ ¿**como está? Estar** usado con **como** permite interrogar sobre la salud. La expresión significa *¿cómo está usted?* En Brasil, es más usual **como vai?** o **como vai você?** en vez de **como está?**, aunque se usan ambas formas.

o meu	[u **mêu**]	*mi*	a minha	[a **miña**]	*mi*
o teu	[u **têu**]	*tu* (m.)	a tua	[**tua**]	*tu* (f.)
o seu	[u **sêu**]	*su* (m.)	a sua	[a **sua**]	*su* (f.)
os seus	[us **sêus**]	*sus* (m.)	as suas	[as **suas**]	*sus* (f.)
o dia	[u **dchia**]	*el día*	a noite	[a **nôichi**]	*la noche*
a tarde	[a **táj**dchi]	*la tarde*			
bom, boa	[bõ, bôa]	*buen, buena*			
bem	[bẽy]	*bien*			
obrigado	[obri**gá**du]	*gracias (obligado)*			
obrigada	[obri**gá**da]	*gracias (obligada)*			

■ *Gracias* es invariable en español. En portugués, la respuesta cambia, según se trate de un hombre que habla o de una mujer.

obrigado, *para un hombre*; **obrigada**, *para una mujer*.

■ **bom dia, boa tarde** y **boa noite** (*buenos días, buenas tardes* y *buenas noches*) van siempre en singular.

A2 APLICACIÓN

1. — Bom dia, como vai, Ana? Vou bem, obrigada.
2. — Boa tarde, como vai o senhor? Vou bem, obrigado.
3. — Boa noite, como vai, Helena? Vou bem, obrigada.
4. — Como vai seu pai? Meu pai não está muito bem.
5. — Como vai sua mãe? Minha mãe está bem.
6. — Como vai seu irmão, Roberto?
7. — Como vai sua irmã?
8. — Como vão seus irmãos e suas irmãs?
9. — Vão bem, obrigado.

A3 NOTAS

■ **oi** se pronuncia como en el español *"boya"*; se transcribe [oi]: **a noite** [a **nôite**] (en esa palabra, la **o** es cerrada).

■ El plural se forma agregando **s** a las palabras terminadas en **a, ã** y ciertas palabras en **ão: amiga** (pl. **amigas**), **irmã** (pl. **irmãs**), **irmão** (pl. **irmãos**).

■ Los adjetivos posesivos pueden ser acompañados o no por el artículo definido: **o meu pai, meu pai,** *mi padre;* **a minha mãe, minha mãe,** *mi madre;* **os meus irmãos, meus irmãos,** *mis hermanos.*

masculino		femenino	
o(s) meu(s)	*mi(s)*	**a(s) minha(s)**	*mi(s)*
o(s) teu(s)	*tu(s)*	**a(s) tua(s)**	*tu(s)*
o(s) seu(s)	*su(s)*	**a(s) sua(s)**	*su(s)*

■ El adjetivo posesivo: concuerda en género y número con el sustantivo. El plural se forma agregando **s** al artículo y al posesivo.
En Brasil, los posesivos pertenecen a la categoría de pronombres; los adjetivos son únicamente los calificativos.

A4 TRADUCCIÓN

1. – Buenos días, ¿cómo está, Ana? Bien, gracias.
2. – Buenas tardes, ¿cómo está usted? (dirigiéndose a un hombre). Estoy bien, gracias.
3. – Buenas noches, ¿cómo estás, Elena? Estoy bien, gracias.
4. – ¿Cómo está tu padre? Mi padre no está muy bien.
5. – ¿Cómo está tu madre? Mi madre está bien.
6. – ¿Cómo está su hermano, Roberto?
7. – ¿Cómo está su hermana?
8. – ¿Cómo están sus hermanos y hermanas?
9. – Están bien, gracias.

B1 PRESENTACIÓN

contar	[kõtaj]	*contar*	ou	[ô]	*o*
a família	[a familya]	*la familia*	o tio	[u chiu]	*el tío*
o filho	[u filyu]	*el hijo*	a tia	[a chia]	*la tía*
a filha	[a filya]	*la hija*	o avô	[u avô]	*el abuelo*

a avó	[a avó]	*la abuela*
os filhos	[us filyus]	*los hijos*
os pais	[us páis]	*los padres*
os avós	[us avós]	*los abuelos*
os cachorros	[us kashôjus]	*los perros*
as reuniões	[as jeuñiõys]	*las reuniones*
a história	[a ishtória]	*la historia*

novo	[nôvu]	*nuevo, joven*	nova	[nóva]	*nueva, joven*
grande	[grãdchi]	*gran, grande*	pequeno	[pikênu]	*pequeño*
alegre	[alégri]	*alegre*			
qual	[kuáu]	*cuál*	quais	[kuáis]	*cuáles*

B2 APLICACIÓN

1. – Quem é o pai do Antônio? É o João ou o Nuno?
2. – Quem é o filho do João? É o Pedro.
3. – Quem é o avô do Pedro? É o Antônio.
4. – Quem são os pais do Manuel?
5. – Quem são o Filipe e o João?
6. – São os irmãos do meu pai; são os meus tios.
7. – Qual das duas é a tia do Pedro?
8. – Minha tia, a mulher do Manuel, é muito nova.
9. – Gosto dos cachorros dos meu avós.
10. – A minha avó é velha e alegre. Conta histórias bonitas.
11. – A minha família é grande; a sua é pequena.
12. – Com quem você está? Quais são os seus tios?
13. – Os portugueses e os brasileiros gostam de grandes reuniões de família.

B3 NOTAS

■ **Atención:** o avô (ô cerrada); a avó (ó abierta).

■ La o tónica de ciertos adjetivos se pronuncia distintamente en el masculino que en el femenino: **novo** [nôvu], **nova** [nóva].

■ **qu** + **e** o **i** se pronuncia **k** (se transcribe [ke], [ki]).
– **qu** + **a** se pronuncia **kua** (se transcribe [kua]).
– **quem** [kẽy], *quién,* **qual** [kuáu] *cual.*

■ Plural del artículo indefinido **um, uma:**
      a avó conta uma história, *la abuela cuenta una historia.*
      a avó conta histórias, *la abuela cuenta historias.*
Sólo el sustantivo toma la forma del plural; no se traduce el artículo indefinido.

■ **El plural de las palabras terminadas en ão es complejo:**
– a algunas se agrega s: o irmão, pl. **os irmãos,** *el hermano, los hermanos;*
– en la mayoría de las veces, se remplaza **ão** por **ões.**
      a reunião, as reuniões; *la reunión, las reuniones.*
– finalmente, en algunas más raras **ão** se convierte en **ães.**
      o alemão, os alemães; *el alemán, los alemanes.*

B4 TRADUCCIÓN

1. – ¿Quién es el padre de Antonio? ¿Es Juan o Nuno?
2. – ¿Quién es el hijo de Juan? Es Pedro.
3. – ¿Quién es el abuelo de Pedro? Es Antonio.
4. – ¿Quiénes son los padres de Manuel?
5. – ¿Quiénes son Felipe y Juan?
6. – Son los hermanos de mi padre; son mis tíos.
7. – ¿Cuál de las dos es la tía de Pedro?
8. – Mi tía, la esposa de Manuel, es muy joven.
9. – Me gustan los perros de mis abuelos.
10. – Mi abuela es vieja y alegre. Cuenta bellas historias.
11. – Mi familia es grande; la tuya es pequeña.
12. – ¿Con quién estás? ¿Cuáles son tus tíos?
13. – A los portugueses y brasileños les gustan las grandes reuniones de familia.

1. **Traducir:**
   a) como vai o senhor? Vou muito bem, obrigado.
   b) como vai? Vou muito bem, obrigado.
   c) como vai ela? Vai bem, obrigado.

2. **Pasar al femenino:**
   a) o meu pai é novo.
   b) o meu irmão é inteligente.
   c) o teu avô é velho.

3. **Pasar al plural:**
   a) meu irmão está na escola.
   b) minha irmã é amável.
   c) o rapaz brasileiro fala espanhol.
   d) teu cachorro é velho.
   e) a estação rodoviária é nova.
   f) minha tia conta uma história bonita.

4. **Pronunciar:**
   o meu irmão é novo; a minha irmã e a minha mãe são novas.

<hr>

C2   VOCABULARIO Y ENSEÑANZAS PRÁCTICAS

■ Vocabulario: **a família** (*la familia*)

os pais	*los padres (padre y madre)*		
os parentes	*los parientes* (familia ampliada)		
o genro	*el yerno*	**a nora**	*la nuera*
o primo	*el primo*	**a prima**	*la prima*
os primos	*los primos*		
o sobrinho	*el sobrino*	**a sobrinha**	*la sobrina*
os sobrinhos	*los sobrinos*		
o neto	*el nieto*	**a neta**	*la nieta*
os netos	*los nietos*		

■ **Continuamos a contar (de dez até vinte),** *seguimos contando de diez hasta veinte.*

10 **dez** [dés]	14 **catorze** [katôjzi]	18 **dezoito** [dezôitu]
11 **onze** [õzi]	15 **quinze** [kĩzi]	19 **dezenove** [dchizenóvi]
12 **doze** [dôzi]	16 **dezesseis** [dchizesêis]	20 **vinte** [vĩchi]
13 **treze** [trêzi]	17 **dezessete** [dchizeséchi]	

1.

  a) ¿cómo está usted? Estoy muy bien, gracias.

  b) ¿cómo está? Estoy bien, gracias.

  c) ¿cómo está ella? Está bien, gracias.

2.

  a) a minha mãe é nova.

  b) a minha irmã é inteligente.

  c) a tua avó é velha.

3.

  a) meus irmãos estão na escola.

  b) minhas irmãs são amáveis.

  c) os rapazes brasileiros falam espanhol.

  d) teus cachorros são velhos.

  e) as estações rodoviárias são novas.

  f) minhas tias contam histórias bonitas.

4.

  [u **mêu** ij**mãu** é **nôvu**; **mi**ña ij**mã** i **mi**ña **mãy sãu nó**vas].

C4 REPASO

■ **Las distintas pronunciaciones de la vocal e** (la vocal más modulada).

■ **En la sílaba tónica:**

– la **e** es abierta, transcrita [é]: **café** [ka**fé**];

– la **e** es cerrada, transcrita [ê], es el caso de una **e** seguida de **m** o **n** + vocal, o de **ê**.

pequeno [pi**ke**nu]   **cinema** [si**ne**ma]   **francês** [frã**sês**]

Algunas veces la **e** se pronuncia de manera distinta en masculino y en femenino: masc. **ele(s)** **ê**li(s); fem. **ela(s)** **é**la(s).

■ **En la sílaba átona:**

– **En la sílaba átona final**, o internamente en la palabra, (antes o después de la sílaba acentuada) se pronuncia como **i**; transcrita [i]: **cidade** [si**dá**dchi], **vestido** [vish**chi**du].

– **En la sílaba átona, al comienzo de la palabra:**

– se pronuncia **i,** si está seguida de **s** más otra consonante: **estudante** [ishtu**dã**chi].

A1 PRESENTACIÓN

■ *Hay* se traduce por **há** (á), la 3ª pers. del sing. del verbo **haver**, *haber*, utilizado principalmente en esta forma impersonal.

■ **Muito** seguido de un sustantivo concuerda en género y número con ese sustantivo: *mucho*.

conheço	[kuñêsu]	*conozco*
muito (m.)	[mũitu]	*mucho*
o carro	[u káju]	*el coche*
o táxi	[u táksi]	*el taxi*
o movimento	[u muvimẽtu]	*el movimiento, la circulación*
o trânsito	[u trãzitu]	*la circulación, el tráfico*
a gente	[a yẽchi]	*la gente*
a pessoa	[a pesôa]	*la persona*
o trabalho	[u trabályu]	*el trabajo*
o barulho	[u barulyu]	*el ruido*
o pedestre	[u pedeshtri]	*el peatón*
a lição (ões)	[a lisãu]	*la lección*
o exemplo	[u ezẽplu]	*el ejemplo*

dum	[dũ]	*de un*	duma	[duma]	*de una*
num	[nũ]	*en un*	numa	[numa]	*en una*
sem	[sẽy]	*sin*	sempre	[sẽpri]	*siempre*

■ **Expresiones:**
   estou esperando você [eshtô espérãdu vôsê] *te estoy esperando.*
   você está me esperando [vôsê eshtá mi espérãdu] *me estás esperando.*

A2 APLICACIÓN

1. – Há muitos carros nas ruas duma cidade.
2. – Há muito movimento numa cidade.
3. – Há sempre muito trânsito numa cidade.
4. – Não há muitos pedestres nas ruas.
5. – Há muitas pessoas sem trabalho.
6. – Minha casa fica numa rua onde há muito barulho.
7. – Há muitos exemplos na lição.
8. – Conheço muita gente na reunião.
9. – O táxi está esperando você há muito tempo.

A3 NOTAS

■ La cedilla se usa:
– ç antes de **o** y **a**, cuando la **c** se pronuncia *s* (transcrita [s]):
conheço [kuñêsu], **lição** [lisãu].

■ Diferentes pronunciaciones posibles de la **x**:
– después de un diptongo, se puede pronunciar *sh* (lección III, B3):
baixo [báishu].
– **ex** al comienzo de la palabra, seguido de una vocal, se pronuncia **z**:
exemplo [ezêplu];
– más raramente, se pronuncia **ks**: **táxi** [táksi].

■ El artículo indefinido **um, uma** se contrae con **de, em**:
de + **um** = **dum** (*de un*)   **de** + **uma** = **duma** (*de una*)
em + **um** = **num** (*en un*)   **em** + **uma** = **numa** (*en una*)
– En Brasil no es de uso obligatorio el artículo indefinido contraído; se
dice, por ejemplo: **em uma rua** o **numa rua**.

■ **Muito** es invariable cuando se emplea con un verbo o delante de un
adjetivo (en el sentido de *muy* o *mucho*).
você fala muito, *hablas mucho*
ela é muito bonita, *ella es muy bonita.*
– **Muito** seguido de un sustantivo concuerda en género y número con el
sustantivo que sigue y se traduce por *mucho(s)-a(s).*
há muita gente na rua   *hay mucha gente en la calle.*
há muito movimento   *hay mucha circulación.*
há muitas casas   *hay muchas casas.*
há muitos carros   *hay muchos coches.*

A4 TRADUCCIÓN

1. – Hay muchos carros en las calles de una ciudad.
2. – Hay mucha circulación en una ciudad.
3. – Hay siempre mucha circulación en una ciudad.
4. – No hay muchos peatones en las calles.
5. – Hay muchas personas sin trabajo.
6. – Mi casa está en una calle donde hay mucho ruido.
7. – Hay muchos ejemplos en la lección.
8. – Conozco mucha gente en la reunión.
9. – El taxi te está esperando hace mucho tiempo.

B1 PRESENTACIÓN

■ **ter** significa también *tener, poseer*; es muy utilizado.

costumar	[koshtu**máj**]	*tener el hábito de, acostumbrar*
tenho	[te**ñ**u]	*tengo*
tens	[t**ẽys**]	*tienes*
tem	[t**ẽy**]	*tiene*
têm	[t**ẽey**]	*tienen*
pouco (m.), pouca (f.)	[pôku], [pôka]	*poco, poca*
poucos (m.), poucas (f.)	[pôkus], [pôkas]	*pocos, pocas*
o jardim	[u yaj**dĩ**]	*el jardín*
a avenida	[a ave**ñ**ida]	*la avenida*
a praça	[a **prá**sa]	*la plaza*
o sul	[u **su**u]	*el sur*
a porta	[a **pój**ta]	*la puerta*
a janela	[a ya**né**la]	*la ventana*
o cliente	[u kli**ẽ**chi]	*el cliente*
a luz	[a lus]	*la luz*
industrial	[ĩdushtri**áu**]	*industrial*
antigo	[**ã**chigu]	*antiguo*
caro	[**ká**ru]	*caro*
iluminadas	[ilumi**ná**das]	*alumbradas*
brancas	[**brã**kas]	*blancas*
hoje	[**ô**yi]	*hoy*

■ **Atención** a la construcción de **costumar** + infinitivo.
  nós costumamos falar pouco, *acostumbramos hablar poco*.

B2 APLICACIÓN

1. — Trabalho numa cidade do sul do Brasil.
2. — Hoje eu não tenho trabalho.
3. — A cidade é antiga; tem poucas avenidas.
4. — As ruas têm pouco movimento e estão pouco iluminadas.
5. — Não gosto das cidades industriais; têm poucos jardins.
6. — As casas são brancas; têm uma porta e poucas janelas.
7. — As casas não têm luz.
8. — Você tem uma loja na praça.
9. — Sua loja tem poucos clientes.
10. — Nós não costumamos sair da cidade.
11. — Nós não temos carro; são muito caros.

B3 NOTAS

■ Poner atención a la diferencia de pronunciación entre:
– **tem** [tẽy], *él tiene* (3ª pers. sing.), la forma es nasalizada;
– **têm** [tẽey], *ellos tienen* (3ª pers. pl.), la forma es muy fuertemente nasalizada y se alarga.

■ **Pouco**, *poco*, se usa como **muito**:
– invariable con un verbo o antes de un adjetivo.
– concuerda en género y número con el nombre que sigue

pouco movimento	*poca circulación*
pouca luz	*poca luz*
poucos carros	*pocos coches*
poucas casas	*pocas casas*

■ **ter,** *tener* o *poseer*: irregular en el presente del indicativo

(eu)	**tenho** [teñu]	(nós)	**temos** [temus]
(ele, você)	**tem** [tẽy]	(eles, vocês)	**têm** [tẽey]

■ Observar la diferencia de empleo entre los dos verbos: *haber* y *tener*.
há trabalho, *hay trabajo*; **tem trabalho,** *él tiene trabajo*.
Sin embargo, en Brasil es muy frecuente, en el lenguaje coloquial, el uso impersonal de **ter** *(tener)* en lugar de **haver** *(haber)*.

B4 TRADUCCIÓN

1. – Trabajo en una ciudad del sur de Brasil.
2. – Hoy no tengo trabajo.
3. – La ciudad es antigua; tiene pocas avenidas.
4. – Las calles tienen poca circulación y están poco iluminadas.
5. – No me gustan las ciudades industriales; tienen pocos jardines.
6. – Las casas son blancas; tienen una puerta y pocas ventanas.
7. – Las casas no tienen luz.
8. – Tú tienes una tienda en la plaza.
9. – Tu tienda tiene pocos clientes.
10. – No acostumbramos salir de la ciudad.
11. – No tenemos coche; son muy caros.

1. **Traducir:**
   a) Na minha rua, tem muita gente e muitos carros.
   b) Estou esperando você há muito tempo.
   c) Tenho uma casa numa rua onde há muito movimento.

2. **Usar haver o ter, en la forma adecuada:**
   a) na rua . . . . . pouca gente.
   b) o meu tio . . . . . muitos filhos.
   c) na loja, ... muitos clientes.

3. **Emplear, según el caso: muito, muita, muitos, muitas, pouco, pouca, poucos, poucas:**
   a) gosto . . . . . de viajar.   d) as casas são . . . . . caras.
   b) há . . . . . carros na rua.   e) os carros são . . . . . bonitos.
   c) há . . . . . gente no cinema.

4. **Traducir:**
   a) no hay mucha luz en la calle.
   b) tengo trabajo.

C2 VOCABULARIO Y ENSEÑANZAS PRÁCTICAS

■ **Expresiones:**
— **uma vez,** una vez;
— **muitas vezes,** muchas veces; **poucas vezes,** pocas veces;
— **há muito tempo,** hace mucho;
— **há pouco tempo,** hace poco.

■ **Continuamos a contar de vinte até trinta,** *seguimos contando de 20 hasta 30:*
— a partir de veinte, incluya la **e** entre la decena y la unidad.

21 **vinte e um**	24 **vinte e quatro**	27 **vinte e sete**	
22 **vinte e dois**	25 **vinte e cinco**	28 **vinte e oito**	
23 **vinte e três**	26 **vinte e seis**	29 **vinte e nove**	30 **trinta.**

■ Situado casi totalmente en el hemisferio sur, Brasil tiene fronteras con todos los países de Sudamérica, salvo con Ecuador y Chile.
El territorio brasileño abarca 8 511 965 km² y ocupa el cuarto lugar entre los países de territorio continuo más grandes.
Debe considerarse una característica fundamental de Brasil: cerca del 90% de su territorio se encuentra dentro de la faja tropical.

1.

    a) en mi calle, hay mucha gente y muchos coches.

    b) te estoy esperando desde hace mucho.

    c) tengo una casa en una calle donde hay mucha circulación.

2.

    a) na rua HÁ pouca gente.

    b) o meu tio TEM muitos filhos.

    c) na loja, HÁ muitos clientes.

3.

    a) gosto MUITO (o POUCO) de viajar.

    b) há MUITOS (o POUCOS) carros na rua.

    c) há POUCA (o MUITA) gente no cinema.

    d) as casas são MUITO caras.

    e) os carros são MUITO bonitos.

4.

    a) não há muita luz na rua.

    b) tenho trabalho.

C4   EL PORTUGUÉS DE PORTUGAL

■ En Brasil, muchas veces **ter** remplaza **haver**, para traducir *hay*. En Portugal, siempre se usa **haver.**

Hay mucha gente   { Brasil: **Tem muita gente.**
                           { Portugal: **Há muita gente.**

■ Por otra parte, existen diferencias de pronunciación de las formas del verbo **ter** en el presente del indicativo:

	BRASIL	PORTUGAL
tenho	[**teñu**]	[**táñu**]
tens		[**tãysh**]
tem	[**tẽy**]	[**tãy**]
temos	[**temus**]	[**têmush**]
têm	[**tẽey**]	[**tãyãy**]

— En Brasil, se marca menos la diferencia entre la 3ª persona del singular y del plural. Las formas portuguesas son más nasalizadas, sobre todo en la 3ª persona del plural.

A1 PRESENTACIÓN

■ **que** [ke] interrogativo, invariable, permite identificar una cosa o un acto: *qué, cuál, cuáles.*

o meio	[u **mêi**u]	*el medio*
o transporte	[u trãs**pój**chi]	*el transporte*
dever	[de**vêj**]	*deber*
ir	[**ij**]	*ir*
andar	[ã**dáj**]	*andar, caminar*
tomar	[to**máj**]	*tomar*
o banco	[u **bã**ku]	*el banco*
o museu	[u mu**zêu**]	*el museo*
a agência (de viagens)	[a a**yẽ**sia]	*la agencia*
o ônibus	[u **ô**nibus]	*el autobús*
o bonde	[u **bõ**dchi]	*el tranvía*
livre	[**livri**]	*libre*
ocupado	[óku**pá**du]	*ocupado*
lotado	[lo**tá**du]	*lleno*
possível	[pusi**véu**]	*posible*
a pé	[a **pé**]	*a pie*
para	[**pá**ra]	*para*
pára (parar)	[**pá**ra pa**ráj**]	*para, se detiene*
metrô	[me**trô**]	*metro*

A2 APLICACIÓN

1. – Que transporte devo tomar para ir ao museu?
2. – O senhor deve ir de metrô.
3. – A senhora deve ir de ônibus. Ele pára no museu.
4. – É muito longe para ir a pé.
5. – Qual é o ônibus para ir ao banco?
6. – Qual é o ônibus para São Paulo?
7. – Qual é o ônibus para ir à faculdade?
8. – Eu não gosto de andar a pé; ando sempre de carro.
9. – Você deve pegar um táxi; o táxi não é caro.
10. – O táxi não está livre. Está ocupado.
11. – É possível ir ao correio de metrô? É, sim.

A3 NOTAS

■ Atención a la diferencia de pronunciación de:
— **a** (preposición a) pronunciada *a* abierta [a];
— **à** (contracción de la preposición **a** y el artículo **a**), pronunciada *a* alargada [aa].

■ El artículo definido se contrae con **de, em** y **a**:
Masc. **a + o = ao** (*al*)   Fem. **a + a = à** (*a la*)
      a + os = aos (*a los*)   **a + as = às** (*a las*)

■ Observar el valor de la preposición **para**:
— Seguida de un infinitivo, indica finalidad (*para*).
                tomo o carro para ir, *tomo el coche para ir.*
— Seguida de un sustantivo, indica el destino, la dirección.
                o ônibus para a estação, *el autobús para la estación.*

■ No confundir la preposición **para** (*para, hacia*) con **pára** (*se detiene*), aunque la pronunciación es igual.

■ Conjugación del presente del indicativo de los verbos de la 2ª conjugación en **er**, ej.: **dever.**

| eu | **DEV-o** | nós | **DEV-emos** |
| ele, você | **DEV-e** | eles, vocês | **DEV-em** |

A4 TRADUCCIÓN

1. — ¿Qué transporte debo tomar para ir al museo?
2. — Debe ir en metro.
3. — Debe ir en autobús. Para en el museo.
4. — Está muy lejos (para ir) a pie.
5. — ¿Cuál es el autobús para ir al banco?
6. — ¿Cuál es el autobús para São Paulo?
7. — ¿Cuál es el autobús para ir a la facultad?
8. — No me gusta andar a pie; siempre ando en coche.
9. — Debes llamar un taxi: el taxi no es caro.
10. — El taxi no está libre; está ocupado.
11. — ¿Es posible ir al correo en metro? Sí.

B1 PRESENTACIÓN

■ **que**, interrogativo o pronombre relativo (*que*).

o ônibus que tomo, *el autobús que tomo.*

■ **qual**, concuerda en número con el sustantivo al cual se refiere.

depende (depender)	[depēdchi]	*depende*
começa (começar)	[komésa]	*empieza*
passar	[pasáj]	*pasar*
mudar	[mudáj]	*cambiar*
acaba (acabar)	[akába]	*acaba, termina*
acabar de	[akabáj dchi]	*acabar de*
chegar	[shegáj]	*llegar*
é preciso	[é presizu]	*es necesario*
o bilhete	[u bilyêchi]	*el boleto*
o preço	[u prêsu]	*el precio*
o itinerário	[u ichineráriu]	*la ruta*
a passagem	[a pasáyēy]	*el pasaje*
a distância	[a dishtãsia]	*la distancia*
a zona	[a zona]	*la zona, la sección*
a linha	[a liña]	*la línea*
o passageiro	[u pasayêiru]	*el pasajero*
amanhã	[amañã]	*mañana*

B2 APLICACIÓN

1. – Qual é o preço da passagem para Copacabana?
2. – Quanto é a passagem?
3. – O preço depende da distância; é por zonas.
4. – Quais são os passageiros que tomam o mesmo ônibus?
5. – Qual é o itinerário da linha 27?
6. – A linha 27 começa no aeroporto e acaba na estação rodoviária.
7. – Pára no correio? É direta?
8. – Não, não pára; para ir ao correio, é preciso trocar de ônibus.
9. – Faz muito tempo que a senhora está esperando o 27?
10. – Não, acabo de chegar e o ônibus acaba de passar.
11. – Cuidado: amanhã tem greve dos transportes.
12. – Amanhã, vou ficar em casa; não gosto de passear nos dias de greve.

B3 NOTAS

■ Observar la diferencia de pronunciación de ciertas vocales de las formas verbales, según el lugar del acento tónico.

passar	[pasáj]	*pasar*	**dever**	[devêj]	*deber*
passa	[pása]	*pasa*	**deve**	[dévi]	*debe*

■ El uso de los interrogativos: **quem, que** y **qual**;
— **quem** y **que** son invariables; **quem** pregunta sobre la identidad de una persona; **que**, sobre una cosa o un hecho;
— **qual** (mismo sentido) concuerda en número con el sustantivo:

qual é o preço? *¿cuál es el precio? (¿qué precio tiene?)*
quais são os passageiros? *¿cuáles son los pasajeros?*

■ **que** (relativo) se usa para personas o cosas.

o homem que toma o carro, *el hombre que toma el coche.*
o carro que devo tomar, *el coche que debo tomar.*

■ **el futuro:** con frecuencia, se traduce por el presente del indicativo, seguido de un adverbio de tiempo.

amanhã, tem greve, *mañana habrá huelga.*

B4 TRADUCCIÓN

1. — ¿Cuál es el precio del boleto para Copacabana?
2. — ¿Cuánto cuesta el boleto?
3. — El precio depende de la distancia; es por zonas.
4. — ¿Cuáles son los pasajeros que toman el mismo autobús?
5. — ¿Cuál es la ruta de la línea 27?
6. — La línea 27 empieza en el aeropuerto y termina en la estación.
7. — ¿Pasa por el correo? ¿Es directa?
8. — No; para ir al correo, es necesario cambiar de autobús.
9. — ¿Hace mucho que usted espera el 27?
10. — No, acabo de llegar, y el autobús acaba de pasar.
11. — Cuidado: mañana habrá huelga de transportes.
12. — Mañana me quedaré en la casa; no me gusta pasear en los días de huelga.

1. **Traducir:**
   a) que transporte devo tomar para ir ao correio?
   b) qual é o preço da passagem para Minas Gerais?

2. **Dar el infinitivo de los siguientes verbos:**
   a) depende   e) passas
   b) passo   f) devem
   c) devo   g) chegas
   d) tomam

3. **Emplear A, AO, À:**
   a) Eu devo ir . . . . . museu; não vou . . . . . faculdade.
   b) Eu devo ir . . . . . Brasília. Não devo ir . . . . . Rio.

4. **Emplear EM, DE, en la forma conveniente:**
   a) tem muita gente . . . . . parada do ônibus.
   b) o preço . . . . . passagens não é caro.

5. **Traducir:**
   a) él acaba de llegar.
   b) es difícil tomar un taxi.
   c) mañana, no tomaré el autobús.

C2 VOCABULARIO Y EXPRESIONES

■ **Vocabulario:**

a passagem de ida	*el boleto sencillo*
a passagem de ida e volta	*el boleto redondo*
a bilheteria	*la taquilla*
o cobrador	*el cobrador*
o motorista	*el chofer*

■ **Expresiones:**
ir de carro, andar de carro   *andar en coche*

■ Las dos formas no son completamente sinónimas:
− **ir de** indica solamente un modo de transportarse;
− **andar de** indica un hábito.

■ **Atención** a **chegar** en una oración exclamativa, tiene el sentido de *"basta"* y no de *"llegar"*. El tono cambia.
Chega, meu amigo! *basta, mi amigo* (silencio después de **"chega"**).
Chega meu amigo, *llega mi amigo* (la oración continúa).

1.

  a) ¿qué medio de transporte debo tomar para ir al correo?

  b) ¿cuál es el precio del boleto para Minas Gerais?

2.

a) depender	e) passar
b) passar	f) dever
c) dever	g) chegar
d) tomar	

3.

  a) Eu devo ir AO museu; não vou À faculdade.

  b) Eu devo ir A Brasília. Não devo ir AO Rio.

4.

  a) tem muita gente NA parada do ônibus.

  b) o preço DAS passagens não é caro.

5.

  a) ele acaba de chegar.

  b) é difícil tomar um táxi.

  c) amanhã não vou tomar o ônibus.

C4 EL PORTUGUÉS DE PORTUGAL

■ **Diferencias de ortografía:**
  Brasil: **elétrico direto.** *Portugal*: **eléctrico directo.**
Las formas portuguesas son más nasalizadas, sobre todo la 3ª persona del plural.

■ **Diferencias de pronunciación:**
– La **e** inicial átona se pronuncia **i.**
  Brasil: [**ê**létriku] *Portugal*: [i**lé**triku]
– No se pronuncia la **e** inicial átona seguida de 2 consonantes.

estar   *Brasil* [esh**táj**]   *Portugal* [´sh**tar**]

■ **Diferencias de vocabulario:**

	Brasil	*Port.*
autobús	**o ônibus**	{ **o autocarro** / **a camioneta**
el tranvía	**o bonde**	**o eléctrico**
la parada	**a parada, o ponto do ônibus**	**a paragem**
cambiar de autobús	**trocar de ônibus**	**mudar de autocarro**
lleno	**lotado** o **superlotado**	**cheio, completo**

A1 PRESENTACION

a hora	[a óra]	*la hora*
faltar	[fautáj]	*faltar*
marcar	[majkáj]	*marcar, señalar*
atrasar	[atrazáj]	*atrasar*
adiantar	[adchiãntáj]	*adelantar*
o relógio	[jelóyu]	*el reloj*
o minuto	[minutu]	*el minuto*
o segundo	[sigũdu]	*el segundo*
atrasado (m.)	[atrazádu]	*retrasado*
atrasada (f.)	[atrazáda]	*retrasada*
meio-dia	[mêiu dchia]	*medio día*
meia-noite	[mêia nôichi]	*media noche*
certo	[séjtu]	*cierto, exacto*
algum	[augũ]	*algún(o)*
em ponto	[ẽy põtu]	*en punto*
menos	[mênus]	*menos*
nem... nem	[nẽy... nẽy]	*ni... ni*

A2 APLICACIÓN

1. — Que horas são? É uma hora.
2. — É meio dia; nós saímos da fábrica ao meio dia.
3. — É meia noite; eu saio do cinema à meia noite.
4. — São duas e quinze. Estou atrasada. O trabalho começa às duas em ponto.
5. — São seis e meia; as lojas fecham às seis e meia.
6. — São seis e quarenta (o faltam vinte para as sete); eu chego em casa às seis e quarenta.
7. — São sete e quarenta e cinco (faltam quinze para as oito); meu pai chega às sete e quarenta e cinco.
8. — Hoje eu estou atrasada alguns minutos.
9. — Meu relógio marca as horas e até os segundos.
10. — Está sempre certo, nem adianta, nem atrasa.

A3 NOTAS

■ Observar la concordancia de **algum**, adjetivo indefinido *algún*.
algum tempo, *algún tiempo*; **alguns minutos**, *algunos minutos*; **algumas horas**, *algunas horas*.

■ Uso de **estar** en las expresiones de tiempo.
      estou adiantada (atrasada), *estoy adelantada (atrasada)*.

■ El verbo **ser** se usa para expresar la hora:
— **Es** en el singular con *una hora, medio día, media noche*:
é uma hora: é meio dia, é meia noite.
— **Son** en el plural a partir de *dos horas*:
      são duas horas, *son las dos*.

■ La palabra **horas** puede estar subentendida:
      são três e quinze.
      são quatro e meia, *son las cuatro y media*.
      saio às seis (horas), *salgo a las seis*.

■ Entre *la hora* y *la media*, se debe emplear **e**:
são dez horas e vinte e cinco, *son las diez veinticinco*.
— Entre la *media* y *la hora siguiente*, (con el verbo **faltar,** *faltar*):
faltam vinte para as dez, *las diez menos veinte* (lit. *faltan veinte para las diez*).

A4 TRADUCCIÓN

1. — ¿Qué hora es? Es la una.
2. — Es medio día; salimos de la fábrica al medio día.
3. — Es media noche; salgo del cine a la media noche.
4. — Son las dos y cuarto; estoy atrasada. El trabajo empieza a las dos en punto.
5. — Son las seis y media; las tiendas cierran a las seis y media.
6. — Son las siete menos veinte; llego a la casa a las siete menos veinte.
7. — Son las ocho menos cuarto; mi padre llega a las ocho menos cuarto.
8. — Hoy estoy atrasada algunos minutos.
9. — Mi reloj indica las horas y hasta los segundos.
10. — Está siempre exacto, ni se adelanta ni se retrasa.

B1 PRESENTACIÓN

parte (partir)	[pájchi, pajchij]	*parte (partir)*
partimos	[pajchimus]	*partimos*
sai	[sái]	*sale*
saem	[sáẽy]	*salen*
abrir	[abrij]	*abrir*
abre	[ábri]	*abre*
a partida	[a pajchida]	*la partida*
a saída	[a saida]	*la salida*
a chegada	[a shegáda]	*la llegada*
o trem	[u trẽy]	*el tren*
o avião (ões)	[u aviãu]	*el avión*
o barco	[u bájku]	*el barco*
próximo	[prósimu]	*próximo*
antes	[ãchis]	*antes*
depois	[depôis]	*después*
agora	[agóra]	*ahora*
quase	[kuázi]	*casi*
na hora	[na óra]	*a la hora*
às vezes	[aas vêzis]	*a veces*

B2 APLICACIÓN

1. – A que horas parte o próximo trem para São Paulo?
2. – Parte às quinze horas; acaba de partir agora mesmo; sai sempre na hora.
3. – A que horas é a chegada do avião do Rio?
4. – O avião chega à meia noite; acaba de chegar.
5. – Os aviões chegam quase sempre na hora.
6. – Às vezes os aviões chegam antes da hora. Chegam adiantados.
7. – A que horas chega o navio do Brasil?
8. – O navio está atrasado.
9. – A que horas é a saída do ônibus? Está atrasado.
10. – A que horas abrem e fecham as lojas?
11. – A que horas é a saída dos trabalhadores?
12. – Eles saem depois das cinco; estão atrasados.

B3 NOTAS

■ Pronunciación de **x** (continuación y final, ver lección IX A3). En algunas palabras, la **x** puede pronunciarse **s**: **próximo** [prósimu], *próximo*.

■ **Atrasado,** *atrasado* y **adiantado,** *adelantado,* empleados con **estar** concuerdan en género y número con el sujeto del verbo.

■ **Partir** (3ª conjug.), presente del indicativo:

| eu | **PART-o** | nós | **PART-imos** |
| ele, você | **PART-e** | eles, vocês | **PART-em** |

■ **Atención:** los verbos de la 2ª y 3ª conjugaciones se parecen, en el presente del indicativo, excepto en la 1ª pers. del plural.

| dever | devemos | partir | partimos |

■ **Sair** (3ª conjugación), presente del indicativo irregular (x):
eu **saio** (x), ele **sai** (x), nós **saímos** (x), eles **saem** (x).

B4 TRADUCCIÓN

1. – ¿A qué hora parte el próximo tren para São Paulo?
2. – Parte a las quince horas, acaba de partir ahora mismo; siempre parte a la hora.
3. – ¿A qué hora es la llegada del avión de Río?
4. – El avión llega a la media noche; acaba de llegar.
5. – Los aviones llegan casi siempre a la hora.
6. – A veces, los aviones llegan antes de la hora. Están adelantados.
7. – ¿A qué hora llega el buque de Brasil?
8. – El buque está retrasado.
9. – ¿A qué hora es la partida del autobús? Está retrasado.
10. – ¿A qué hora abren y cierran las tiendas?
11. – ¿A qué hora es la salida de los trabajadores?
12. – Salen después de las cinco. Están retrasados.

1. Traducir:
   a) que horas são?
   b) faltam três minutos para as quatro.
   c) a que horas sai o trem?
   d) o trem sai às três e meia.
   e) o trabalho acaba às seis em ponto.
   f) o avião acaba de chegar.

2. Dar el infinitivo de los verbos siguientes:
   a) saem   d) chegamos
   b) marca   e) parte
   c) parto   f) abrimos

3. Dar la expresión sinónima:
   a) são quinze para as cinco.
   b) são vinte e sete para as onze.

4. Traducir:
   a) llego a las ocho menos cinco.
   b) es la una con cinco.
   c) son las dos menos un cuarto.
   d) el tren sale a las cuatro y cuarto.
   e) el barco acaba de salir.
   f) estamos retrasados.
   g) mi reloj se adelanta doce minutos.

C2 VOCABULARIO

■ **na estação rodoviária** o **no aeroporto:**

o trem rápido	*el tren rápido*
o expresso	*el expreso* [eisprésu]
a sala de espera	*la sala de espera* [espéra]
o carregador	*el cargador*
despachar a mala	*registrar la maleta*

■ **é preciso continuar a contar; hoje, as dezenas** (*hay que seguir contando; hoy, las decenas*):

20 **vinte**	50 **cinquenta**	80 **oitenta**
30 **trinta**	60 **sessenta**	90 **noventa**
40 **quarenta**	70 **setenta**	100 **cem**

■ Observar la pronunciación de **quarenta** [kuarēta] **cinquenta** [sĩkuēta], **cem** [sēy].

■ **Atención**: las decenas son invariables.

1.

    a) ¿qué hora es?
    b) las cuatro menos tres.
    c) ¿a qué hora sale el tren?
    d) el tren sale a las tres y media.
    e) el trabajo termina a las seis en punto.
    f) el avión acaba de llegar.

2.

    a) sair   d) chegar
    b) marcar   e) partir
    c) partir   f) abrir

3.

    a) faltam quinze para as cinco.
    b) faltam vinte e sete para as onze.

4.

    a) chego às sete e cinquenta e cinco.
    b) é uma hora e cinco.
    c) são quinze para as duas.
    d) o trem parte às quatro e quinze.
    e) o barco acaba de partir.
    f) estamos atrasados (hombres) o estamos atrasadas (mujeres).
    g) meu relógio adianta doze minutos.

C4 EL PORTUGUÉS DE PORTUGAL

■ **Vocabulario**: *el tren*, en Brasil, se dice **o trem** [u trêy]. En Portugal, se dice **comboio.**

■ Pronunciación: **em** (final o en palabras de una sílaba) se pronuncia distintamente.

ej: **bem**   *Brasil:* (bêy)   *Portugal:* (bãy)

■ **Costumbres**: en Brasil, es más común viajar en coche o en avión.

A1 PRESENTACIÓN

queria e quero: queria (*quería*). Empleo corriente, forma cortés. **Quero,** *quiero*: más autoritaria.

queria	[keria]	*yo quería*
quero	[kéru]	*quiero*
saber	[sabêj]	*saber*
sei	[sêi]	*sé*
seguir	[seguij]	*seguir, continuar, ir*
embarcar	[ẽbarkáj]	*embarcar*
voltar	[voutáj]	*volver, regresar, voltear, dar vuelta*
estar com pressa	[eshtáj cõ présa]	*tener prisa*
a praça	[a prása]	*la plaza*
o cais	[u káis]	*el muelle*
o caminho	[u kamiñu]	*el camino*
curto	[kujtu]	*corto*
longo	[lõgu]	*largo*
em frente	[ẽy frẽchi]	*en frente, derecho*
à direita	[aa dirêita]	*a la derecha*
à esquerda	[aa iskêjda]	*a la izquierda*
direto	[dirétu]	*todo derecho*

uns	[ũs]	*unos, algunos*	**outro**	[ôtru]	*otro*
mais	[máis]	*más*	**se**	[si]	*si*

A2 APLICACIÓN

1. — Eu queria saber o caminho para o cais.
2. — Quero embarcar às duas horas.
3. — O senhor está com pressa?
4. — Estou; queria saber qual é o caminho mais curto.
5. — Dobro à direita ou à esquerda?
6. — O senhor deve seguir em frente.
7. — Ando uns metros e depois dobro à direita?
8. — Não, sempre em frente.
9. — Não sei se é o caminho mais curto.
10. — Conheço outro caminho, mas é mais longo.
11. — Queria também ir ao banco. É longe?
12. — É à direita da praça. Tem um ônibus direto.
13. — Tem muita gente nos cais do porto.

A3 NOTAS

■ **No confundir**:

mas [mas]	*pero*	y	**mais** [máis]	*más*
direito [dchirêitu]	*derecho*	y	**direto** [dchirétu]	*directo*

■ Formación del plural (continuación): ciertas palabras terminadas en **s** permanecen invariables, cuando la **s** está en sílaba átona.

o lápis é preto   **os lapis são pretos**

— forman el plural con **es**, cuando la **s** está en la sílaba tónica:

português   **portugueses**

■ **uns**, **umas** no son el plural de **um** y **uma**: como **alguns** o **algumas**, significan *algunos(as)*.

há umas casas, *hay algunas casas;* **há uma casa,** *hay una casa;* **há casas,** *hay casas.*

■ Los verbos **querer**, *querer* y **saber**, *saber* presentan una irregularidad en el presente del indicativo (indicada con x).

quero	queremos	sei x	sabemos
quer x	querem	sabe	sabem

A4 TRADUCCIÓN

1. — Quería saber el camino para ir al muelle.
2. — Quiero embarcar a las dos.
3. — ¿Tiene usted prisa?
4. — Sí; quería saber cuál es el camino más corto.
5. — ¿Doy vuelta a la derecha o a la izquierda?
6. — Debe seguir derecho.
7. — ¿Camino algunos metros y después doy vuelta a la derecha?
8. — No, siempre derecho.
9. — No sé si es el camino más corto.
10. — Conozco otro camino, pero es más largo.
11. — Quería ir también al banco. ¿Está lejos?
12. — Está a la derecha de la plaza. Hay un autobús directo.
13. — Hay mucha gente en los muelles del puerto.

B1 PRESENTACIÓN

posso	[**pó**su]	*puedo*
pode	[**pó**dchi]	*puede*
poder	[po**dêj**]	*poder*
podemos	[po**de**mus]	*podemos*
atravessar	[atrave**sáj**]	*atravesar, cruzar*
por	[**pôj**]	*por*
garagem	[ga**rá**yêy]	*el garaje*
jardim	[yaj**dĩ**]	*el jardín*
a ponte	[a **põ**chi]	*el puente*
proibido	[proi**bi**du]	*prohibido*
impossível	[ĩpu**si**véu]	*imposible*
depressa	[dchi**pré**sa]	*rápidamente*
devagar	[dchiva**gáj**]	*despacio*
por volta de	[pôj **vóu**ta dchi]	*alrededor*

■ **Atención**: no confundir:
  o pé, *el pie*; a pé, *a pie*.

B2 APLICACIÓN

1. — Por onde posso passar para ir à garagem?
2. — Você não pode passar pela avenida; o trânsito é proibido.
3. — É proibido passar pelo centro.
4. — Você pode ir mais depressa pela rua que começa em frente do café.
5. — Por onde passam os carros para atravessar o rio?
6. — Os carros podem passar pela ponte; os pedestres passam de barco.
7. — Muitos carros passam pela minha rua.
8. — Muita gente anda a pé pela cidade.
9. — Eu gosto de passear pela praça junto à avenida.
10. — Eu volto para casa aí pelas seis horas.
11. — É impossível passar pelo centro cerca das nove da manhã.
12. — Estou te esperando por volta das cinco horas.

B3 NOTAS

■ El artículo definido **o(s), a(s)** se contrae con **de, em, a** y también **por**:
por + o = pelo (*por el, por lo*)   **por + a = pela** (*por la*).
por + os = pelos (*por los*)   **por + as = pelas** (*por las*).

■ La traducción de **por** varía según el uso (ver **Resumen gramatical**, pp. 266-267):
— **Por** se usa para indicar el lugar donde uno pasa (*por*).
    passo por São Paulo e pela Bahia.
    paso por São Paulo y por Bahía.
— **Por** indica un movimiento en un mismo lugar (se traduce por en, a, por).

    ando pela cidade
    ando por la ciudad

■ **Poder** [podêj] es irregular. Presente del indicativo.
eu **posso**   [pósu]   nós **podemos** [podemus]
ele **pode**   [pódchi]   eles **podem** [pódẽy]

B4   TRADUCCIÓN

1. — ¿Por dónde puedo pasar para ir al garaje?
2. — No puede pasar por la avenida; la circulación está prohibida.
3. — Está prohibido pasar por el centro.
4. — Puede ir más rápidamente por la calle que empieza frente al café.
5. — ¿Por dónde pasan los coches para cruzar el río?
6. — Los coches pueden pasar por el puente; los peatones pasan en barco.
7. — Muchos coches pasan por mi calle.
8. — Mucha gente camina a pie por la ciudad.
9. — Me gusta pasear por el parque cerca de la avenida.
10. — Yo regreso a la casa alrededor de las seis.
11. — Es imposible pasar por el centro alrededor de las nueve de la mañana.
12. — Te espero alrededor de las cinco.

1. Traducir:
   a) o ônibus volta à garagem ao redor das oito horas.
   b) o senhor deve dobrar à esquerda para ir ao centro.

2. Emplear POR o EM, en la forma adecuada:
   a) o pedestre gosta de passear devagar . . . jardim.
   b) o carro está . . . minha rua.
   c) gosto de viajar . . . Brasil.
   d) o ônibus atravessa o rio . . . ponte.

3. Poner el verbo en la primera persona del singular:
   a) não podemos dobrar à direita.
   b) saímos do trabalho ao redor das seis horas.
   c) não sabemos por onde devemos passar.

4. Traducir:
   a) puedes pasar por el puente que está cerca de los muelles.
   b) a la gente le gusta pasear por la ciudad.
   c) está prohibido dar vuelta a la izquierda.
   d) no sé si las tiendas brasileñas cierran a las siete.

C2   ENSEÑANZAS PRÁCTICAS

■ **Continuamos a contar de cem até duzentos,** *seguimos contando de cien hasta doscientos:*
— 100 **cem** o **cento**
   Cien múltiple se traduce por **cem: cem metros** (*cien metros*).
   Cien más un número de decena o unidad se traduce **cento: cento e um** (*ciento uno*), **cento e vinte** (*ciento veinte*);
— 200 **duzentos** (y todas las centenas) concuerda en género con el sustantivo que multiplica; **duzentas casas** (*doscientas casas*), **duzentos metros** (*doscientos metros*).

■ **La bahía de Guanabara (Río),** de una belleza y amplitud incomparables, es una ensenada de gran seguridad y muy transitada. Un puente de 14 km, el más grande del mundo, pasa sobre ella y conecta **Río** a **Niterói** desde 1973.

■ **La ensenada de Lisboa** es también muy amplia y segura; sirve de escala a innumerables buques. Su puerto es muy activo; los astilleros navales de Lisnave reciben barcos de fuerte tonelaje.
   El puente 25 de abril, inaugurado en 1966 (uno de los más grandes de Europa), facilita las comunicaciones con la zona industrial ubicada sobre el margen izquierdo y favorece el desarrollo del sur.

1.
   a) el autobús regresa al garaje alrededor de las ocho.
   b) usted debe dar vuelta a la izquierda para ir al centro.

2.
   a) o pedestre gosta de passear devagar **pelo** jardim.
   b) o carro está **na** minha rua.
   c) gosto de viajar **pelo** Brasil.
   d) o ônibus atravessa o rio **pela** ponte.

3.
   a) não **posso** dobrar à direita.
   b) **saio** do trabalho ao redor das seis.
   c) não **sei** por onde devemos passar.

4.
   a) você pode passar pela ponte que fica junto ao cais.
   b) as pessoas gostam de passear pela cidade.
   c) é proibido dobrar à esquerda.
   d) não sei se as lojas brasileiras fecham às sete.

C4   VOCABULARIO Y RECREACIÓN

■ **Adverbios de lugar**:

dentro, *dentro*; **atrás**, *atrás*.
fora, *fuera*; **atrás** o **detrás de**, *atrás* o *detrás* (seguido de sustantivo).
em frente o **adiante**, *adelante*.
em frente, **à frente** o **diante de**, *delante de* (seguido de sustantivo).

■ Trate de comprender esta historia sin ver la traducción:

O canibal entra num gigantesco restaurante do transatlântico de luxo.	*Un caníbal entra al enorme restaurante de un transatlántico de lujo.*
— Gostaria de ver o menu, senhor?	*– ¿Desea ver el menú, señor?*
— Não. Pode trazer a lista de passageiros mesmo...	*– No. Puede traer la lista de pasajeros.*

A1 PRESENTACIÓN

■ El verbo **ir**, *ir*, muy irregular, tiene dos construcciones:
— va seguido directamente de un verbo al infinitivo: **vou viajar.**
— provoca el empleo de **a** delante de un sustantivo: **vou ao banco**.

vou	[vô] *voy*	**vamos** [vámus] *vamos*	
tirar dinheiro	[chiráj dinêiru]	*sacar, retirar dinero*	
trocar	[trokáj]	*cambiar (dinero)*	
dar um passeio	[dáj ũ pasêiu]	*hacer un paseo*	
visitar	[vizitáj]	*visitar*	
reservar	[jezejváj]	*reservar*	
pagar	[pagáj]	*pagar*	
fazer compras	[fazêj kõpras]	*hacer compras*	
comprar	[kõpráj]	*comprar*	
a agência	[a ayẽsia]	*la agencia*	
o lugar	[u lugáj]	*el lugar*	
o magazine	[u magaziñi]	*el almacén*	
o ministério	[u minishtériu]	*el ministerio*	
o real	[u jeáu]	*el real*	

A2 APLICACIÓN

1. — Eu vou viajar. Eu vou ao banco.
2. — Não vou trabalhar; não vou ao Ministério.
3. — Vou tirar dinheiro e trocar pesos por reais.
4. — Ele vai dar um passeio; vai dar uma volta pela cidade.
5. — Eles vão visitar os amigos antes de partir.
6. — Vou à agência de viagens para reservar lugares.
7. — Eu vou fazer as compras; pago com cheque.
8. — Eu vou a casa; depois vou à loja que fica perto de casa.
9. — Não posso ir ao magazine; fica muito longe.
10. — Vamos para casa, já é tarde.
11. — Ele vai para o Brasil.
12. — Vamos fazer uma viagem ao Brasil.

A3 NOTAS

■ **ir** va seguido de **a** si el complemento es un sustantivo:
vou ao café, vou à loja, vou a casa.

■ **vou a casa**: cuando **casa** no admite el artículo **a** en el complemento de lugar, la preposición **a** no se puede contraer. La expresión **vou a casa** se refiere a la casa del que habla.
Cuando se trata de la casa de alguien más, se dice: **vou à casa de...** (*voy a la casa de...*)

■ **ir a** o **ir para.** Hay una diferencia de sentido:
ir para o Brasil (ida definitiva).
ir ao Brasil (ida temporal).

■ Presente del indicativo de **ir**:

eu	**vou**	[vô]	nós **vamos**	[vámus]
ele	**vai**	[vái]	eles **vão**	[vãu]

A4 TRADUCCIÓN

1. – Voy a viajar. Voy al banco.
2. – No voy a trabajar; no voy al Ministerio.
3. – Voy a sacar dinero y cambiar pesos por reales.
4. – El va a pasear; va a dar una vuelta por la ciudad.
5. – Ellos van a visitar a sus amigos, antes de partir.
6. – Voy a la agencia de viajes a reservar los lugares.
7. – Voy a hacer compras; voy a pagar con cheque.
8. – Voy a la casa; después, iré al almacén que está cerca de la casa.
9. – No puedo ir al gran almacén; está muy lejos.
10. – Vamos a la casa, es tarde.
11. – El va a Brasil (para quedarse allí).
12. – Haremos un viaje a Brasil.

B1 PRESENTACIÓN

■ *Arriba:* em cima [ẽy cima], acima [asima], por cima [por sima; *abajo:* em baixo [ẽy baishu], abaixo [abáishu], por baixo [por báishu].

■ La forma debaixo de se emplea para introducir un complemento de lugar: está debaixo da mesa, *está bajo la mesa.*

■ Hay que observar la presencia de las preposiciones de lugar em, a y por, antes de cima (*alto*) y bajo (*bajo*).

■ Para elegir una de esas distintas locuciones, no olvidar que:
em = *lugar donde está uno;* a = *cambio de lugar;* por = *movimiento en un mismo lugar.*

■ Aqui [aki] y cá [ká] (*acá*); ali [ali] y lá [lá] (*allá*); aí [ai] (*ahí*).

talão de cheques	[talãu dchi shékis]	*chequera*
preenchido	[preẽshidu]	*llenado*
assinado	[asinádu]	*firmado*
a caixa	[a káisha]	*la caja*
o câmbio	[u kãbiu]	*el cambio*
já	[yá]	*ya*

B2 APLICACIÓN

1. – O funcionário: o senhor tem aí o seu talão de cheques?
2. – O cliente: aqui tem o cheque já preenchido e assinado.
3. – O funcionário: pode ir tirar o dinheiro ali na caixa.
4. – O cliente: eu queria trocar pesos.
5. – O funcionário: para o câmbio, é lá em cima.
6. – Aqui em baixo, são os depósitos e o pagamento de cheques.
7. – A mulher: eu espero você ali no café; depois vamos lá em cima, no restaurante.
8. – O cliente: que barulho!
9. – O funcionário: quando não são os aviões que passam por cima de São Paulo, é o metrô que passa por baixo da cidade!

XIII ■ Allá arriba... Aquí abajo...

B3 NOTAS

■ **Los adverbios de lugar** son tres:
— **aqui** (donde estoy) = *aquí*, ej.: **aqui onde estou;**
— **aí** (donde se encuentra el interlocutor) = *ahí*, ej.: **aí onde você está**.
— **ali** (donde se encuentran otras personas, lejos) = *allá*, ej.: **ali onde ele está.**
Esos adverbios están asociados a las tres personas de los verbos y de los posesivos. Así, se dirá:
— **aqui, na minha casa** y **aí, na sua casa**, o **ali, na sua casa**, *aquí en mi casa, ahí en tu casa, allá en su casa.*

■ **aqui** y **lá** dividen el **espacio** en **dos partes**:
— **aqui**, el espacio donde se encuentra aquél que habla = *aquí.*
— **lá**, el espacio donde se encuentran los demás = *allá.*

■ **cá** es poco usado en Brasil, y en su lugar se utiliza **aqui;** se usa en la expresión de llamamiento **vem cá** *(ven acá),* o en **pensei cá comigo** *(pensé conmigo mismo);* **aqui** y **lá** frecuentemente refuerzan otro adverbio de lugar:
— **está aqui em baixo** (donde se encuentra aquél que habla);
— **vamos lá em cima** (enfatiza el alejamiento del lugar donde se encuentra aquél que habla).

■ **aqui** y **lá** refuerzan también los posesivos:
— **aqui** (1ª persona), **aqui na minha casa**, en mi casa;
— **lá** (2ª o 3ª persona), **lá em sua casa**, en tu casa.

■ **Que** (invariable) puede tener un valor exclamativo.
Que barulho! *¡Qué ruido!*

B4 TRADUCCIÓN

1. — El empleado: ¿trae su chequera?
2. — El cliente: aquí está el cheque llenado y firmado.
3. — El empleado: puede sacar el dinero, allá abajo en la caja.
4. — El cliente: quería cambiar pesos.
5. — El empleado: para el cambio, es allá arriba.
6. — Aquí abajo, son los depósitos y el pago de cheques.
7. — La mujer: te espero allá en el café; luego iremos al restaurante.
8. — El cliente: ¡qué ruido!
9. — El empleado: cuando no son los aviones que pasan sobre São Paulo, es el metro que pasa debajo de la ciudad.

1. Traducir:
   a) somos daqui do Rio.
   b) eu vou ali à estação rodoviária.
   c) depois, eu vou ao correio.
   d) ela está lá em cima.

2. Utilizar la forma conveniente: em cima, acima, por cima, em baixo, por baixo, debaixo:
   a) a ponte passa . . . do rio.
   b) estamos aqui . . . na rua.
   c) vou lá . . . ao quarto.
   d) o metrô passa . . . de São Paulo.
   e) o cachorro está . . . da mesa.
   f) o relógio está . . . da mesa.

3. Completar la frase empleando A o PARA:
   a) (jardim) não vou . . . com a minha amiga.
   b) (casa) volto . . . depois do trabalho.
   c) (Brasil) eles vão . . . e não voltam à Argentina.
   d) (casa) vou . . . e depois vou . . . magazine.

4. Traducir:
   a) voy a cambiar dinero en el banco.
   b) voy a ir abajo con mi madre.
   c) voy a Brasil, luego regresaré a Montevideo.

C2 ENSEÑANZAS ÚTILES

■ **Hoje, vamos acabar de aprender a contar** (*hoy vamos a terminar de aprender a contar*): **as centenas**

100 **cem**	700 **setecentos**
200 **duzentos**	800 **oitocentos**
300 **trezentos** [trezẽtus]	900 **novecentos**
400 **quatrocentos** [kuatrusẽtus]	1 000 **mil** [miu]
500 **quinhentos** [kiñẽtus]	1 000 000 **um milhão [ões]** [milyãu]
600 **seiscentos** [seysẽtus]	

■ **Atención:** para las centenas, no olvidar la concordancia:
568 horas, **quinhentas e sessenta e oito horas.**

■ **A moeda:** [a muéda] la moneda.
   Brasil: **o real**   *Portugal:* **o escudo** (*el escudo*).

■ **Atención: um conto** (empleo frecuente) vale *mil escudos* (**mil escudos** en *Portugal*).

1.
   a) somos de Río (prueba que aquél que habla ahí vive).
   b) voy allá abajo a la estación.
   c) después, iré al correo.
   d) ella está allá arriba.

2.
   a) a ponte passa **por cima** do rio.
   b) estamos aqui **em baixo,** na rua.
   c) vou lá **em cima** ao quarto.
   d) o metrô passa **por baixo** de São Paulo.
   e) o cachorro está **debaixo** da mesa.
   f) o relógio está **em cima** da mesa.

3.
   a) não vou **ao** jardim com a minha amiga.
   b) volto **para** casa depois do trabalho.
   c) eles vão **para** o Brasil e não voltam à Argentina.
   d) vou **a** casa e depois vou **ao** magazine.

4.
   a) vou trocar dinheiro no banco.
   b) vou lá em baixo com a minha mãe.
   c) vou ao Brasil, mas volto a Montevidéu.

C4 VOCABULARIO

■ **o porta-moedas**	*el monedero*
a moeda	*la moneda*
a carteira	*la billetera*
o troco	*el cambio*
a nota	*el billete*

■ **cá** y **lá** en Brasil: **cá** (refuerzo) se usa raramente.

■ **Adverbios de lugar (continuación):**

ao lado de	*al lado de*		
perto (de)	*cerca (de)*	**longe (de)**	*lejos (de)*
no meio (de)	*en medio (a)*	**dentro (de)**	*dentro (de)*

■ Observar los usos particulares de **acima:**
acima de tudo, *ante todo*
acima de mil pesos..., *por encima de mil pesos...*
ir rua acima (abaixo), *subir (o bajar) la calle.*

A1 PRESENTACIÓN

■ **Quantos, -as**, *cuántos, -as*, concuerdan con el sustantivo que les sigue.

quantos	[kuãtus]	*cuántos* (+ masc.)
o ano	[u anu]	*el año*
a estação (ões)	[a eshtasãu]	*la estación*
o dia	[u dchia]	*el día*
a semana	[a semána]	*la semana*
o fim	[u fĩ]	*el fin*
a manhã	[a mañã]	*la mañana*
a feira	[a fêira]	*la feria*
a segunda-feira	[a sigũda feira]	*el lunes*
domingo	[dumĩgu]	*domingo*
sábado	[sábadu]	*sábado*
primeiro	[primêiru]	*primer(o)*
segundo	[sigũdu]	*segundo*
terça	[têjsa]	*martes*
último	[uuchimu]	*último*

■ **Atención: a manhã** [a mañã], *la mañana*, **amanhã** [amañã], *mañana,* **amanhã de manhã**, *mañana por la mañana.*

A2 APLICACIÓN

1. – Quantos dias tem uma semana?
2. – Uma semana tem sete dias.
3. – Quantas estações há num ano?
4. – Há quatro estações num ano.
5. – Quantos anos seu filho tem?
6. – Há quanto tempo você está me esperando?
7. – Não tem muito tempo; acabo de chegar.
8. – Que dia é hoje?
9. – Hoje é segunda-feira; amanhã é terça-feira.
10. – Segunda-feira é o primeiro dia da semana; domingo, o último.
11. – Não trabalhamos no fim de semana.
12. – Sábado, à tarde, vou sempre ao mercado.

A3 NOTAS

■ **El género del sustantivo (continuación):**
— las palabras terminadas en **ã** son siempre **femeninas**.
    a manhã, *la mañana;* **a irmã,** *la hermana.*
— las palabras terminadas en **ção** generalmente son **femeninas**.
    a lição; a estação.

■   Se emplea **de** antes de **manhã** para evitar confusión con **amanhã,** *mañana*: **de manhã, vou fazer compras,** *en la mañana voy hacer compras.*

■ **De** delante de **tarde** y **noite** indica el momento del día.
    vou a sua casa de tarde, *voy a tu casa en la tarde.*

■ **Atención**: con mucha frecuencia, el futuro se expresa con el presente del indicativo, sobre todo si está acompañado de un adverbio de tiempo: **amanhã é terça-feira,** *mañana es martes.*

A4 TRADUCCIÓN

1. — ¿Cuántos días hay en una semana?
2. — En una semana hay siete días.
3. — ¿Cuántas estaciones hay en un año?
4. — En un año hay cuatro estaciones.
5. — ¿Qué edad tiene su hijo (cuántos años tiene su hijo?)
6. — ¿Hace cuánto me está esperando?
7. — No hace mucho; acabo de llegar.
8. — ¿Qué día es hoy?
9. — Hoy es lunes; mañana es martes.
10. — Lunes es el primer día de la semana; domingo, el último.
11. — No trabajamos en los fines de semana.
12. — Los sábados en la tarde, voy siempre al mercado.

B1 PRESENTACIÓN

■ **quando** (reforzado o no por **é que**) pregunta sobre la fecha: introduce también oraciones subordinadas de tiempo.

teremos	[teremus]	*tendremos*
haverá	[averá]	*habrá*
vivo (viver)	[vivu]	*yo vivo*
chove (chover)	[shóvi]	*llueve*
as férias	[férias]	*las vacaciones*
o feriado	[u feriadu]	*el día festivo*
o outono	[u ôtonu]	*el otoño*
outubro	[ôtubru]	*octubre*
o inverno	[u ĩvéjnu]	*el invierno*
maio	[máiu]	*mayo*
janeiro	[yanêiru]	*enero*
o Natal	[u natáu]	*la Navidad*
o mês	[u mês]	*el mes*

quente	[kẽchi]	*caliente*	frio	[friu]	*frío*
ainda	[aĩda]	*aún*	só	[só]	*solamente*

■ **Atención: sei lá** = *¿qué sé yo?* (**Lá** tiene un uso enfático; señala la incertidumbre).

■ **os pais** [páis], *los padres*, **o país** [pais], *el país*.

B2 APLICACIÓN

1. — Quando é que você tem férias? Em que mês?
2. — Tenho férias no outono, em maio.
3. — Eu tenho férias só no inverno.
4. — Quando é que será o próximo feriado?
5. — O próximo feriado é no 1º de maio.
6. — Haverá um feriadão? Ainda não sei.
7. — Quando é que é o Natal? O Natal é a 25 de dezembro.
8. — O verão é uma estação agradável quando não chove.
9. — Vivo num país frio; vou de férias a países quentes.
10. — Teremos um inverno frio? Sei lá...
11. — Qual é a data de hoje?
12. — Hoje é segunda-feira, dois de janeiro de mil novecentos e oitenta e três (1983).

B3 NOTAS

■ No confundir: **sou** [sô] (*o* de *hoja*) y **só** (*o* de *rosa*).

■ En los complementos de tiempo introducidos por **em**, el artículo definido (**a, o**) se emplea antes de las estaciones, pero no antes de los meses.

tenho férias no outono, em maio.
tengo vacaciones en el otoño, en mayo.

■ El futuro del indicativo se usa sobre todo en las oraciones interrogativas. Expresa también duda, hipótesis.

quando é que você vai ter férias? *¿cuándo tendrá usted vacaciones?*
tenho férias em maio, *tendré vacaciones en mayo.*
teremos um inverno frio? Não sei (hipótesis).
que horas serão? *¿qué hora puede ser?*

■ El futuro cuya realización es segura se traduce también por el presente
en las proposiciones afirmativas.

amanhã não trabalho, *mañana no trabajaré.*

■ **Formación del futuro del indicativo.** Se forma a partir del infinitivo, al
cual se agregan las terminaciones propias a ese tiempo; **falar:**
FALAR-**ei**, FALAR-**á**, FALAR-**emos**, FALAR-**ão**.

B4 TRADUCCIÓN

1. – ¿Cuándo tendrá usted vacaciones? ¿En qué mes?
2. – Tengo vacaciones en el otoño, en mayo.
3. – Yo tengo vacaciones solamente en el invierno.
4. – ¿Cuándo será el próximo día festivo?
5. – El próximo día festivo es el primero de mayo.
6. – ¿Habrá un puente de tres días? No sé.
7. – ¿Cuándo es la Navidad? La Navidad es el 25 de diciembre.
8. – El verano es una estación agradable cuando no llueve.
9. – Vivo en un país frío; voy de vacaciones a países calientes.
10. – ¿Tendremos un invierno frío? ¿Quién sabe?
11. – ¿Qué fecha es hoy?
12. – Hoy es lunes, dos de enero de mil novecientos ochenta y tres.

1. **Traducir:**
   a) domingo, vamos dar um passeio.
   b) o verão é uma estação agradável.
   c) Salvador tem um clima agradável.
   d) no próximo mês, temos férias.

2. **Contestar a las preguntas:**
   a) quando teremos férias?
   b) quando você irá ao correio?

3. **Emplear EM, A, DE, POR, según el caso, haciendo las contracciones necesarias:**
   a) estou . . . casa . . . João.
   b) o Pedro gosta de passear . . . cidade.
   c) não vou estar . . . casa hoje de tarde.
   d) para ir . . . casa . . . minha amiga, passo . . . jardim.
   e) sairemos . . . viagem . . . verão . . . dezembro.

4. **Pasar al futuro las formas verbales siguientes:**
   viajo há tenho vais posso passam vivemos

C2   ENSEÑANZAS PRÁCTICAS, VOCABULARIO

■ o calendário, *el calendario.*

os meses do ano, *los meses del año*

janeiro	*enero*	**maio**	*mayo*	**setembro**	*septiembre*
fevereiro	*febrero*	**junho**	*junio*	**outubro**	*octubre*
março	*marzo*	**julho**	*julio*	**novembro**	*noviembre*
abril	*abril*	**agosto**	*agosto*	**dezembro**	*diciembre*

os dias da semana, *los días de la semana*

segunda-feira	*lunes*	**sexta-feira**	*viernes*
terça-feira	*martes*	**sábado**	*sábado*
quarta-feira	*miércoles*	**domingo**	*domingo*
quinta-feira	*jueves*		

as estações, *las estaciones*

a primavera	*la primavera*	**o outono**	*el otoño*
o verão	*el verano*	**o inverno**	*el invierno*

■ os números ordinais, *los números ordinales*

primeiro, *primero*, **segundo**, *segundo*, **terceiro**, *tercero*,
quarto, *cuarto*, **quinto**, *quinto*, **sexto**, *sexto*, **sétimo**, *séptimo*,
oitavo, *octavo*, **nono**, *noveno*, **décimo**, *décimo*.

1.
   a) el domingo, haremos un paseo.
   b) el verano es una estación agradable.
   c) Salvador tiene un clima agradable.
   d) el próximo mes, tendremos vacaciones.

2.
   a) temos férias no verão (em dezembro, etc.).
   b) vou ao correio, amanhã.

3.
   a) estou **em** casa **do** João.
   b) o Pedro gosta de passear **pela** cidade.
   c) não vou estar **em** casa hoje de tarde.
   d) para ir **à** casa **da** minha amiga, passo **pelo** jardim.
   e) sairemos **de** viagem **no** verão, **em** dezembro.

4. (primero, es necesario encontrar el infinitivo del verbo)
   viajarei   haverá   terei   irás   poderei   passarão viveremos

C4 EL PORTUGUÉS DE PORTUGAL

■ Las formas del **futuro** son comúnmente empleadas.
Iré mañana al correo.
Brasil: **Amanhã irei ao correio (vou** también se usa).
Port.: **Vou amanhã ao correio.**

■ **Algunas locuciones de tiempo.**

até logo	*hasta luego*
até amanhã	*hasta mañana*
depois de amanhã	*pasado mañana*
anteontem	*anteayer*
o mês passado	*el mes pasado*
o mês próximo	*el mes próximo*
dia sim, dia não	*cada tercer día*
de amanhã a oito dias	*de mañana en ocho días*
dentro de oito dias	*dentro de ocho días*
o trimestre	*el trimestre*
dentro de pouco tempo	*en poco tiempo*
o semestre	*el semestre*

■ Observe las expresiones: **ir de férias,** *ir de vacaciones;* **sair de viagem,** *ir de viaje.*

A1 PRESENTACIÓN

a nossa	[a **nó**sa]	*nuestra*
acha	[**á**sha]	*halla*
olha	[**ó**lya]	*mira*
pensar em	[pĕ**sár** ĕy]	*pensar en*
o bairro	[u **bái**ju]	*el barrio*
a entrada	[a ĕ**trá**da]	*a entrada*
comprido	[kũ**pri**du]	*largo*
largo	[**láj**gu]	*ancho*
gordo	[**gô**jdu]	*gordo*
cheio	[**shê**iu]	*lleno*
estreito	[ish**trêi**tu]	*estrecho*
o atraso	[u a**trá**zu]	*el retraso*
contente (com)	[kõ**tê**chi]	*contento*
zangado	[zã**gá**du]	*enojado*
cansado	[kã**sá**du]	*cansado*
a propósito	[a pro**pó**zitu]	*por cierto, a propósito; adrede*

A2 APLICACIÓN

1. – Pedro - Nossa cidade é moderna, você não acha?
2. – João - As ruas são estreitas, mas estão cheias de carros.
3. – Pedro - O bairro onde estamos é antigo.
4. – João - Algumas avenidas são largas e compridas.
5. – Pedro - Olha! ali, o motorista do ônibus. Que gordo!
6. – João - O cobrador é magro.
7. – Pedro - Eles me lembram dois cômicos do cinema americano.
8. – João - A propósito, meu irmão está nos esperando à entrada do cinema. Deve estar cansado de esperar.
9. – Não deve estar contente com o nosso atraso.
10. – Pedro - Deve estar mesmo muito zangado.
11. – João - Paciência!

A3 NOTAS

■ El participio se forma agregando **ado** en lugar de **ar** (verbos 1ª conjugación) e **ido** en lugar de **er** e **ir** (verbos de la 2ª y 3ª conjugaciones): **cansar,** *cansar* - **cansado,** *cansado.*

> **partir,** *partir* → **partido,** *partido.* **ler,** *leer* → **lido,** *leído.*

■ El complemento de un verbo puede:
— ser precedido de una preposición, aunque no la haya en español: **gosto de passear,** *me gusta pasear;*
— no ser precedido de preposición, aunque la haya en español:
— **este trabalho requer muita atenção,** *este trabajo requiere de mucha atención.*
— la preposición puede ser distinta en portugués que en español: **viajo de ônibus,** *viajo en autobús.*

■ **passear:** *pasear.* Los verbos en **ear** son irregulares en el presente del indicativo. Se intercala una **i** delante de la terminación cuando el acento tónico cae sobre la raíz.

> **Eu passeio, ele passeia, nós passeamos, eles passeiam.**

A4 TRADUCCIÓN

1. — Pedro - Nuestra ciudad es moderna, ¿no te parece?
2. — Juan - Las calles son estrechas, pero están llenas de coches.
3. — Pedro - El barrio donde estamos es antiguo.
4. — Juan - Algunas de las avenidas son anchas y largas.
5. — Pedro - ¡Mira! allá, el chofer del autobús. ¡Qué gordo!
6. — Juan - El cobrador es flaco.
7. — Pedro - Me hacen pensar en dos cómicos del cine estadounidense.
8. — Juan - A propósito, mi hermano nos está esperando a la entrada del cine. Debe estar cansado de esperar.
9. — No debe estar contento con nuestro retraso.
10. — Pedro - Debe estar realmente enojado.
11. — Juan - ¡Paciencia!

B1 PRESENTACIÓN

faltar	[fautáj]	*faltar, hacer falta*
a festa	[a féshta]	*la fiesta*
o baile	[u báili]	*el baile*
a cor	[a kôj]	*el color*
o calor	[u kalôj]	*el calor*
o sol	[u sóu]	*el sol*
o balão (ões)	[u baláu]	*el globo*
escuro	[iscuru]	*oscuro, sombrío*
feio	[fêiu]	*feo*
colorido	[coloridu]	*colorido*
logo	[lógu]	*después, enseguida, inmediatamente*
é verdade	[é vejdádchi]	*es cierto, efectivamente*

■ Observar las expresiones construídas con **estar**.

está fazendo calor, *hace calor;* **está fazendo frio**, *hace frío.*
está quente, *está caliente;* **está frio**, *está frío.*

B2 APLICACIÓN

1. — Pedro - Hoje a nossa rua está muito animada.
2. — Ana - Tem alguma festa?
3. — Pedro - Tem. Hoje é o dia de Santo Antônio. Vai ter um baile à noite.
4. — Ana - Aqui não é como no centro da cidade.
5. — Pedro - É verdade, o centro é sempre animado.
6. — Ana - Sua rua é feia e escura; mas hoje está muito bonita.
7. — Está muito bem decorada; está muito colorida.
8. — Pedro - É verdade; os balões são muito coloridos. Têm cores alegres.
9. — Ana - Hoje tem sol e está fazendo calor.
10. — Pedro - O verão é sempre quente, mas as noites, às vezes, são frias.
11. — Ana - Com frio ou com calor, eu não vou faltar. Até mais à noite.

B3 NOTAS

■ Las palabras terminadas en **or** son masculinas, cualquiera que sea su género en español: **o calor,** *el calor.*
Excepción: **a flor,** *la flor.*

■ **Santo** *(San),* **Santo Antônio** *(San Antonio).*
Cuando la palabra *santo* se encuentra delante de un nombre que empieza por consonante, se reduce a **são: São João,** *San Juan.*

■ Los adjetivos (o participios) empleados con **ser** o **estar:**
— Con **ser,** indican una característica permanente:
    o centro é sempre animado, *el centro es siempre animado.*
— Con **estar,** indican una manera de ser pasajera (se puede agregar: *está en este momento*):
        hoje a rua está animada, *hoy la calle está animada.*

■ Ciertos adjetivos que indican un estado transitorio sólo pueden emplearse con **estar: contente** *(contento),* **zangado** *(enojado).*

■ Los posesivos (ver **Resumen gramatical**, p. 258).

B4 TRADUCCIÓN

1. — Pedro - Hoy nuestra calle está muy animada.
2. — Ana - ¿Hay alguna fiesta?
3. — Pedro - Sí. Hoy es día de San Antonio. Habrá baile en la noche.
4. — Ana - Aquí no es como en el centro de la ciudad.
5. — Pedro - Efectivamente, el centro está siempre animado.
6. — Ana - Tu calle es fea y oscura; pero hoy está muy bella.
7. — Está muy bien decorada; está muy colorida.
8. — Pedro - Es cierto: los globos son muy coloridos. Tienen colores alegres.
9. — Ana - Hoy hay sol y hace calor.
10. — Pedro - El verano es siempre caliente, pero a veces las noches son frías.
11. — Ana - Haga frío o calor, no dejaré de venir. Hasta luego, en la noche.

1. **Traducir:**
   a) minha mãe está nos esperando.
   b) está zangada com o nosso atraso.

2. **Dar el infinitivo correspondiente al participio pasado:**
   a) colorido   b) cansado   c) decorado

3. **Completar con ser o estar:**
   a) o jardim . . . muito bonito.
   b) meu pai não . . . contente com o meu trabalho.
   c) o verão não . . . frio.
   d) hoje, tem sol; o dia . . . bonito.
   e) hoje, a noite . . . fria.

4. **Traducir:**
   a) mi madre está enojada. Yo no estoy contenta.
   b) hoy la calle está muy animada.
   c) ella es siempre muy bella.

C2   ENSEÑANZAS PRÁCTICAS

Os feriados no Brasil	*Los días festivos en Brasil*
O Ano Novo	*El día de Año Nuevo*
O Natal	*La Navidad*
O dia da Independência (em relação a Portugal) - 7 de setembro	*El día de la Independencia (respecto a Portugal) - 7 de septiembre*
O dia da Proclamação da República 15 de novembro	*El día de la Proclamación de la República - 15 de noviembre*
O dia do Trabalho - 1º de maio	*El día del Trabajo - 1º de mayo*
O dia de Nossa Senhora Aparecida, padroeira do Brasil - 12 de outubro	*El día de Nuestra Señora Aparecida, patrona de Brasil - 12 de octubre*
Morte de Tiradentes, o mártir da Independência - 21 de abril	*La muerte de Tiradentes, el mártir de la Independencia - 21 de abril*
O Carnaval - festa móvel (fevereiro ou março)	*El Carnaval - fiesta móvil (febrero o marzo)*
Semana Santa - festa móvel (março ou abril)	*La semana santa - fiesta móvil (marzo o abril)*

1.

    a) mi madre nos está esperando.

    b) está enojada con nuestro retraso.

2.

    a) colorir   b) cansar   c) decorar

3.

    a) o jardim **é** muito bonito.

    b) meu pai não **está** contente com o meu trabalho.

    c) o verão não **é** frio.

    d) hoje tem sol; o dia **está** bonito.

    e) hoje, a noite **está** fria.

4.

    a) minha mãe está zangada. Eu não estou contente.

    b) hoje, a rua está muito animada.

    c) ela é sempre muito bonita.

C4 EL PORTUGUÉS DE PORTUGAL

■ **El empleo de los posesivos:** en Portugal se usa forzosamente el artículo definido antes del posesivo, ej.: *mi ciudad.*

Portugal: **a minha cidade.**

Brasil: **minha cidade** o **a minha cidade.**

■ **Las fiestas en Brasil:**

El Carnaval es una fiesta fastuosa que paraliza el país durante cuatro días, y se prepara a lo largo del año en las colonias populares, dentro de las "escuelas de samba". Es una verdadera institución nacional. El carnaval de Río es conocido mundialmente, pero se celebra el carnaval en todas las ciudades, a veces con mayor autenticidad, sobre todo en el Noreste (Recife, Salvador de Bahía y São Luis de Maranhão).

Existen muchas otras fiestas, de carácter regional, en ese país integrado por 26 estados. Mencionamos al Noreste la fiesta del **Bumba-meu-boi** y al sur los **rodeos** de los ganaderos, llamados **"gaúchos"**. El 7 de septiembre, día festivo en todo el país, es el día de la fiesta nacional, que conmemora la independencia de Brasil, proclamada el 7 de septiembre de 1822, por el Regente Don Pedro I, cerca de São Paulo. Es el famoso grito del Ipiranga (nombre de un arroyo): "Independencia o muerte".

A1 PRESENTACIÓN

■ Reglas de empleo de los demostrativos:
— **este (esta)** designa lo que está aquí (**aqui**), cerca de mí, o cerca de quien habla;
— **esse (essa)** designa lo que está un poco más lejos (**aí**), cerca de tí, es decir, del interlocutor;
— **aquele (aquela)** designa lo que está muy alejado (**ali**).

o que	[u **kê**]	*qué es (cuál cosa)*
este	[**êsh**chi]	*este*
aquilo	[a**ki**lu]	*aquello*
isso	[**i**su]	*eso*
isto	[**ish**tu]	*esto*
parecer	[pare**sêj**]	*parecer*
estender	[eshtẽ**dêj**]	*extender*
vejo (ver)	[**vê**yu]	*veo*
quebrada	[ke**brá**da]	*rota, quebrada*
a lanterninha	[a lãtej**ñi**ña]	*la acomodadora*
os bombons, balas	[us bõ**bõs**, **ba**las]	*los dulces, caramelos*
o sorvete	[u **sôj**vêchi]	*el helado*
a cadeira	[a ka**dêi**ra]	*la silla*
confortável	[kõfoj**tá**véu]	*cómodo*
à vontade	[a võ**tá**dchi]	*a gusto*

A2 APLICACIÓN

1. — Pedro - Esse lugar aí, junto ao senhor, está desocupado?
2. — O senhor - Não, este lugar aqui está ocupado, mas aqueles, lá na frente, estão livres.
3. — Pedro - Não quero ficar aqui. Esta cadeira está quebrada.
4. — Vou para essa aí, parece mais confortável.
5. — Ana - Por que você não vai para aquela ali? Você pode estirar as pernas à vontade.
6. — Pedro - Dali não vejo bem. É muito longe da tela.
7. — Ana - O que é aquilo que a lanterninha está distribuindo?
8. — Pedro - É o programa.
9. — Ana - E isso que você tem na mão?
10. — Pedro - Isto? São bombons. Você quer? Ou prefere um sorvete?

A3 NOTAS

■ Demostrativos: la pronunciación de la **e** cambia en el femenino.

este(s)	[êshti(s)]	**esta(s)**	[éshta(s)]
esse(s)	[êsi(s)]	**essa(s)**	[ésa(s)]
aquele(s)	[akêli(s)]	**aquela(s)**	[akéla(s)]

■ Atención: **está** [eshtá], *está*, **esta** [éshta] *esta*.

■ Los demostrativos (**adjetivos y pronombres**) (ver **Resumen gramatical**, p. 258).

Adverbios	**aqui** *(aquí)* **cá**	**aí** *(ahí)* **lá**	**ali** *(allá)*
Masc. sing. Masc. pl.	**este**, *este, éste* **estes**, *estos, éstos*	**esse**, *ese, ése* **esses**, *esos, ésos*	**aquele**, *aquel, aquél* **aqueles**, *aquellos, aquéllos*
Fem. sing. Fem. pl.	**esta**, *esta, ésta* **estas**, *estas, éstas*	**essa**, *esa, ésa* **essas**, *esas, ésas*	**aquela**, *aquella, aquélla* **aquelas**, *aquellas, aquéllas*
Neutro	**isto**, *esto*	**isso**, *eso*	**aquilo**, *aquello*

■ El portugués de Brasil no tiene el género neutro, aunque existan palabras neutras, o sea, que no pertenecen a ninguno de los dos géneros (masculino y femenino), como **isto, isso, aquilo.**

El verbo **ver**, *ver* y los verbos terminados en **uir** (**distribuir**, *distribuir*) son irregulares en el presente del indicativo.

eu **vejo**	nós **vemos**	eu **distribuo**	nós **distribuímos**
ele **vê**	eles **vêem**	ele **distribui**	eles **distribuem**

A4 TRADUCCIÓN

1. – Pedro - ¿Ese lugar, cerca de usted, está desocupado?
2. – El señor - No, este lugar (cerca de mí) está ocupado; pero aquellos, adelante, están libres.
3. – Pedro - No quiero quedarme aquí, la silla está rota.
4. – Voy a tomar aquélla, me parece más cómoda.
5. – Ana - ¿Por qué no te vas a aquélla? Puedes estirar las piernas a gusto.
6. – Pedro - No veo bien de allá. Está muy lejos de la pantalla.
7. – Ana - ¿Qué es lo que distribuye la acomodadora?
8. – Pedro - Es el programa.
9. – Ana - ¿Y eso que tienes en la mano?
10. – Pedro - ¿Esto? Son dulces. ¿Los quieres? ¿O quieres un helado?

B1 PRESENTACIÓN

deste	[**dêsh**chi]	*de este*
nesta	[**nésh**ta]	*en esta*
naquela	[na**ké**la]	*en aquella*
àquele	[a**kê**li]	*a aquel*
beber	[be**bêj**]	*beber*
sentar-nos	[sẽ**táj**-nus]	*sentarnos*
toca	[**tó**ka]	*suena*
aberto	[a**béj**tu]	*abierto*
o intervalo	[u ĩtej**vá**lu]	*el intermedio*
a prateleira	[a prachi**lê**ira]	*la repisa*
a poltrona	[a **pôu**trona]	*el sillón*
a garrafa	[a ga**já**fa]	*la botella*
a campainha	[a kãpã**i**ña]	*el timbre*
nesta altura	[**nésh**ta autura]	*en este punto, en este momento*
no meio	[nu **mêi**u]	*en el medio*
assim	[a**sĩ**]	*así*
assim, assim	[a**sĩ**, a**sĩ**]	*más o menos*
antes	[**ã**chis]	*antes*
tanto faz	[**tã**tu **fás**]	*es igual, me da igual*
você não se importa	[**vô**sê **nãu** si ĩ**pój**ta]	*no te importa*
(+ infinit.)		*(+ infinit.)*

B2 APLICACIÓN

1. — Ana - Eu gosto deste filme, mas não gosto do intervalo.
2. — Pedro - Isso é verdade, mas é assim no Brasil.
3. — Ana - Nesta sala está fazendo muito calor; vamos lá fora, àquele café em frente.
4. — Pedro - Vamos antes lá em cima; o bar está aberto. O que é que você quer beber?
5. — Ana - Tanto faz.
6. — Pedro - Ali, naquela prateleira está uma garrafa de vinho do Porto. Você quer?
7. — Ana - Você quer ficar em pé? Se você não se importar, vamos nos sentar naquelas poltronas, no meio da sala.
8. — Pedro - Você gosta deste vinho? É assim, assim.
9. — Nesta altura, a campainha toca; é o fim do intervalo.

B3 NOTAS

■ La contracción de los demostrativos:

Demostrativos	de	em	a
Masculino	deste(s)	neste(s)	
Femenino	desta(s)	nesta(s)	
Neutro	disto	nisto	
Masculino	desse(s)	nesse(s)	
Femenino	dessa(s)	nessa(s)	
Neutro	disso	nisso	
Masculino	daquele(s)	naquele(s)	àquele(s)
Femenino	daquela(s)	naquela(s)	àquela(s)
Neutro	daquilo	naquilo	àquilo

■ Observar la estructura: **isso é verdade,** *eso es cierto*:
– el empleo de **isso** significa que es el interlocutor quien habla;
    Pero: **isto é verdade**, *esto es cierto* (lo que digo).

B4 TRADUCCIÓN

1. – Ana - Me gusta esta película, pero no me gusta el intermedio.
2. – Pedro - Lo que dices es cierto; así es en Brasil.
3. – Ana - Hace mucho calor en esta sala; vamos afuera, a aquel café, de enfrente.
4. – Pedro - Mejor vamos arriba; el bar está abierto. ¿Qué quieres tomar?
5. – Ana - Me da igual.
6. – Pedro - Allá, en aquella repisa, hay una botella de vino Oporto. ¿Quieres?
7. – Ana - ¿Quieres quedarte de pie? Si no te importa, vamos a sentarnos en aquellos sillones en medio de la sala.
8. – Pedro - ¿Te gusta este vino? Es más o menos.
9. – Ahora suena el timbre; es el final del intermedio.

1. Traducir:
   a) aquele lugar ali em frente não está desocupado.
   b) gosto muito desse livro que você tem.
   c) vamos àquele cinema no centro da cidade.

2. Usar el demostrativo adecuado:
   a) de quem é . . . bilhete aí?
   b) . . . lugar aqui é meu.
   c) quero . . . garrafa que está ali na prateleira.
   d) que é . . . que você tem na mão?
   e) . . . ? É o programa da semana.
   f) que é . . . que está ali, perto da tela?

3. Traducir:
   a) en esta sala, hace mucho calor.
   b) me voy a sentar en ese sillón, cerca de la entrada.
   c) esta película es buena.
   d) es cierto.

C2 ENSEÑANZAS PRÁCTICAS

■ *El cine brasileño:*

El cine brasileño cobró fama a partir de los años sesenta, gracias a las películas de jóvenes cineastas pertenecientes al movimiento llamado **cinema novo** (nuevo cine). Esos jóvenes cineastas denunciaban la realidad social brasileña, en primer lugar la del Noreste devastado por la sequía. Se llevaban a la pantalla obras literarias, como la película **Vidas secas** de Nelson Pereira (1964), con base en la novela de Graciliano Ramos (muerto en 1954), o se inspiraban en la realidad, como en **Dios negro y diablo rubio** (1967) y **Antonio das mortes** (1969) de Glauber Rocha.

Es necesario mencionar también a Carlos Dieges y sus películas **Ganga-Zumba** (1966) y **Los herederos** (1969).

■ **Vocabulario:**
   desempenhar um papel, *desempeñar un rol.*
   o ator, *el actor.*
   a atriz, *la actriz.*

1.

    a) aquel lugar allá enfrente no está libre.

    b) me gusta mucho ese libro que tienes.

    c) vamos a aquel cine en el centro de la ciudad.

2.

    a) de quem é **esse** bilhete aí?

    b) **este** lugar aqui é meu.

    c) quero **aquela** garrafa que está ali na prateleira.

    d) que é **isso** que você tem na mão?

    e) **isto**? É o programa da semana.

    f) que é **aquilo** que está ali, perto da tela?

3.

    a) nesta sala, está fazendo muito calor.

    b) vou me sentar naquela poltrona, perto da entrada.

    c) este filme é bonito.

    d) isso é verdade.

C4 ENSEÑANZAS PRÁCTICAS

■ **Los demostrativos:** en el lenguaje hablado de Brasil se emplean las formas **esse (essa, isso)** en lugar de **este (esta, isto)**. Se dice **isso aqui,** *eso* y no **isto aqui,** *esto.*

■ *El cine brasileño:*

    En los años setenta aparecen en el mercado internacional películas brasileñas como **Xica da Silva** y **Bye bye Brasil**, de Carlos Diegues (la segunda de ellas con música de Chico Buarque de Holanda), y **Doña Flor y sus dos maridos**, realizada por Bruno Barreto y basada en la novela homónima de Jorge Amado.

    En los años ochenta, **Bar Esperanza,** de Hugo Carvana, recibió un premio en el Festival de Cádiz de 1983. William Hurt recibió en 1986 un Oscar a la mejor actuación por la película **El beso de la mujer araña**, realizada por Héctor Babenco. Por su parte, Fernanda Torres fue premiada en Cannes por su actuación en **Eu sei que vou te amar**, dirigida por Arnaldo Jabor.

    Brasil también ha realizado buenas series filmadas para la televisión, de las cuales una de las más conocidas es **Gabriela, clavo y canela**, a partir de una de las novelas de Jorge Amado.

A1 PRESENTACIÓN

■ **de onde?**: adverbio interrogativo = *¿de dónde?* (proveniencia).

■ **que** exclamativo se usa delante de un sustantivo o un adjetivo.
que trabalho! *¡qué trabajo!*; **que bonito!** *¡qué bonito!*

■ **que** se usa antes del sustantivo que acompaña el adjetivo, entonces precedido de **mais: que selo mais bonito!** *¡qué sello tan bello!*

para mim, etc.	[pára mĩ]	*para mí*
atender	[atĕdêj]	*contestar (teléf.)*
ligar	[ligáj]	*hablar (por teléfono)*
desligar	[dchisligáj]	*colgar*
diz	[**dis**]	*dice*
assinar	[asináj]	*firmar*
o carteiro	[u kartêiru]	*el cartero*
a carta	[a kárta]	*la carta*
o postal	[u poshtáu]	*la tarjeta postal*
o vale	[u váli]	*el vale*
vários	[várius]	*varios*

A2 APLICACIÓN

1. – O telefone toca.
2. – A mãe - É uma ligação para você. Vá atender.
3. – Ana - Agora não posso. Diga que não estou e desligue. Depois eu ligo. Vou fazer várias ligações à tarde.
4. – (Tocam a campainha). Ana - Vá abrir.
5. – A mãe - É o carteiro. Hoje tem correspondência para nós: duas cartas e um postal.
6. – Ana - Para quem é esse postal? Para mim?
7. – Mãe - Chame sua irmã. É para ela.
8. – Ana - Que selos mais bonitos! De onde são?
9. – A mãe - Do Uruguai.
10. – O carteiro - Minha senhora, este recibo é para a senhora. Assine aqui.

A3 NOTAS

■ Los pronombres personales:

sujeto	compl. sin preposición	compl. después de preposición
eu, tu	*me, te*	**para mim, ti** *(para mí, tí)*
ele, ela	*se* (reflexivo)	**para ele** *(para él)*
		para ela *(para ella)*
o senhor	*se* (reflexivo)	
você(s)	*se* (reflexivo)	**para vocês** *(para ustedes)*
nós	*nos*	**para nós** *(para nosotros)*
eles, elas	*se* (reflexivo)	**para eles, para elas**
os senhores	*se* (reflexivo)	**para os senhores**

■ **Atención:** *nosotros* = **nós** (sujeto) [**nós**] *nos;* **nos** (compl.) [**nus**].

A4 TRADUCCIÓN

1. – Suena el teléfono .
2. – La madre - Es una llamada para ti. Ve a contestar.
3. – Ana - No puedo ahora. Di que no estoy y cuelga. Llamaré después. Voy a hacer varias llamadas en la tarde.
4. – (Tocan). Ana - Ve a abrir.
5. – La madre - Es el cartero. Hoy hay correo para nosotros: dos cartas y una tarjeta postal.
6. – Ana - ¿Para quién es esa postal? ¿Es para mí?
7. – La madre - Llama a tu hermana. Es para ella.
8. – Ana - ¡Qué bellos sellos! ¿De dónde son?
9. – La madre - De Uruguay.
10. – El cartero - Señora, este recibo es para usted. Firme aquí.

B1 PRESENTACIÓN

■ **aonde**, *¿a dónde?* Adverbio (pregunta sobre el lugar a donde uno va).
■ **ter de** + infinitivo: indica la obligación (*deber*).
  tenho de mandar, *tengo que mandar (debo mandar)*.

comigo	[komigu]	*conmigo*
contigo	[kõtigu]	*contigo*
mandar	[mãdáj]	*mandar, enviar*
registrar	[jeyishtráj]	*certificar*
preciso de	[presizu dchi]	*necesito*
aproveitar	[aproveitáj]	*aprovechar*
devolver	[devôuvêj]	*devolver, regresar*
entregar	[ẽtregáj]	*entregar*
contém	[kõtẽy]	*contiene*
o formulário	[u fojmuláriu]	*el impreso, la forma*
a alfândega	[a aufãdega]	*la aduana*
a encomenda	[a ẽkumẽda]	*el paquete, el bulto*

■ **Atención:** el verbo **esperar** tiene dos construcciones; **esperar uma pessoa** o **esperar por una pessoa** (**por** enfatiza la espera): *esperar a una persona*.

B2 APLICACIÓN

1. — Ana - Você vai sair? Aonde você vai?
2. — Maria - Você quer vir comigo ao correio?
3. — Ana - Que que você vai fazer lá?
4. — Maria - Vou mandar uma encomenda registrada.
5. — Ana - Está bem. Vou com você. Preciso mandar um telegrama.
6. — A mãe - Esperem por mim. Vou com vocês. Vou aproveitar a oportunidade para receber um vale e devolver uma carta.

No correio.

7. — A funcionária - Você tem de preencher este formulário.
8. — Maria - Tenho de escrever aqui o que a encomenda contém?
9. — A funcionária - Tem. É para a alfândega.

B3 NOTAS

■ **O que**, el artículo definido remplaza el demostrativo delante de **que**.
  o que contém a encomenda, *lo que contiene el paquete.*

■ Contracción del pronombre personal complemento con **com:**

Sujeto	Compl. después de com	Sujeto	Compl. después de com
eu	**comigo**	nós	**conosco**
ele	**com ele**	eles	**com eles**
ela	**com ela**	elas	**com elas**
o senhor	**com ele**	os senhores	**com eles**
a senhora	**com ela**	as senhoras	**com elas**
você	**com você**	vocês	**com vocês**

■ **Conter:** se conjuga como **ter**, presente del indicativo:

tenho	**temos**	**contenho**	**contemos**
tem	**têm**	**contém**	**contêm**

B4 TRADUCCIÓN

1. − Ana - ¿Vas a salir? ¿Adónde vas?
2. − María - ¿Quieres venir conmigo a la oficina de correos?
3. − Ana - ¿Qué vas hacer allá?
4. − María - Voy a enviar un paquete certificado.
5. − Ana - Está bien. Voy contigo. Necesito enviar un telegrama.
6. − La madre - Espérenme. Voy con ustedes. Voy a aprovechar la ocasión para retirar un vale y enviar una carta.

En el correo.

7. − La empleada - Tiene que llenar esta forma.
8. − María - ¿Debo escribir aquí lo que contiene el paquete?
9. − La empleada - Sí. Es para la aduana.

1. **Traducir:**
   a) há uma carta para mim e um postal para ti.
   b) tenho de atender uma ligação.
   c) que selos mais caros!

2. **Usar los pronombres personales complementos que convengan:**
   a) há um talão de cheques para (eu).
   b) há um vale para (nós).
   c) há uma encomenda para (tu).

3. **Usar los pronombres personales complementos con la preposición com** (con):
   a) o João e a Maria vão sair com (nós).
   b) você vai sair? Eu vou com (você).

4. **Traducir:**
   a) él va al correo conmigo a retirar un paquete.
   b) tengo que contestar a esa llamada.
   c) Ana me espera; tengo que contestar a una carta.

5. **Pronunciar:**
   a) eles têm muitas ligações.
   b) ela contém vários postais.

C2 VOCABULARIO Y ENSEÑANZAS ÚTILES

■ **a caixa postal,** *el apartado postal.*
a caixa de correio, *el buzón de la calle.*
o catálogo telefônico, *la guía de teléfonos.*

■ **as cabines telefónicas,** *las cabinas telefónicas.* Para hablar por teléfono [**telefonar**], hay que estar provisto de monedas [**moedas**] o de tarjeta para teléfono [**cartão telefônico**]. Se necesita una moneda cada tres minutos.

o senhor entra e lê as instruções indicadas no aparelho:	*usted entra y lee las instrucciones indicadas en el aparato:*
levantar o fone	*descolgar la bocina*
introduzir a moeda (ou cartão)	*introducir la moneda (o tarjeta)*
marcar o número	*marcar el número*
quando ouvir o sinal, empurrar a moeda e falar;	*cuando oiga el sonido, empuje la moneda y hable;*
a linha está ocupada: desligar e tentar novamente.	*la línea está ocupada: colgar e intentar nuevamente.*

1.

  a) hay una carta para mí y una tarjeta postal para tí.
  b) debo contestar a una llamada.
  c) ¡qué caros son esos sellos!

2.

  a) há um talão de cheques para **mim.**
  b) há um vale para **nós.**
  c) há uma encomenda para **ti.**

3.

  a) o João e a Maria vão sair **conosco.**
  b) você vai sair? Eu vou **com você.**

4.

  a) ele vai ao correio comigo para receber uma encomenda.
  b) tenho de atender esta ligação.
  c) a Ana espera por mim. Tenho de responder a uma carta.

5.

  a) *Bras.* [êlis **tẽey mũy**tas sha**má**das].
     Port. [êlesh **tãyãy mũy**tàsh shà**ma**dàsh].
  b) *Bras.* [éla kõt**ẽy vá**rius posh**tais**].
     Port. [élà kõt**ãy va**riush push**taish**].

C4 ENSEÑANZAS ÚTILES

■ **Particularidades de empleo de los pronombres personales complementos:**
traducción de usted después de una preposición: **você** o **vocês.**
Isto é para você, *esto es para usted* (una sola persona).
Isto é para vocês, *esto es para ustedes* (varias personas).
Jamás se emplea **para si,** como se usa en Portugal.
Para si en Brasil significa siempre *para sí mismo* (uso reflexivo).
con nosotros = **conosco** (con una sola **n**).
Portugal: **connosco.**

■ Las cabinas telefónicas se parecen a un casco, colocado arriba del aparato. Debido a su forma, son llamadas familiarmente **orelhão,** o sea, *oreja grande*; **orelha,** *la oreja*, el pabellón externo.
      discar, *marcar el número telefónico.*

A1 PRESENTACIÓN

■ Atención al presente del indicativo de **subir**, *subir*.

eu **subo**   ele **sobe**   [sóbi]
nós **subimos** eles **sobem** [sóbẽy]

arrumar	[ajumáj]	*arreglar*
encher	[ẽshêj]	*llenar*
deixar	[dêisháj]	*dejar*
conferir	[kõferij]	*verificar, checar*
o tanque	[u tãki]	*el tanque*
a gasolina	[a gazulina]	*la gasolina*
o posto	[u pôshtu]	*la bomba*
o troco	[u trôku]	*el cambio*
o estacionamento	[u ishtasionamẽtu]	*el estacionamiento*
a multa	[a muuta]	*la multa*
pronto	[prõtu]	*listo, arreglado*
vazio	[vaziu]	*vacío*
por favor	[por favôr]	*por favor*
então	[ẽtãu]	*entonces*
já	[yá]	*ya*

A2 APLICACIÓN

1. — Manuel - Posso ir com você? Meu carro não funciona. Onde está o seu?
2. — Pedro - O meu está na rua. Este não é o meu.
3. — Manuel - Então, qual é o seu?
4. — Pedro - Esse branco, mal ajeitado, é o meu.
5. — Manuel - O tanque está quase vazio.
6. — Pedro - Aqui há um posto de gasolina.
7. — Ao empregado - Pode encher o tanque, por favor?
8. — Empregado - Pronto, está cheio. São vinte reais.
9. — Pedro - Que caro! É verdade que o preço da gasolina sobe sempre uma vez por ano.
10. — Empregado - Aqui tem o troco. Pode conferir.
11. — Se pode estacionar nesta rua?
12. — Manuel - Aqui é proibido. Mas ali há um estacionamento.
13. — Pedro - Deixo o carro aqui. Estou com pressa.
14. — Manuel - Se você gostar de pagar multas...!

A3 NOTAS

■ **Los posesivos**, pronombres y adjetivos (ver lecciones VIII y XIII y el **Resumen gramatical**, p. 258) tienen la misma forma, y en Brasil pertenecen todos a la categoría gramatical de **pronombres**.

meu livro é branco; o teu, é azul.

mi (adj.) *libro es blanco; el tuyo* (pron.) *es azul.*

así: **meu,** *mi o mío*; **teu,** *tu o tuyo.*

minha, *mi o mía*; **tua,** *tu o tuya.*

■ **Empleo de los posesivos:**

– Los posesivos no siempre están precedidos del artículo definido.

o meu carro está na rua, meu carro está na rua, *mi coche está en la calle.*

o teu está na garagem, *el tuyo está en el garaje.*

– Siempre se omite el artículo cuando el pronombre posesivo sigue al verbo *ser.*

este carro é meu, *este coche es mío.*

■ **Atención:** cuando el artículo se mantiene, el sentido es distinto. Se trata de enfatizar una persona o una cosa.

qual destes carros é o teu? *¿cuál de estos coches es el tuyo?*

A4 TRADUCCIÓN

1. – Manuel - ¿Puedo ir contigo? Mi coche no funciona. ¿Dónde está el tuyo?
2. – Pedro - El mío está en la calle. Este no es el mío.
3. – Manuel - Entonces, ¿cuál es el tuyo?
4. – Pedro - Aquél blanco, mal arreglado, es el mío.
5. – Manuel - Traes el tanque casi vacío.
6. – Pedro - Aquí hay una gasolinera.
7. – Al empleado - ¿Puede llenar el tanque, por favor?
8. – El empleado - Listo. Está lleno. Son veinte reales.
9. – Pedro - ¡Qué caro! Es cierto que el precio de la gasolina aumenta siempre una vez al año.
10. – El empleado - Aquí está su cambio. Puede verificarlo.
11. – Pedro - ¿Está permitido estacionarse en esta calle?
12. – Empleado - Aquí está prohibido, pero allá hay un estacionamiento público.
13. – Pedro - Dejo el coche aquí. Tengo prisa.
14. – Manuel - ¡Si te gusta pagar multas...!

B1 PRESENTACIÓN

■ **Saber**, *saber* y **fazer**, *hacer* son irregulares en la primera persona del presente del indicativo.

sei ×	sabemos	faço ×	fazemos
sabe	sabem	faz	fazem

desculpe	[dchiscuupi]	*perdón*
distraído	[dishtraídu]	*distraído*
comer	[komêj]	*comer*
o guarda	[u guájda]	*el policía*
o guarda de trânsito	[u guájda dchi trãzitu]	*el policía de tránsito*
o sinal	[u sináu]	*el semáforo*
o regulamento	[u jegulamẽtu]	*el reglamento*
os documentos	[documẽtus]	*los papeles*
a delegacia	[a delegasía]	*la delegación*
a carteira de motorista	[a kajtêira dchi môtôrishta]	*permiso de conducir*
a distração (ões)	[dishtrasãu]	*la distracción*
vermelho	[vejmêlyu]	*rojo*

■ **Atención:** al sentido de **sair**, *salir* en las expresiones: **isso vai sair caro**, *eso va a salir caro;*
— **passar o sinal fechado**, *pasarse el alto.*

B2 APLICACIÓN

1. — O guarda de trânsito - O senhor não conhece o regulamento?
2. — Pedro - O que foi que aconteceu?
3. — O guarda - O senhor não sabe que não pode passar com o sinal fechado?
4. — Pedro - Desculpe, seu guarda; sou distraído.
5. — Guarda - Este carro é seu? Seus documentos, por favor.
6. — Pedro - Este carro é meu. Aqui estão os documentos.
7. — Guarda - Falta a carteira de motorista.
8. — Pedro - E agora, seu guarda?
9. — Guarda - Agora, o senhor tem de me acompanhar à delegacia. As distrações podem sair caras.
10. — Manuel - Essa sua idéia de querer comer fora...!

B3 NOTAS

■ **Los demostrativos y los posesivos**: pueden emplearse conjuntamente; hay una correspondencia entre ellos.

Pr. pers. sujeto	Demostrativos	Posesivos
eu, nós	este(s) esta(s) isto	o meu, o nosso
tu	esse(s) essa(s) isso	o teu, o vosso
ele(s), ela(s) você (s) o(s) senhor(es) }	aquele(s) aquela(s) aquilo	o seu, o seu

> esta **sua idéia,** *esta idea tuya.*
> esta **minha idéia,** *esta mi idea.*

■ **Omisión del posesivo,** cuando la relación de posesión es evidente: **tem os documentos?** *¿tiene sus documentos?*

> **aqui estão os documentos,** *aquí tiene mis documentos.*

B4 TRADUCCIÓN

1. – El policía - ¿No conoce usted el reglamento?
2. – Pedro - ¿Qué es lo que pasa?
3. – El policía - ¿No sabe que no puede pasarse el alto?
4. – Pedro - Perdón, señor policía, soy distraído.
5. – El policía - ¿Este coche es suyo? Sus documentos, por favor.
6. – Pedro - Este coche es mío. Aquí tiene mis documentos.
7. – El policía - Falta el permiso de conducir.
8. – Pedro - ¿Y ahora, señor policía?
9. – El policía - Ahora, usted me acompañará a la delegación. Las distracciones pueden salir caras.
10. – Manuel - ¡Esa idea tuya de salir a comer fuera...!

1. **Traducir:**
   a) este carro é seu?
   b) eu costumo deixar meu carro no estacionamento.
   c) essas suas distrações saem caras.

2. **Emplear el demostrativo que convenga:**
   a) ... casa aqui é nossa; ... aí é sua.
   b) ... minha idéia não é má.
   c) não vou chegar à ... posto de gasolina; fica muito longe.

3. **Pasar el verbo a la primera persona del singular:**
   a) nós não sabemos qual é o seu carro. É este aqui ou aquele ali?
   b) nós não temos os documentos.
   c) nós fazemos compras antes de viajar.

4. **Traducir:**
   a) este coche es mío. ¿Cuál es el tuyo?
   b) no debes pasar el alto.
   c) aquí tiene mis documentos, señor policía.

5. **Pronunciar:**
   o tanque está vazio; vá a este posto de gasolina.

C2 VOCABULARIO Y DIVERSIÓN

o sinal verde, vermelho, *luz verde, roja.*
amarelo, *amarillo.*
a faixa de pedestres, *el paso de peatones.*
o excesso de velocidade, *el exceso de velocidad.*
o seguro, *el seguro.*   **rápido,** *rápido.*   **lento,** *lento.*
tirar a carteira de motorista, *sacar el permiso de conducir.*

problemas de automobilista	problemas de automovilista
— **Se a gasolina vai subir para mais de dois reais o litro, como é que se pode andar de automóvel?**	– *Si la gasolina va a subir a más de dos reales por litro, ¿cómo se puede andar en coche?*
— **Eu posso.**	– *Yo puedo.*
— **Você pode? Mas como?**	– *¿Puedes? Pero, ¿cómo?*
— **Aí é que está: não como.**	– *Ahí está: no como.*

Atención: juego de palabras (**como** = *cómo y yo como*).
                    en **Pão com Manteiga - 2 Lisboa 1981**

1.
   a) ¿este coche es suyo?
   b) acostumbro dejar mi coche en el estacionamiento.
   c) esas distracciones tuyas salen caras.

2.
   a) **esta** casa aqui é nossa; **essa** aí é sua.
   b) **esta** minha idéia não é má.
   c) não vou chegar **àquele** posto de gasolina; fica muito longe.

3.
   a) eu não **sei** qual é o seu carro, é este aqui ou aquele ali?
   b) eu não **tenho** os documentos.
   c) eu **faço** compras antes de viajar.

4.
   a) este carro é meu. Qual é o seu?
   b) você não deve passar com o sinal fechado.
   c) aqui tem os documentos, seu guarda.

5.
   [u **tǎki** eshtá vaziu **vá** a **êsh**chi **pôsh**tu dchi gazulina].

C4   EL PORTUGUÉS DE PORTUGAL

■ **Las diferencias de vocabulario** son innumerables en el dominio del tránsito y el coche.

Brasil		Portugal
o sinal, o semáforo	*el semáforo*	os sinais, os semáforos
sinal fechado	*luz roja*	sinal vermelho
sinal aberto	*luz verde*	sinal verde
o pedestre	*peatón*	o peão
a carteira de motorista }	*permiso de conducir*	a carta de condução
o certificado de propriedade }	*tarjeta de circulación, certificado de propiedad* }	o livrete
a carona	*el aventón*	a boleia
o tanque	*el tanque*	o depósito
faixa de pedestre	*paso de peatones*	passagem dos peões

■ En Brasil, desde 1974, muchos coches funcionan con alcohol.

A1 PRESENTACIÓN

vou chegar	[vô shêgáj]	*llegaré*
dirigir	[dchiriyij]	*manejar*
frear	[freáj]	*frenar*
ultrapassar	[uutrapasáj]	*rebasar*
vir	[vij]	*venir*
os negócios	[us negósius]	*los negocios*
a estrada	[a ishtráda]	*la carretera*
a velocidade	[a velosidádchi]	*la velocidad*
a razão (ões)	[a jazãu] [õys]	*la razón*
a curva	[a kujva]	*la curva*
o conselho	[u kõsêlyu]	*el consejo*
a administração	[a administrasãu]	*la administración*
a sede	[a sédchi]	*la sede, la matriz*
a empresa	[a ẽprêza]	*la empresa*
molhado	[molyádu]	*mojado*
perigoso	[pirigôzu]	*peligroso*

■ Observar el empleo del demostrativo.

numa estrada destas, *en una carretera como ésta.*

A2 APLICACIÓN

1. — Ana - Cuidado! Numa estrada destas, não é prudente dirigir com tanta velocidade. É perigoso frear de repente e ultrapassar.
2. — Pedro - Você tem razão. A estrada tem muitas curvas, e está molhada, mas temos de chegar antes das duas horas.
3. — Ana - Vamos chegar a tempo.
4. — Pedro - Ainda faltam uns cem quilômetros e temos de almoçar.
5. — Ana - Mas a reunião não vai começar sem você.
6. — Pedro - Não vou passear; é uma viagem de negócios.
7. — Ana - Porque é que a reunião do conselho de administração não é em São Paulo?
8. — Pedro - Porque a sede da nossa empresa é no Rio.
9. — Ana - Um dia vou ao norte dar um passeio. Não conheço a região.

A3 NOTAS

■ **tanto** *(tanto)* + el sustantivo concuerda con el sustantivo que sigue (tal como **muito, pouco**): **tanto trabalho**, *tanto trabajo*; **tanta velocidade**, *tanta velocidad.*

■ **ir** + **infinitivo es una forma del futuro;** es un futuro proyectado en un porvenir impreciso, un futuro de intención.

■ Comparar las expresiones: **vou trabalhar,** *voy a trabajar* y **vou partir hoje,** *voy a partir hoy (partiré).*

El primer **ir** tiene el sentido de *ir*; el segundo indica un futuro inmediato.

A4 TRADUCCIÓN

1. — Ana - ¡Cuidado! En una carretera como ésta, no es prudente manejar con tanta velocidad. Es peligroso frenar y rebasar.
2. — Pedro - Tienes razón. La carretera tiene muchas curvas y está mojada; pero tenemos que llegar antes de las dos.
3. — Ana - Llegaremos a tiempo.
4. — Pedro - Todavía faltan unos cien kilómetros y tenemos que comer.
5. — Ana - Pero la reunión no empezará sin ti.
6. — Pedro - No voy de paseo; es un viaje de negocios.
7. — Ana - ¿Por qué la reunión del Consejo de Administración no es en São Paulo?
8. — Pedro - Porque la matriz de nuestra empresa está en Río.
9. — Ana - Un día iré al norte a pasear. No conozco la región.

B1 PRESENTACIÓN

■ Los verbos que indican un deseo, una espera (**espero que**, *espero que*), una voluntad (**querer que**, *querer que*) requieren el uso del subjuntivo en la oración subordinada que sigue.

■ Si esos verbos están al presente del indicativo, el subjuntivo empleado es el presente del subjuntivo.

dure	[**du**ri]	*que dure*
faça	[**fá**sa]	*haga*
demorar	[demo**ráj**]	*tardarme*
leva	[**lé**va]	*lleva*
aprender	[aprẽ**dêj**]	*aprender*
saia	[**sá**ia]	*salgas*
a baía de Guanabara	[a baia dchi guana**bá**ra]	*la bahía de Guanabara*
a saúde	[a saudchi]	*la salud*
pitoresco	[pito**rês**ku]	*pintoresco*
durante	[du**rã**chi]	*durante*
faz bem	[**fás bẽy**]	*hace bien*
não vale a pena	[**nãu va**li a **pe**na]	*no vale la pena, no tiene caso*

B2 APLICACIÓN

1. — Ana - Espero que a reunião não dure muito tempo.
2. — Que poderei fazer? Você quer que eu espere por você no café?
3. — Pedro - Não vale a pena. Não estou livre antes das seis ou sete horas da noite. Vou demorar.
4. — Ana - Que que você quer que eu faça durante quatro ou cinco horas?
5. — Pedro - Leve o carro e dê uma volta pela área. A baía de Guanabara é muito pitoresca.
6. — Ana - Não posso. Não sei dirigir. Mas um dia vou aprender.
7. — Pedro - Sim, você tem de aprender. Dê uma volta pela cidade. Andar a pé faz bem à saúde. Até logo.
8. — Ana - Até logo. Espero que você não saia muito tarde.

B3 NOTAS

■ **El presente del subjuntivo** se forma a partir de la 1ª persona del presente del indicativo. Todos los verbos irregulares en esa persona serán irregulares en el presente del subjuntivo.

■ Hay que remplazar la **o** (característica de la 1ª persona del singular del indicativo de los verbos regulares) por:
– **e** para los verbos de la primera conjugación;
– **a** para los verbos de la segunda y tercera conjugaciones.

   durar, *tardar*; **comer**, *comer*; **partir**, *partir*; **fazer**, *hacer.*

dur-o	com-o	part-o	faç-o
eu dur-**e**	com-**a**	part-**a**	faç-**a**
ele dur-**e**	com-**a**	part-**a**	faç-**a**
nós dur-**emos**	com-**amos**	part-**amos**	faç-**amos**
eles dur-**em**	com-**am**	part-**am**	faç-**am**

■ **La expresión del futuro** es muy matizada en portugués. Hay varias traducciones posibles (ver **Resumen gramatical**).

B4 TRADUCCIÓN

1. – Ana - Espero que la reunión no tarde mucho.
2. – ¿Qué podré hacer? ¿Quieres que te espere en el café?
3. – No tiene caso. - No estaré libre antes de las seis o siete de la tarde. Me voy a tardar.
4. – Ana - ¿Qué quieres que haga durante 4 ó 5 horas?
5. – Pedro - Toma el coche y ve a dar una vuelta por la zona. La bahía de Guanabara es muy pintoresca.
6. – Ana - No puedo. No sé manejar. Pero un día aprenderé.
7. – Pedro - Sí, debes aprender. Entonces, da una vuelta por la ciudad. Caminar hace bien a la salud. Hasta luego.
8. – Ana - Hasta luego. Espero que no salgas muy tarde.

1. Traducir:
   a) você tem de aprender a dirigir.
   b) vou aprender a dirigir; amanhã vou de férias.

2. Emplear el verbo indicado en la forma adecuada:
   a) (partir) quero que (você) . . . cedo.
   b) (fazer) espero que (você) . . . as compras antes de voltar.
   c) (durar) você espera que esta viagem não . . . muito tempo.
   d) (sair) penso que (ele) não . . . cedo hoje.

3. Usar TER DE o IR, según el caso:
   a) (eu) . . . aprender a dirigir; é útil.
   b) a reunião . . . ser no Rio, onde é a sede da empresa.
   c) (tu) . . . um dia comigo ao norte.
   d) (você) . . . chegar a tempo à reunião.

4. Traducir:
   a) ¿qué hora será?
   b) el viaje es largo; llegarás mañana a las ocho.
   c) un día aprenderé portugués.

C2 ENSEÑANZAS ÚTILES

Salvador, capital del estado de Bahía, se enorgullece de tener una historia rica en tradiciones afro-portuguesas. En su centro histórico, "O Pelourinho", uno de los conjuntos arquitectónicos más importantes de los siglos XVII y XVIII, guarda las marcas y secretos de una civilización mística y mágica. Los Corsarios (grandes casonas coloniales), los museos, los monasterios y las 365 iglesias (una para cada día del año, de acuerdo a la tradición local) son recuerdos de una época dorada en la que Salvador era la capital del país y el orgullo del imperio marítimo de Portugal.

1.

a) debes aprender a manejar.
b) aprenderé a manejar; salgo mañana de vacaciones.

2.

a) quero que você **parta** cedo.
b) espero que **faça** as compras antes de voltar.
c) você espera que esta viagem não **dure** muito tempo.
d) penso que ele não **sai** cedo hoje. (*Indicativo, porque pensar no indica una esperanza ni un deseo, sino que es la constatación de un hecho real*).

3.

a) **tenho** de aprender a dirigir; é útil.
b) a reunião **tem** de ser no Rio, onde é a sede da empresa.
c) você **vai** um dia comigo ao Norte.
d) você **tem** de chegar a tempo à reunião.

4.

a) que horas serão?
b) a viagem é longa; você chega amanhã às oito horas.
c) vou aprender português um dia.

C4 ENSEÑANZAS ÚTILES

■ **Vocabulario: frear, brecar,** *frenar* (en Portugal: *travar*). Se trata de la adaptación de una palabra americana (*to brake*, *frenar*). Existen innumerables influencias del inglés en el lenguaje técnico, en particular el automotriz.

Se encuentran numerosas palabras indígenas (**tupis**) en la flora, fauna y nombres de lugar, ej.: **maracujá**, *el fruto de la pasión;* **jacaré,** *una especie de cocodrilo,* **Ipiranga,** nombre de un arroyo de São Paulo, donde fue proclamada la independencia de Brasil, en 1822.

También se encuentran palabras de origen africano (sobre todo en la cocina), importadas por los esclavos negros que trabajaban en los cultivos de caña de azúcar del Noreste (abolición de la esclavitud en 1888), ej.: **vatapá** (plato de Salvador de Bahía).

El Noreste (una de cuyas ciudades más importantes es Recife, capital del estado de Pernambuco: 1 200 000 habitantes) es la región de emigración portuguesa más antigua (Pedro Alvares Cabral descubrió Brasil en 1500). En esa región, Salvador inició, con una industrialización reciente, un intenso proceso de metropolización, convirtiéndose en una ciudad de gran importancia socio-económica.

A1 PRESENTACIÓN

■ Las locuciones (*ser* + adjetivo + **que** + verbo) que indican *una duda o una probabilidad* requieren el uso del subjuntivo.
é provável que eu faça, *es probable que yo haga.*

moro (morar)	[**mó**ru]	*vivo, habito*
ir encontrar-se com	[**ij** ẽkõ**trá**jsi **kõ**]	*ir a reunirse con*
vir encontrar-se com	[**vij** ẽkõ**trá**jsi **kõ**]	*venir a reunirse con*
é possível que	[é pusi**véu** kê]	*es posible que*
os arredores	[uz aje**dó**ris]	*los alrededores*
a aldeia	[a au**dẽi**a]	*el pueblo*
a baía	[a ba**i**a]	*la bahía*
a praia	[a **prái**a]	*la playa*
o descanso	[u dis**kã**su]	*el descanso*
seguro	[si**gu**ru]	*seguro*
todos	[**tô**dus]	*todos*

Atención: Ir, *ir* contiene una idea de alejamiento en relación al lugar donde uno se encuentra. **Vir**, *venir* expresa el acercamiento respecto al lugar donde uno está. Esos valores deben ser respetados en el uso de las locuciones **ir encontrar-se com**, *ir a reunirse con* y **vir encontrar-se com** , *venir a reunirse con*.

A2 APLICACIÓN

1. – Moro numa cidadezinha dos arredores de São Paulo.
2. – Venho trabalhar em São Paulo todos os dias.
3. – Vou e venho de ônibus; é mais rápido e mais seguro.
4. – Hoje é dia de descanso; o Pedro e eu vamos à praia.
5. – É possível que a Maria venha conosco.
6. – Venham comigo ao cinema à noite.
7. – É provável que vamos encontrar-nos com você.
8. – Você vem comigo?
9. – É provável que eu vá com você.
10. – Venham todos conosco!

A3 NOTAS

■ El grupo **aia**: las tres vocales se pronuncian separadamente cuando la **i** lleva un acento gráfico: **a baía**, y se pronuncian **áia** si no la lleva: **a praia**, *la playa* [a **práya**].

■ **ir**, *ir* PRESENTE   **vir**, *venir* PRESENTE

	INDIC.	SUBJ.	INDIC.	SUBJ.
eu	vou	vá	venho	venhas
ele, você	vai	vá	vem	venha
nós	vamos	vamos	vimos	venhamos
eles,vocês	vão	vão	vêm	venham

■ **Atención: vamos** y **vão**, formas iguales pres. indic. y subj.

■ **Atención:** diferencia de pronunciación entre la 3ª pers. sing.: **vem** [vẽy] *él viene* y plur.: **vêm** [vẽey], *ellos vienen.*

A4 TRADUCCIÓN

1. — Vivo en un pueblo de los alrededores de São Paulo.
2. — Vengo a trabajar a São Paulo todos los días.
3. — Voy y vengo en autobús; es más rápido y más seguro.
4. — Hoy es día de descanso. Pedro y yo vamos a la playa.
5. — Es posible que María venga con nosotros.
6. — Vengan conmigo al cine en la noche (a varias personas).
7. — Es probable que vayamos a reunirnos contigo.
8. — ¿Viene conmigo? (a una persona).
9. — Es posible que yo vaya contigo.
10. — ¡Vengan todos con nosotros!

B1 PRESENTACIÓN

■ **Talvez**, expresando duda *(puede ser)* va seguido de un subjuntivo.

■ **Se for possível**, locución que expresa duda *(si es posible)* va seguida de un indicativo.

se for possível, venho, *si es posible, vendré.*

possa	[**pó**sa]	*pueda*
participar	[pajchisi**páj**]	*participar*
saiba	[**sái**ba]	*sepa*
ajudar	[ayu**dáj**]	*ayudar*
o guarda	[u **guáj**da]	*el policía*
a polícia	[a pulisia]	*la policía*
a perda	[a **pêj**da]	*la pérdida*
o passaporte	[u pasa**pój**chi]	*el pasaporte*
a tarifa	[a tarifa]	*la tarifa*
o estrangeiro	[u ishtrã`yê`iru]	*el extranjero*
o resultado	[u jezuu**tá**du]	*el resultado*
o exame	[u e**zá**mi]	*el examen*
se for possível	[si **fôj** pusi**véu**]	*si es posible*

B2 APLICACIÓN

1. – Você pode vir se encontrar conosco à tarde?
2. – Ainda não sei. Estou esperando uma ligação. Talvez possa.
3. – Vocês têm tempo para vir comigo à polícia?
4. – Quero dar parte da perda de minha carteira.
5. – Talvez o guarda já tenha meu passaporte.
6. – Você sabe qual é a tarifa duma carta para o Brasil?
7. – Telefone para minha irmã; talvez ela saiba.
8. – Vocês vão fazer uma viagem ao estrangeiro, nas férias?
9. – Talvez façamos; depende do resultado do exame.
10. – Vocês podem me ajudar amanhã a me mudar de casa?
11. – Talvez possamos.
12. – Vamos todos nos encontrar com você às dez horas.

B3 NOTAS

■ Observar la pronunciación de la **x** [z] en **o exame** [u ezámi] *el examen.*

■ Atención a la traducción de *tal vez:*
– **talvez** seguido del verbo: el verbo va en subjuntivo.

talvez venha, *tal vez venga* (más común)
– **talvez** después del verbo; éste se queda en el indicativo.

venho talvez, *vendré tal vez.*

■ El presente del subjuntivo de algunos verbos que son irregulares en la 1ª pers. pres. ind.: **ter, poder, saber.**

ter, *tener*		**poder**, *poder*	**saber**, *saber*
Pres. ind. 1ª sing:	tenho	posso	sei
eu	tenha	possa	saiba
ele	tenha	possa	saiba
nós	tenhamos	possamos	saibamos
eles	tenham	possam	saibam

B2 TRADUCCIÓN

1. – ¿Puedes venir con nosotros en la tarde?
2. – No sé todavía; espero una llamada. Sí, tal vez.
3. – ¿Tienen ustedes tiempo de venir conmigo a la policía?
4. – Quiero comunicar la pérdida de mi billetera.
5. – Tal vez el policía ya tenga mi pasaporte.
6. – ¿Sabes cuál es la tarifa de una carta para Brasil?
7. – Háblale a mi hermana; tal vez ella lo sepa.
8. – ¿Van ustedes a hacer un viaje al extranjero en las vacaciones?
9. – Tal vez. Depende del resultado del examen.
10. – ¿Me pueden ayudar mañana a mudarme de casa?
11. – Quizá.
12. – Iremos a encontrarte a las diez.

1. Traducir:

a) vou me encontrar com ele na exposicão.
b) você vem comigo ao cinema? vou, vou com você amanhã.

2. Emplear TALVEZ en lugar de SE É POSSÍVEL, ETC.

a) se for possível, o Pedro vai à exposição comigo.
b) se for possível, farei uma viagem à Bolívia em julho.
c) é possível que ela saiba o preço dos selos.

3. Emplear los verbos indicados en los modos y tiempos adecuados:

a) (ter) (eu) não . . . muito tempo; é possível que . . . mais tempo amanhã.
b) (poder) (você) . . . vir ao teatro comigo? Talvez . . . amanhã à noite.
c) (ir) é natural que eu . . . ao banco amanhã. Não . . . hoje.
d) (saber) (eu) não . . . onde está o João? Espero que você . . .

4. Traducir:

a) ¿cuándo vienes a reunirte con nosotros a la playa?
b) no sé. Tal vez vaya mañana.
c) no puedo ir a reunirme con ustedes.

5. Pronunciar:

depois do exame, irei à praia todos os dias em Copacabana.

C2 ENSEÑANZAS PRÁCTICAS Y VOCABULARIO

■ Atención al empleo de **ir** y **vir** al teléfono:

uma conversa telefónica	*una conversación telefónica:*
— Alô! alô!	– ¡Hola! ¡hola!
— A Maria está?	– ¿Está María?
— É ela	– Yo soy.
— Estamos esperando você.	– Te estamos esperando.
Você não vem?	*¿No vas a venir?*
— Não, não vou. Não posso.	– No, no voy a ir. No puedo.

■ Algunas expresiones:
- **amanhã de manhã,** *mañana por la mañana.*
- **amanhã à tarde,** *mañana por la tarde.*
- **amanhã à noite,** *mañana por la noche.*

1.

   a) voy a encontrarlo en la exposición.
   b) ¿vienes conmigo al cine? Sí, voy contigo mañana.

2.

   a) talvez o Pedro **vá** à exposição comigo.
   b) talvez eu **faça** uma viagem à Bolívia em julho.
   c) talvez ela **saiba** o preço dos selos.

3.

   a) não **tenho** muito tempo; é possível que **tenha** mais tempo amanhã.
   b) você **pode** vir ao teatro comigo? Talvez **possa** amanhã à noite.
   c) não **sei** onde está o João. Espero que você **saiba.**

4.

   a) quando é que você vem se encontrar conosco na praia?
   b) não sei. Talvez vá amanhã.
   c) não posso ir me encontrar com vocês.

5.

   [depôis du ezámi irêi aa **práya** tôduz us **dias** ēy kopakabána]

C4 EL PORTUGUÉS DE PORTUGAL: VOCABULARIO

■ Atención: el presente del subjuntivo de **ter**, *tener* e **ir**, *ir* presenta ligeras diferencias de pronunciación:

ter	BRASIL	PORTUGAL
tenha	[teña]	[táñà]
tenha	[teña]	[tàñà]
tenhamos	[teñámus]	[teñàmush]
tenham	[teñáu]	[tàñàu]

■ Atención: mismas variaciones para el subjuntivo de **vir** [venha].

■ Presente del indicativo de **vir,** diferencias de pronunciación:
1ª pers. sing. **venho** *Brasil* [veñu] *Portugal* [vàñu]
3ª pers. pl. **vêm** *Brasil* [vēēy] *Portugal* [vāyāy]

■ Las palabras terminadas en -*cción* o *ción* en español cambian esas terminaciones en **ção** (en Portugal **cção**). Las palabras obtenidas son siempre femeninas (plural en ōes), **solução,** *solución;* **ação,** *acción.*

■ **Eu peço uma informação; pergunto qual é o caminho.**

A1 PRESENTACIÓN

peço (pedir)	[pésu]	yo pido
peça	[pésa]	que él pida
perguntar	[pejgũtáj]	preguntar
trazer	[trazêj]	traer
lhe	[lyi]	le
a informação (ões)	[a ifojmasãu]	la información
a fruta	[a fruta]	la fruta
o mercado	[u mejkádu]	el mercado
a secretaria de turismo	[a secretaria dchi turizmu]	la oficina de turismo
o bombeiro	[u bõbêiru]	el bombero
a ajuda	[a ayuda]	la ayuda
a aula	[a áula]	la clase
o livro	[u livru]	el libro

A2 APLICACIÓN

1. — Eu chamo um empregado e peço uma informação.
2. — Quero perguntar qual é o caminho para ir ao mercado.
3. — Você tem de perguntar o preço da fruta.
4. — Ela quer que eu peça um saco para fazer as compras.
5. — Talvez eu peça mais dinheiro para fazer as compras.
6. — Você quer que eu pergunte onde é a secretaria de turismo?
7. — Pergunto que horas são e a que horas abre a loja.
8. — Os bombeiros são muito úteis; podemos pedir-lhes uma ajuda quando precisamos.
9. — Eu pergunto à professora qual é a lição de hoje. Pergunto também onde é a aula de português.

XXI ■ Le pido una información; le pregunto cuál es el camino.

A3 NOTAS

■ El **plural** de una palabra terminada en **il átono** se forma remplazando **il** por **eis: útil, úteis** (*útiles*).

■ **lhe**, *le*; **lhes**, *les*, masc. y fem:
> **pergunto as horas à Ana, (ao João); eu lhes pergunto as horas.**

■ **lhe** y **lhes** se usan:
— **generalmente antes del verbo,** en las proposiciones principales afirmativas o interrogativas, con o sin una palabra interrogativa.
> **eu lhe pergunto as horas; você lhe pergunta as horas?**
— **antes del verbo,** en todas las proposiciones negativas, subordinadas e interrogativas:
> **não lhe pergunto as horas,** *no le pregunto la hora*
> **quero que você lhe pergunte,** *quiero que le preguntes*
> **quem lhe pergunta as horas?** *¿quién le pregunta la hora?*
— cuando dependen de un infinitivo, complemento de un verbo, esos pronombres se colocan después del infinitivo.
> **quero pedir-lhe,** *quiero pedirle* (o *le quiero pedir*)

■ Presente del indicativo y del subjuntivo de **pedir**, *pedir* y de los verbos derivados de **pedir** (**despedir**, *despedir*).
Indicativo: **peço, pede, pedimos, pedem.**
Subjuntivo: **peça, peça, peçamos, peçam.**

A4 TRADUCCIÓN

1. — Llamo a un empleado y le pido una información.
2. — Quiero preguntarle el camino para ir al mercado.
3. — Tienes que preguntar el precio de las frutas.
4. — Ella quiere que yo pida una bolsa para traer las compras.
5. — Tal vez le pida más dinero para hacer las compras.
6. — ¿Quieres que pregunte dónde está la oficina de turismo?
7. — Pregunto qué hora es y a qué hora abre la tienda.
8. — Los bomberos son muy útiles; podemos pedirles ayuda cuando necesitamos.
9. — Pregunto a la profesora cuál es la lección de hoy. Le pregunto también dónde es la clase de portugués.

133

B1 PRESENTACIÓN

dou	[dô]	*doy*
servimos	[sejvimus]	*servimos*
escolham	[iskôlyãu]	*elijan*
o copo	[u kópu]	*el vaso*
a mesa	[a mêza]	*la mesa*
o leite	[u lêichi]	*la leche*
a cervejaria	[a sejvêyaria]	*la cervecería*
o bife	[u bifi]	*el bistec*
a comida	[a komida]	*la comida, el alimento*
o cardápio	[u kajdápiu]	*la carta, el menú*
o prato	[u prátu]	*el plato*
a coisa	[a kôiza]	*la cosa*
a cerveja	[a sejvêya]	*la cerveza*
com licença	[kõ lisêsa]	*con permiso*
por favor	[poj favój]	*por favor*

estar com fome, *tener hambre;* a fome, *el hambre.*

estar com sede, *tener sed.*

a sede [sêdchi] *la sed* y la sede [sédchi] *la matriz (empresa).*

B2 APLICACIÓN

1. — Pedro - Está fazendo calor e já é tarde. Você está com fome?
2. — Ana - Estou com muita fome e com muita sede.
3. — Pedro - Vamos a este café.
4. — Ana - O garçom está lá dentro. Chame-o.
5. — Pedro - Queria um copo de leite e um bife.
6. — Garçom - Posso trazer-lhe o copo de leite, mas não servimos comida.
7. — Pedro - Aqui está o copo de leite. Beba depressa, e vamos à cervejaria (há muita gente).
8. — Ana - Com licença, nos deixem passar. Ali tem uma mesa desocupada.
9. — Pedro - A garçonete vem ali; chama-a. Eu quero uma cerveja.
10. — Ana - Por favor, pode nos trazer o cardápio?
11. — Já não temos o prato do dia, mas podem escolher outra coisa.

B3 NOTAS

■ **La concordancia de los pronombres personales:** o [u], *le*, os [ush], *les*, a [a] *la*, **as** [ash], *las*. El pronombre personal complemento directo concuerda en género y número con el sustantivo que remplaza.

o leite, *la leche*   **não o bebe,** *él no lo bebe*

■ **Formación del imperativo:**
— la 1ª y 3ª personas se forman a partir del presente del subjuntivo (las personas correspondientes).

	você	vocês	nós
CHAMAR	chame	chamem	chamemos
BEBER	beba	bebam	bebamos
PARTIR	parta	partam	partamos
IR	vá	vão	vamos
FAZER	faça	façam	façamos

■ **dar,** *dar:*
INDICATIVO: **dou, dá, damos, dão.**
SUBJUNTIVO: **dê, dê, dêmos, dêem.**
IMPERATIVO: **(você) dê, (vocês) dêem, (nós) demos.**

B4 TRADUCCIÓN

1. — Pedro - Hace calor y ya es tarde. ¿Tienes hambre?
2. — Ana - Tengo mucha hambre y mucha sed.
3. — Pedro - Vamos a ese café.
4. — Ana - El mesero está allá dentro. Llámalo.
5. — Pedro - Quería un vaso de leche y un bistec.
6. — El mesero - Le traigo el vaso de leche, pero no servimos alimentos.
7. — Pedro - Aquí está el vaso de leche. Bébelo rápido y vamos a la cervecería (hay mucha gente).
8. — Ana - Por favor, déjennos pasar. Allá hay una mesa desocupada.
9. — Pedro - Viene la mesera; llámala. Yo quiero una cerveza.
10. — Por favor, tráiganos la carta.
11. — Ya no tenemos el plato del día, pero pueden pedir otra cosa.

1. **Traducir:**
   a) você está com fome? Vá à cervejaria.
   b) você está com sede? Peça um copo de cerveja.
   c) chame o garçom e peça o cardápio.

2. **Remplazar las palabras en negrita por el pronombre personal complemento indirecto:**
   a) pergunte **ao guarda** onde é a estação rodaviária.
   b) peça dinheiro **aos amigos.**
   c) pergunte as horas **à Maria.**

3. **Remplazar las palabras en negrita por el pronombre personal complemento directo:**
   a) eu chamo **o João.**
   b) eu peço **uma cerveja.**
   c) ele come **bife.**

4. **Traducir:**
   a) venga conmigo y pida un vaso de agua.
   b) bébalo.
   c) venga conmigo a la cervecería.
   d) llame al mesero y pídale la carta.
   e) pregúntele qué hora es.

C2 ENSEÑANZAS ÚTILES

■ **Las fórmulas de cortesía:** *gracias,* **obrigado, obrigada.**
Concuerdan en género y número con quien habla.
Por favor: para pedir una autorización:
por favor (a una o varias personas);
Por favor: para disculparse:
com licença, *con permiso, perdón;*
desculpe, *perdone, disculpe;*
desculpem, *perdonen, disculpen;*
perdão, *perdón, disculpe.*

1.
   a) ¿tienes hambre? Ve a la cervecería.
   b) ¿tienes sed? Pide un vaso de cerveza.
   c) llama al mesero y pídele la carta.

2.
   a) pergunte-**lhe** onde é a estação rodoviária.
   b) peça-**lhes** dinheiro.
   c) pergunte-**lhe** as horas.

3.
   a) eu **o** chamo.
   b) eu **a** peço.
   c) ele **os** come.

4.
   a) venha comigo e peça um copo de água.
   b) beba-o.
   c) venha comigo à cervejaria.
   d) chame o empregado e peça-lhe o cardápio.
   e) pergunte-lhes que horas são.

C4 VOCABULARIO

■ Una diferencia de escritura para **demos** *(demos)*.
Brasil: [**de**mus]   *Portugal:* [**dê**mush]

■ En Brasil, uno puede comer rápidamente en pequeños restaurantes baratos, donde se come en la barra: **a lanchonete** [lãshonéchi] (influencia del inglés: **lunch**, *comida*).

■ En Portugal y en Brasil, el café (casi siempre llamado **cafezinho**, *cafecito*) es casi una institución nacional. Se toma regularmente después de los alimentos y a todas las horas del día, muy caliente y generalmente con mucha azúcar, sobre todo en Brasil.
um carioca (apodo dado a los habitantes de Río) *es un café ligero.*
Jugo de frutas: BRASIL: **suco.**   PORTUGAL: **sumo.**

■ **Não venha tarde.**

A1 PRESENTACIÓN

prefiro	[prefiru]	*prefiero*
buscar	[buskáj]	*buscar*
provar	[prováj]	*probar*
recomendo	[jekomēdu]	*recomiendo*
(o) jantar	[u yātáj]	*la cena*
a carne	[a kájñi]	*la carne*
a batata	[a batáta]	*la papa*
o peixe	[u pêishi]	*el pescado*
o arroz	[u ajôs]	*el arroz*
o bacalhau	[u bakaɫyáu]	*el bacalao*
a sobremesa	[a sobrimêza]	*el postre*
o queijo	[u kêiyu]	*el queso*
o bolinho	[u boliñu]	*el bocadillo*
a conta	[a kõta]	*la cuenta*
a gorjeta	[a gojyêta]	*la propina*
o costume	[u kushtumi]	*la costumbre*

A2 APLICACIÓN

1. — Pedro - Não faça jantar hoje. É dia do seu aniversário. Vamos jantar fora.
2. — Ana - Obrigada. Não venha me buscar tarde.
3. — Ana - Não nos sirva sopa, eu queria só um prato de carne com arroz.
4. — Pedro - Eu prefiro peixe: bacalhau com batatas.
5. — O garçom - Para acompanhar, eu lhe recomendo um vinho tinto. Querem provar este?
6. — Pedro - Não, eu prefiro um vinho branco, e ela prefere uma cerveja.
7. — O garçom - E de sobremesa? Não querem estes bolinhos? Estão ótimos.
8. — Ana - Não. Nós preferimos queijo.
9. — Pedro a Ana - Você não quer também um cafezinho?
10. — Ao garçom - A conta, por favor.
11. — Ana - Não dê gorjeta; já está incluída.

A3 NOTAS

■ El sufijo diminutivo **inho** o **zinho** tiene frecuentemente un valor afectivo: **cafezinho**, *café que a uno le gusta mucho* (pequeño o grande).

■ **inho [inha]** se usa en lugar de **o(a)** final átona: **bolo**, *pastel* → **bolinho**; **mesa**, *mesa* → **mesinha**.

■ **zinho, zinha** se usa al final de las palabras terminadas por:
— otra vocal final átona: **pobre**, *pobre* → **pobrezinho**; una vocal acentuada: **café** → **cafezinho**; o una consonante: **mulher**, *mujer* → **mulherzinha**.

■ **el imperativo negativo, não** + subjuntivo presente; **vir:**

você	**venha**	*venga*	**não venha**	*no venga*
vocês	**venham**	*vengan*	**não venham**	*no vengan*
nós	**venhamos**	*vengamos*	**não venhamos**	*no vengamos*

■ **servir**, *servir*; **preferir**, *preferir*; **seguir**, *seguir*. Esos verbos cambian la **e** de la raíz en **i**, en la 1ª pers. del sing. del presente del indicativo (y por lo tanto en el presente del subjuntivo) (ver **Resumen gramatical**).

A4 TRADUCCIÓN

1. — Pedro - No hagas cena hoy. Es tu cumpleaños. Vamos a cenar fuera.
2. — Ana - Gracias. No vengas tarde por mí.
3. — Ana - No nos sirva sopa. Yo quiero solamente un plato de carne con arroz.
4. — Pedro - Yo prefiero pescado; bacalao con papas.
5. — El mesero - Para acompañar, les recomiendo un vino tinto. ¿Quieren probar éste?
6. — Pedro - No, prefiero un vino blanco, y ella, una cerveza.
7. — El mesero - ¿Y como postre? ¿No quieren esos pastelitos tan sabrosos?
8. — Ana - No. Preferimos queso.
9. — Pedro a Ana - ¿No quieres también un cafecito?
10. — Al mesero - Tráigame la cuenta, por favor.
11. — Ana - No le des propina; ya está incluida.

B1 PRESENTACIÓN

mande	[mãdchi]	*mande*
seja	[sêya]	*sea*
põe	[póy]	*pon*
almoçar	[aumusáj]	*comer (la comida del medio día)*
ir-se embora	[ij-si ẽbóra]	*irse*
os convidados	[us kõvidádus]	*los invitados*
o almoço	[u aumôsu]	*la comida*
a refeição (ões)	[a jêfêisãu]	*el alimento*
o refresco	[u jefrêsku]	*refresco, agua fresca*
o doce	[u dôsi]	*compota*
a cachaça	[a kashása]	*el aguardiente*
a pastelaria	[a pashtelaria]	*la pastelería*
a sala de jantar	[a sala dchi yãtáj]	*el comedor*
a toalha	[a tuálya]	*el mantel*
a renda	[a jẽda]	*el encaje*
o prato	[u prátu]	*el plato*
azuis	[azuis]	*azules*
não façam cerimônia	[nãu fásãu serimonya]	*con toda confianza, dispongan*
estejam á vontade	[eshtêyãu aa võtádchi]	*quédense a gusto*

B2 APLICACIÓN

1. – Hoje temos convidados.
2. – Mande comprar uns refrigerantes e uns aperitivos.
3. – Mande fazer uma boa comida.
4. – Mande trazer do supermercado alguns doces, uma boa garrafa de vinho e uma de cachaça.
5. – Está fazendo calor; talvez seja melhor comer fora.
6. – Não ponha a mesa na sala de jantar.
7. – Ponha a toalha de renda e os pratos azuis.
8. – Entrem, por favor. Não façam cerimônia. Estejam à vontade.
9. – Não fiquemos dentro de casa.
10. – Vamos almoçar no jardim. O almoço está pronto.
11. – Espero que hoje não se vão embora cedo.

XXII ■ **Manda comprar...**

B3 NOTAS

■ **ser** y **estar** son irregulares en el presente del subjuntivo:

ser		estar	
(que) **seja**	**sejamos**	(que) **esteja**	**estejamos**
(que) **seja**	**sejam**	(que) **esteja**	**estejam**

■ el verbo **pôr** , *poner, colocar* es muy irregular.

	Pres. indic.	Pres. subj.		Imperativo	
eu	**ponho**	**ponha**	*que yo ponga*		
ele, você	**põe**	**ponha**	*que él ponga*	**ponha**	*ponga*
nós	**pomos**	**ponhamos**	*que nosotros pongamos*	**ponhamos**	*pongamos*
eles, vocês	**põem**	**ponham**	*que ellos pongan*	**ponham**	*pongan*

Observación: **põe** [põi], **põem** [põẽy].

B4 TRADUCCIÓN

1. – Hoy tenemos invitados.
2. – Manda comprar algunos refrescos y aperitivos.
3. – Manda hacer una buena comida.
4. – Manda traer del supermercado unos dulces, una buena botella de vino y una de aguardiente.
5. – Hace calor; tal vez sea mejor comer fuera.
6. – No sirvas la mesa en el comedor.
7. – Pon el mantel de encaje y los platos azules.
8. – Pasen, por favor. Con toda confianza. Quédense a gusto.
9. – No nos quedemos dentro de casa.
10. – Vamos a comer en el jardín. La comida está lista.
11. – Espero que hoy no se vayan temprano.

1. Traducir:
   a) sentem-se à mesa e peçam o cardápio.
   b) mande comprar uma boa garrafa de vinho.

2. Pasar las oraciones a la forma negativa:
   a) peça o cardápio. Peça-o.
   b) pergunte a ela a que horas podemos chegar.
   c) ponha a mesa no jardim.

3. Dar el diminutivo de las palabras que siguen:
   queijo   mulher   sopa   café   (o) avô

4. Utilizar O, A o LHE, según el caso:
   a) faça o jantar cedo. Faça- . . . cedo.
   b) peça a conta depressa. Peça- . . . depressa.
   c) pergunte- (ao empregado) . . . a que horas o jantar está pronto.

5. Traducir:
   a) manda venir al empleado.
   b) vamos a dar un paseo. Hace calor.

6. Pronunciar:
   elas põem a mesa no jardim e ele põe o vinho na mesa.

C2   VOCABULARIO

o **talher**, *el cubierto*	o **guardanapo**, *la servilleta*
o **garfo**, *el tenedor*	a **faca**, *el cuchillo*
a **colher**, *la cuchara*	a **colher de café**, *la cuchara de café*
a **travessa**, *el platón*	o **prato**, *el plato*
o **prato raso**, *el plato extendido*	**prato fundo**, *plato sopero*
a **xícara**, *la taza*	
o **pires** (inv.), *el platito de la taza*	

■ uma receita: moqueca de camarão

1 kg de camarão fresco, limpo; suco de 1 limão; 1 dente de alho socado com sal; 1/2 xícara (chá) de azeite de dendê; 2 cebolas picadas; 4 tomates sem pele e sem sementes; 1 pimenta vermelha; 2 colheres (sopa) de coentro e de salsa picadinhos; 1/2 xícara (chá) de leite de coco. Tempere os camarões com o alho socado com o sal e o suco do limão. Deixe no tempero durante um pouco de tempo. Ponha numa panela o azeite de dendê, a cebola picada, o tomate e a pimenta vermelha. Quando estiver tudo refogado, junte os camarões. Deixe uns 20 minutos. Acrescente a salsa, o coentro e o leite de coco.

una receta: guiso de camarón

1 kg de camarones frescos, limpios; el jugo de un limón; 1 diente de ajo aplastado con sal; 1/2 taza (de té) de aceite de dendê; 2 cebollas picadas; 4 tomates sin piel ni semillas; 1 ají rojo; 2 cucharadas soperas de cilantro y perejil picados; 1/2 taza (de té) de leche de coco. Sazone los camarones con el ajo aplastado con sal y el jugo de limón. Deje marinar durante un rato. En una olla ponga el aceite de dendê, la cebolla picada, el tomate y el ají rojo. Cuando todo esté bien integrado, agregue los camarones y deje durante unos veinte minutos. Agregue el perejil, el cilantro y la leche de coco.

142

1.

    a) siéntense a la mesa y pidan la carta.

    b) mande comprar una buena botella de vino.

2.

    a) não peça o cardápio. Não o peça.

    b) não lhe pergunte a que horas podemos chegar.

    c) não ponha a mesa no jardim.

3.

    a) queijinho   mulherzinha   sopinha   cafezinho   avozinho

4.

    a) faça o jantar cedo. Faça-**o** cedo.

    b) peça a conta depressa. Peça-**a** depressa.

    c) pergunte-**lhe** a que horas o jantar está pronto.

5.

    a) mande chamar o empregado.

    b) vamos dar um passeio. Está fazendo calor.

6.

    [élas **põẽy** a **mêza** nu yaj**dī i** êli **põy** u **vi**ñu na **mêz**a] (B)

C4 ENSEÑANZAS PRÁCTICAS

■	BRASIL	PORTUGAL
el desayuno,	**o café da manhã**	**o pequeno almoço**

■ **Los platos en Brasil.** Se come mucha carne asada, sobre todo en el sur (**churrasco**), acompañada de arroz y frijoles negros (**feijão**). La cocina de la región de Salvador de Bahía, con mucha influencia de la cocina africana, es muy fina: el **vatapá** (a base de pescado, camarón y coco) es uno de los platos más conocidos. El pan es muchas veces remplazado por la harina de yuca (**a farofa**), que acompaña muchos platos. **Las bebidas** (**as bebidas**): se beben principalmente jugos de frutas excelentes, bebidas de cola, cerveza y poco vino.

El aceite de **dendê** es un producto típicamente brasileño, originario de África. Se obtiene del fruto de una palmera, muy rico en aceite de color anaranjado. Se emplea prácticamente en todos los platos del estado de Bahía.

A1 PRESENTACIÓN

comeu	[komêu]	*comió*
gostou	[gostô]	*le gustó*
gostei	[goshtêi]	*me gustó*
saiu	[saiu]	*salió*
bebeu	[bebêu]	*bebió*
ficou	[fikô]	*se quedó, se volvió*
comi	[komi]	*comí*
bebi	[bibi]	*bebí*
saí	[sai]	*salí*
voltei	[voutêi]	*regresé, volví*
sai	[sái]	*sale*
ouviu	[ôviu]	*oíste*
liguei	[liguêi]	*prendí (el radio)*
a televisão	[a televizãu]	*la televisión*
o rádio	[u jádchiu]	*el radio*
a música	[a múzika]	*la música*
indisposto	[ĩdchispôshtu]	*indispuesto*
nada	[náda]	*nada*
ninguém	[nĩguẽy]	*nadie*
logo depois	[lógu depôis]	*inmediatamente después*

A2 APLICACIÓN

1. — Ontem você comeu pouco; não gostou do jantar?
2. — Não, não gostei. Não gosto nada de peixe.
3. — O Antônio gostou muito. Ele gosta muito de peixe assado.
4. — Mas ele saiu logo depois do jantar.
5. — Saiu. Comeu e bebeu tanto que ficou indisposto.
6. — Eu não comi quase nada. Só bebi água mineral.
7. — Você também saiu pouco tempo depois.
8. — Saí. Voltei para casa ... para jantar.
9. — Hoje ninguém sai; vamos ver televisão.
10. — Você ouviu o programa de música popular?
11. — Não, não liguei o rádio.

A3 NOTAS

■ No confundir **sai** [sái] *él sale* y **saí** [sai] *yo salí.*

■ **El pretérito del indicativo** se usa comúnmente. Éste se forma agregando las terminaciones que caracterizan ese tiempo al radical del verbo, el cual se obtiene al quitar **ar, er, ir** al infinitivo.

	gost-ar de, *gustar*	**com-er**, *comer*	**part-ir**, *partir*
eu	gost-EI de	com-I	part-I
ele, você	gost-OU de	com-EU	part-IU

■ **ouvir**, *oír* es irregular en la 1ª persona del presente del indicativo, y por lo tanto en el presente del subjuntivo y en las personas del imperativo que se derivan de ese último tiempo:
PRESENTE DEL INDICATIVO: **ouço, ouve, ouvimos, ouvem**
PRESENTE DEL SUBJUNTIVO: **ouça, ouça, ouçamos, ouçam**
IMPERATIVO: **(você) ouça, (vocês) ouçam, (nós) ouçamos**

■ El **pretérito del indicativo** expresa una acción que pertenece a un pasado cumplido; se traduce generalmente en **antepresente** del español y corresponde a todos los usos del **pretérito**.

A4 TRADUCCIÓN

1. – Ayer comiste poco; ¿no te gustó la cena?
2. – No. No me gusta nada el pescado.
3. – A Antonio le gustó mucho. A él le gusta mucho el pescado asado al horno.
4. – Pero él salió inmediatamente después de la cena.
5. – Sí. Comió y bebió tanto que quedó indispuesto.
6. – Yo no comí casi nada. Sólo tomé agua mineral.
7. – Tú también saliste poco tiempo después.
8. – Sí. Regresé a la casa... a cenar.
9. – Hoy nadie saldrá; vamos a ver la televisión.
10. – ¿Has oído el programa de música popular?
11. – No, no he prendido el radio.

B1 PRESENTACIÓN

jogamos	[yogamus]	*jugamos, hemos jugado*
perdemos	[pejdemus]	*perdimos, hemos perdido*
receberam	[jesebêrãu]	*recibieron, han recibido*
alugamos	[alugámus]	*alquilamos, hemos alquilado*
levamos	[levámus]	*llevamos, hemos llevado*
tocamos	[tokámus]	*tocamos, hemos tocado*
brincaram	[brĩkárãu]	*jugaron, han jugado*
se divertiram	[si dchivejchirãu]	*se divirtieron, se han divertido*
escrevi	[iskrivi]	*escribí, he escrito*
responderam	[jespõdêrãu]	*respondieron, han respondido*
o jogo	[u yôgu]	*el juego*
o desafio	[u dchizafiu]	*el desafío*
a loteria esportiva	[a lôtêria ispojchiva]	*la quiniela*
o hóquei em patins	[u ókei ẽy patĩs]	*el hockey sobre patines*
a areia	[a arêia]	*la arena*
o toldo	[u tôudu]	*la tienda de campaña*
a bola	[a bóla]	*la pelota*
o violão	[u violãu]	*la guitarra*
a criança	[a kriãsa]	*el niño*
com certeza	[kõ sertêza]	*seguramente*
o prêmio	[u premiu]	*el premio*

B2 APLICACIÓN

1. – Ontem nós jogamos futebol e perdemos.
2. – Eles ganharam o jogo e receberam um prêmio.
3. – Eles jogaram na loteria esportiva e perderam.
4. – Nós assistimos a uma partida de hóquei em patins.
5. – Nós ficamos na praia e curtimos o sol.
6. – Levamos os violões e tocamos toda a tarde.
7. – As crianças brincaram na areia e jogaram bola.
8. – As crianças se divertiram muito.
9. – Ontem, eu telefonei para a casa dos meus amigos.
10. – Não atenderam; com certeza saíram cedo.
11. – Eu escrevi para meus primos que moram no Uruguai; eles ainda não responderam.

B3 NOTAS

■ Distintas traducciones de *jugar*:
— un juego (con reglas) **jogar futebol, jogar pôquer,** *jugar fútbol, jugar pôquer;*
— juego (de los niños) **brincar.**

■ Observar los diferentes sentidos de **tocar**:
— **tocar,** *tocar;* **tocar (piano)** *tocar un instrumento.*
— **tocar,** *sonar;* **a cigarra toca,** *suena el timbre.*

■ **El pretérito** (continuación): las terminaciones del plural.

	gost-ar de	com-er	part-ir
nós	gost-AMOS de	com-EMOS	part-IMOS
eles, vocês	gost-ARAM de	com-ERAM	part-IRAM

■ Observe que las primeras personas del plural del presente del indicativo
y del pretérito tienen la misma forma: **gostamos.**
Sólo el uso, dentro del contexto, distingue esas dos formas.

■ Los verbos terminados en **car, gar** se escriben con **qu** o **gu** cuando la
terminación empieza con **e**:
Pretérito: **ficar,** *quedar,* **fiquei, ficou, etc.**
         jogar, *jugar,* **joguei, jogou, etc.**

B4 TRADUCCIÓN

1. — Ayer jugamos fútbol y perdimos.
2. — Ellos ganaron el partido y recibieron un premio.
3. — Jugaron la quiniela y perdieron.
4. — Nosotros vimos un partido de hockey sobre patines.
5. — Nos quedamos en la playa y disfrutamos el sol.
6. — Llevamos nuestras guitarras y tocamos toda la tarde.
7. — Los niños jugaron en la arena y jugaron a la pelota.
8. — Los niños se divirtieron mucho.
9. — Ayer hablé a mis amigos por teléfono.
10. — No me contestaron; seguramente salieron temprano.
11. — Escribí a mis primos que viven en Uruguay; todavía no me han con-
testado.

1. Traducir:

a) nós não gostamos deste espetáculo.
b) gostamos mais do espetáculo de ontem.
c) ele brincou com os primos.
d) ela nunca sai de casa.
e) ontem saí com meus amigos.

2. Pasar a la tercera persona del singular:

a) elas gostaram do espetáculo.
b) eles saíram cedo de casa.
c) eles perderam a carteira com muito dinheiro.
d) elas ficaram em casa.

3. Pasar a la primera persona del singular:

a) nós gostamos do espetáculo.
b) nós saímos cedo de casa.
c) hoje, nós perdemos a carteira com muito dinheiro.
d) nós ficamos em casa.

4. Traducir:

a) jugamos fútbol en la calle.
b) los niños jugaron en el jardín.
c) ellos tocaron la guitarra en la playa.

5. Pronunciar:

ela sai todos os dias; eu nunca saí do país.

C2 ENSEÑANZAS PRÁCTICAS Y VOCABULARIO

■ *Los deportes* (**os esportes**).
El fútbol (**o futebol**) es por mucho el deporte más popular en Brasil. Durante todo el año los estadios (**estádios**), algunos de los cuales son muy grandes, como los estadios de Maracanã, en Río, y Pacaembu, en São Paulo, están siempre llenos, sobre todo en los días de campeonato (**campeonato**). Algunos equipos tienen fama mundial: Flamengo, Vasco da Gama, Santos, Palmeiras, etc.
El fútbol da lugar a las apuestas (**apostas**) llamadas **loteria esportiva,** tan conocidas como las quinielas.
El volleyball, el fútbol de salón, el basketball y *el hockey en patines,* aunque sean menos populares, tienen innumerables aficionados.
Las carreras de coche paralizan la atención del gran público durante los campeonatos de Fórmula I.
o empate, *el empate.*

1.
   a) no nos gusta este espectáculo.
   b) nos gustó más el espectáculo de ayer.
   c) él jugó con sus primos.
   d) ella jamás sale de la casa.
   e) ayer, salí con mis amigos.

2.
   a) ela gostou do espetáculo.
   b) ele saiu cedo de casa.
   c) ele perdeu a carteira com muito dinheiro.
   d) ela ficou em casa.

3.
   a) eu gostei do espetáculo.
   b) eu saí cedo de casa.
   c) eu hoje perdi a carteira com muito dinheiro.
   d) eu fiquei em casa.

4.
   a) nós jogamos futebol na rua.
   b) as crianças brincaram no jardim.
   c) eles tocaram violão na praia.

5.
   [éla **sái** tôduz us **di**as; **êu nü**ka sai du pais]

C4 DIFERENCIAS DE VOCABULARIO:

Jogar, *jugar* es muy usado en Brasil. Seguido o no de **fora**, significa también *echar*: **jogar fora uma coisa**, *echar cualquier cosa.*
A torcida designa el conjunto de los aficionados de un equipo de fútbol (poco usado en Portugal).
El aficionado: *Brasil*: **o torcedor**   *Portugal*: **o adepto.**

▪ El fútbol es una gran pasión popular en Brasil, país que ha sido cuatro veces campeón del mundo (**campeão do mundo**): 1958, 1962, 1970 y 1994. Los partidos llenan los estadios, algunos de los cuales son inmensos: el Maracanã de Río, uno de los más grandes del mundo, recibe cerca de 180 000 personas cuando hay grandes encuentros. Ese deporte es una verdadera institución nacional.
futebol: *Brasil* [fuchibóu] *Portugal* [futeból].

A1 PRESENTACIÓN

■ Grados de comparación de los adjetivos:
— el comparativo de superioridad **mais caro,** *más caro*;
— el superlativo relativo **o mais caro,** *el más caro*;
— el superlativo absoluto **muito caro (caríssimo),** *muy caro*.

maiores	[mai**ó**ris]	*más grandes*
melhores	[mil**y**óris]	*mejores*
o pão [ães]	[u p**ã**u]	*el pan*
a padaria	[a pada**r**ia]	*la panadería*
o açougue	[u as**ô**gui]	*la carnicería*
a mercearia	[a mersi**a**ria]	*la tienda de abarrotes*
a vendedora	[a v**ẽ**de**dô**ra]	*la vendedora*
a escolha	[a isk**ô**lya]	*la selección, la opción*
acessível	[ase**s**iv**é**u]	*accesible*
tenra	[t**ẽ**ja]	*suave*
barata	[ba**r**ata]	*barata*
encantadora	[ẽkãta**dô**ra]	*encantadora*
tão	[t**ã**u]	*tan*

A2 APLICACIÓN

1. — Ana - **Você não vai fazer as compras no centro?**
2. — Maria - **Não. As lojas do centro são muito caras. São as mais caras de todas. São caríssimas.**
3. — Ana - **São as mais caras, mas são as maiores e as melhores.**
4. — Maria - **Aqui neste bairro também tem lojas muito boas e os preços são mais acessíveis.**
5. — Ana - **Onde você comprou aquela carne tão tenra que nós comemos ontem?**
6. — Maria - **Comprei naquele açougue. A carne é a melhor da cidade e a mais barata.**
7. — Ana - **O pão dessa padaria é bom?**
8. — Maria - **É ótimo.**
9. — Ana - **Eu gosto desta mercearia. É a melhor de todas e a vendedora é encantadora.**
10. — Maria - **É verdade, mas há mais possibilidade de escolha num supermercado.**

A3 NOTAS

■ **El plural de las palabras terminadas en ão**: en lugar de **ão**
– **ões** para la mayoría de las palabras: **a lição, as lições;**
– **ães** para algunas: **o pão** (*el pan*), **os pães.**

■ **El comparativo y el superlativo de superioridad:**
– el comparativo: **mais** + adj. **é mais caro**, *es más caro;*
– el superlativo: **o(s), a(s) mais** + adj. **é a mais cara de todas**, *es la más cara de todas.*

■ **El superlativo absoluto tiene dos formas: muito** + adjetivo o adjetivo + **íssimo, íssima** en lugar de la **o** o **a** final: **é muito cara** o **caríssima**, *es muy cara, es carísima.*

■ **Ciertos adjetivos tienen un comparativo irregular:**

bom (masc.), *bueno*	**melhor**	**boa** (fem.)	**melhor**
grande (masc.), *grande*	**maior**	**grande** (fem.)	**maior**
pequeno (masc.), *pequeño*	**menor**	**pequena** (fem.)	**menor**

■ El femenino de los adjetivos y sustantivos terminados en **or**: agregar **a**:
    o vendedor trabalhador y **a vendedora trabalhadora.**
Excepto: los comparativos irregulares en **or: a melhor vendedora.**

A4 TRADUCCIÓN

1. — Ana - ¿No vas hacer las compras al centro?
2. — María - No. Las tiendas del centro son muy caras. Son las más caras de todas. Son carísimas.
3. — Ana - Son las más caras, pero son las más grandes y las mejores.
4. — María - Aquí, en este barrio, también hay tiendas muy buenas y sus precios son accesibles.
5. — Ana - ¿Dónde compraste la carne tan suave que comimos ayer?
6. — María - La compré en esta carnicería. La carne ahí es la mejor de la ciudad y la más barata.
7. — Ana - ¿Es bueno el pan de esa panadería?
8. — María - Es una maravilla.
9. — Ana - Me gusta esta tienda de abarrotes. Es la mejor y la vendedora es encantadora.
10. — María - Es cierto, pero hay más opciones en un supermercado.

B1 PRESENTACIÓN

experimentar	[eisperimĕtáj]	*probar*
mostrar	[moshtráj]	*mostrar, enseñar*
mexer	[meshêj]	*mover*
a vitrine	[a vitriñi]	*el aparador*
a roupa	[a jôpa]	*la ropa*
os sapatos	[u sapátu]	*los zapatos*
o artigo	[u ajchigu]	*el artículo*
a calça	[a káusa]	*el pantalón*
as camisas	[as kamizas]	*las camisas*
o vestido	[u vishchidu]	*el vestido*
o terno	[u téjnu]	*el traje*
o casaco	[u kazáku]	*la chamarra*
a saia	[a sáia]	*la falda*
não fica bem para mim	[nãu fika bẽy pára mĩ]	*no me queda bien*
não me cabe	[nãu mi kábi]	*no me queda*
afinal	[afináu]	*finalmente*

B2 APLICACIÓN

1. — Ana - Eu preciso comprar roupa e sapatos.
2. — Maria - Vamos àquele magazine; os artigos são de boa qualidade e mais baratos.
3. — Ana - Mas não são tão bonitos quanto nesta loja.
4. — Maria - Não sou de sua opinião. São até mais bonitos que nesta loja.
5. — Ana - O que é aquilo que está na vitrine? É calça de mulher?
6. — Maria - Não, são calças e camisas de homem.
7. — Ana - Eu queria experimentar este vestido azul.
8. — Vendedora - Fica muito bem para você.
9. — Ana - Não me cabe. Não posso nem me mexer.
10. — Vendedora - Vou buscar um número maior.
11. — Ana - Não precisa. Eu não gosto mesmo deste modelo.
12. — A vendedora mostra mais do que vende!

B3 NOTAS

■ Algunos nombres en singular tienen un valor de colectivo:
a roupa é cara, *la ropa es cara.*

■ Algunas palabras sólo se usan en plural:
os óculos são da professora, *las gafas son de la profesora.*

■ El comparativo de superioridad se expresa empleando:
mais... do que, *más... que.*
– El comparativo de inferioridad se expresa utilizando:
menos ... do que, *menos ... que.*
A Ana é mais alta do que ela, *Ana es más alta que ella.*
Ela fala mais do que trabalha, *ella habla más de lo que trabaja.*

B4 TRADUCCIÓN

1. – Ana - Necesito comprar ropa y zapatos.
2. – María - Vamos a ese almacén grande; los artículos allí son de buena calidad y más baratos.
3. – Ana - Pero no son tan bonitos como en esta tienda.
4. – María - No estoy de acuerdo contigo. Son incluso más bonitos que en esta tienda.
5. – Ana - ¿Qué es lo que hay en el aparador? ¿Son pantalones para damas?
6. – María - No, son pantalones y camisas de hombre.
7. – Ana - Quería probar este vestido azul.
8. – Vendedora - Le queda muy bien.
9. – Ana - No, no me queda. No puedo ni moverme.
10. – Vendedora - Voy por una talla más grande.
11. – Ana - No. No vale la pena. A fin de cuentas, no me gusta este modelo.
12. – ¡La vendedora enseña más de lo que vende!

XXIV ■ C1 EJERCICIOS

1. **Traducir:**
   a) neste açougue a carne é a melhor, mas é caríssima.
   b) o magazine é maior do que a loja.
   c) ele telefona mais do que trabalha.

2. **Completar con: o(s), a(s) mais, mais . . . que, mais. . . do que; o(s), a(s) menos, menos. . . que, menos . . . do que:**
   a) descanso . . . trabalho.
   b) esta calça é . . . cara . . . aquela. É muito cara.
   c) este vestido azul é . . . curto . . . este branco.

3. **Pasar los verbos al pretérito (remplazar hoy por ayer):**
   a) hoje, nós compramos fruta na mercearia.
   b) eu não gosto do teu vestido de hoje.
   c) hoje, eles saem cedo.

4. **Traducir:**
   a) pruebe este pantalón. Es más grande que el otro.
   b) no, no te queda; no es bonito.
   c) sí, me queda. Es mi talla.

5. **Pronunciar:**
   eu saí desta mercearia; é muito cara (caríssima).

C2 VOCABULARIO

■ **as cores,** *los colores.*

branco	*blanco*	**preto** o **negro**	*negro*	**amarelo**	*amarillo*
cinzento *gris*		**azul**	*azul*	**verde**	*verde*
vermelho o **encarnado**	*rojo*	**cor de rosa**		*color de rosa*	
(cor de) laranja	*naranja*				

■ Atención: **multicor,** *multicolor* es invariable al femenino.

■ **o vestuário** o **a roupa,** *la ropa* (continuación):
vestir-se, *vestirse* (irregular, v. lección XXII)
despir-se, *desvestirse* (misma irregularidad que **servir**)
o casaco comprido, *el abrigo largo*   **a blusa,** *la blusa*
o sobretudo, *el abrigo*   **a capa de chuva,** *el impermeable*
o chapéu, *el sombrero*   **o sapato,** *los zapatos*
o guarda-chuva, *el paraguas*

1.

   a) en esta carnicería la carne es la mejor, pero es muy cara.
   b) el almacén es más grande que la tienda.
   c) ella habla más por teléfono de lo que trabaja.

2.

   a) eu descanso **menos do que** trabalho.
   b) esta calça é **mais** cara **do que** aquela. É muito cara.
   c) este vestido azul é **mais** (o **menos**) curto **que** este branco.

3.

   a) ontem, nós compramos fruta na mercearia.
   b) não gostei do seu vestido de ontem.
   c) ontem, eles saíram cedo.

4.

   a) experimente esta calça; é mais larga do que as outras.
   b) não, não fica bem para você; não é bonito.
   c) me cabe. É o meu número.

5.

   [êu sa**i désh**ta mersiaria; é **mui**tu **ka**ra (karisima)].

C4 EL PORTUGUÉS DE PORTUGAL

▪ **Diferencias de vocabulario:**

BRASIL		PORTUGAL
o açougue	*la carnicería*	o talho
o terno	*el traje*	o fato

▪ **El vocabulario brasileño** es de origen portugués, pero incluye aportaciones indígenas, africanas y, más recientemente, americanas y europeas (francesas e italianas). Sin embargo, algunas palabras portuguesas en uso en Brasil ya no se usan en Portugal (**o trem**, *el tren;* **o açougue**, *la carnicería*); otras han cambiado de sentido y pueden provocar malentendidos.

        Brasil: **rapariga,** *prostituta.*
        Portugal: **rapariga,** *muchacha.*

Finalmente, otras palabras, sin cambiar de sentido, cambian de forma:
Taquilla: *Brasil:* **a bilheteria.**   *Portugal:* **a bilheteira.**

A1 PRESENTACIÓN

■ El comparativo de igualdad: **tão** antes del adjetivo o **tanto** con el verbo, y **tanto** o **como** antes del 2º elemento de la comparación:
Meu vestido é tão caro quanto o seu. *Mi vestido es tan caro como el tuyo.*
Meu vestido custa tanto como o seu. *Mi vestido cuesta tanto como el tuyo.*

■ **tão ... que** introduce una consecuencia (v. oraciones 6 y 9).

custar	[kushtáj]	*costar*
se deitam	[si dêitãu]	*se acuestan*
deitar-se	[dêitáj-se]	*acostarse*
conseguem	[kõséguêy]	*logran*
conseguir	[kõseguij]	*lograr*
acordar	[akordáj]	*despertar*
levantar-se	[levãtáj-si]	*levantarse*
se divertiu	[si dchivejchiu]	*se divirtió*
o acidente	[u asidêchi]	*el accidente*
a pesca	[a péska]	*la pesca*

A2 APLICACIÓN

1. — A Argentina é tão longe.
2. — A Argentina é tão longe do México quanto o Brasil.
3. — Uma viagem ao Brasil custa tão caro quanto uma viagem ao Peru.
4. — A estrada é tão perigosa!
5. — Esta estrada é tão perigosa quanto a outra. Não vá tão depressa!
6. — Você vai tão depressa que pode sofrer um acidente.
7. — Eles se deitam tão tarde!
8. — Eles se deitam tão tarde quanto nós.
9. — Eles se deitam tão tarde que não conseguem acordar cedo.
10. — Eles se levantaram tarde e chegaram atrasados.
11. — Ele trabalha tanto!
12. — Ele trabalha tanto quanto eu.
13. — Ele trabalha tanto que nunca sai de férias.
14. — Ele se divertiu tanto na pesca!
15. — Se divertiu tanto quanto você.
16. — Ele se divertiu tanto que espera voltar.

A3 NOTAS

■ La primera **o** de la terminación **oso** de los adjetivos es una **o** cerrada [ô] en el masculino, y una **o** abierta [ó] en el femenino.
perigoso, *peligroso* [pirigôzu]   f. **perigosa** [pirigóza]

■ Atención:
— **tão** se usa antes de un adjetivo o un adverbio; **tão perigosa,** *tan peligrosa;*
tão tarde, *tan tarde.*
— **tanto** + verbo es invariable: **come tanto quanto eu,** *come tanto como yo.*
— **tanto** + sustantivo concuerda con el sustantivo; **tantas noites,** *tantas noches.*

■ *Yo, tú, él, ella, nosotros, ellos, ellas, ustedes,* en el 2º elemento de una comparación, se traduce por los pronombres sujetos **eu, você,** etc.:
Come tanto quanto eu, *come tanto como yo.*
É tão rico como você, *es tan rico como tú.*

A4 TRADUCCIÓN

1. – Argentina está tan lejos.
2. – Argentina está tan lejos de México como Brasil.
3. – Un viaje a Brasil cuesta tan caro como un viaje a Perú.
4. – ¡La carretera es tan peligrosa!
5. – Esta carretera es tan peligrosa como la otra. ¡No vayas tan de prisa!
6. – Vas tan de prisa que puedes tener un accidente.
7. – ¡Ellos se acuestan tan tarde!
8. – Ellos se acuestan tan tarde como nosotros.
9. – Ellos se acuestan tan tarde que no logran despertarse temprano.
10. – Ellos se levantaron tarde y llegaron tarde.
11. – ¡Él trabaja tanto!
12. – Él trabaja tanto como yo.
13. – Él trabaja tanto que jamás sale de vacaciones.
14. – ¡Él se divirtió tanto en la pesca!
15. – Se divirtió tanto como tú.
16. – Se divirtió tanto que espera regresar.

B1 PRESENTACIÓN

■ En la proposición introducida por **que** que complementa un superlativo, el verbo va siempre en el indicativo:
É o aluno mais inteligente que eu conheço. *Es el alumno más inteligente que conozco.*

conheço	[kuñêsu]	*conozco*
conhecer	[kuñesêj]	*conocer*
foi	[fôi]	*fue*
foram	[fôrãu]	*fueron*
a paisagem	[a paizáyẽy]	*el paisaje*
o jovem	[u yóvẽy]	*el joven*
o aluno	[u alunu]	*el alumno*
a caneta	[a kanêta]	*la pluma*
o espetáculo	[u ispetákulu]	*el espectáculo*
as notícias	[as nutisias]	*las noticias*
lindo	[lĩdu]	*lindo, bello*
inteligente	[ĩteliyẽchi]	*inteligente*
luxuoso	[lushuôzu]	*lujoso*
saboroso	[saborôzu]	*sabroso*
estranho	[eshtráñu]	*extraño*

B2 APLICACIÓN

1. Esta paisagem é a mais bonita que eu conheço.
2. Este jovem é o mais inteligente que eu conheço.
3. É o melhor aluno que temos.
4. É a carta mais difícil que eu tenho de escrever.
5. O avião é o meio de transporte mais rápido que existe.
6. Foi o hotel mais luxuoso que eu já visitei.
7. Foi o prato mais saboroso que eu já comi.
8. Foi a caneta mais cara que me ofereceram.
9. Foi a história mais estranha que me contaram.
10. Foi o espetáculo mais maravilhoso a que eu assisti.
11. Foram os dias mais agradáveis que eu já passei.
12. Foram as piores notícias que eu ouvi.
13. Foram os sapatos mais caros que você já comprou.
14. Foram as melhores férias que você passou.

B3 NOTAS

■ En español, el verbo **ser** con el superlativo puede ir seguido de un singular o de un plural y quedarse en el presente en un contexto pasado. En portugués, el verbo **ser** debe concordar con el sustantivo que le sigue y respetar la concordancia de los tiempos:

É o melhor aluno que conheço. *Es el mejor alumno que conozco.*
Foram os melhores alunos que conheci. *Son los mejores alumnos que he conocido.*

■ **Conseguir, seguir** se conjugan como **servir** (lección 22, A3).

B4 TRADUCCIÓN

1. Este paisaje es el más bello que conozco.
2. Este joven es el más inteligente que conozco.
3. Es el mejor alumno que tenemos.
4. Es la carta más difícil que he tenido que escribir.
5. El avión es el medio de transporte más rápido que hay.
6. Es el hotel más lujoso que he visitado.
7. Es el plato más sabroso que he comido.
8. Es la pluma más cara que me han ofrecido.
9. Es la historia más extraña que me han contado.
10. Es el espectáculo más maravilloso que he visto.
11. Fueron los días más agradables que he pasado.
12. Son las peores noticias que he oído.
13. Son los zapatos más caros que has comprado.
14. Fueron las mejores vacaciones que has pasado.

1. Traducir:
 a) Este terno é tão caro que eu não posso comprá-lo.
 b) Eu me deito tão cedo quanto os meus pais.
 c) Esta cidade é a mais bonita que eu conheço.

2. Completar con tanto, tanto(s), tanta(s), tão:
 a) Eu me diverti . . . nesta viagem.
 b) Este aluno é . . . inteligente!
 c) Você vai . . . depressa que eu não posso acompanhá-la.

3. Completar con tão (tanto) . . . quanto o tão (tanto) . . . que:
 a) O Manuel é . . . alto . . . o João.
 b) Ele gosta . . . de pesca . . . vai todos os dias pescar.
 c) Eu costumo me deitar. . . tarde . . . eles.

4. Traducir:
 a) Es el más simpático que conozco.
 b) Los precios son tan caros en una tienda como en un almacén.

C2 RECREACIÓN - Chiste brasileño

Um casal foi a um restaurante em Buenos Aires. Depois do jantar, a esposa queria como sobremesa compota de goiaba, mas não sabia como pedir. O marido lhe disse:
— É fácil: você só tem que acrescentar uma sílaba à palabra portuguesa: por exemplo, ter é *tener*, então para compota você deve usar a mesma lógica.
Quando vem o garçom, a senhora pede, em seu mais puro espanhol:
— Quiero *componota* de guayaba.
E o garçom:
— Desculpe, mas não lhe entendo.
Então ela lhe explica, com seu maior esforço:
— É um doce feito com a fruta em calda de açúcar, muito comum no Brasil.
— Ah —responde o garçom— nós também temos esse doce, só que aquí nós chamamos *compota*.

Una pareja fue a un restaurante de Buenos Aires. Después de la cena, la esposa quiso como postre compota de guayaba, pero no sabía cómo pedirla. El marido le dice:
— Es fácil, sólo tienes que agregar una sílaba a la palabra portuguesa: por ejemplo **ter** es *tener*, entonces para la compota debes usar la misma lógica.
Cuando vino el camarero, la señora pide, en su mejor español:
— Quiero **componota** de guayaba.
Responde el camarero:
— Disculpe, pero no la entiendo.
Entonces ella le explica con gran esfuerzo:
— Es un dulce que se hace con fruta en almíbar, muy común en Brasil.
— Ah —responde el camarero—, también tenemos ese postre, sólo que acá le decimos *compota*.

1.
   a) Este traje es tan caro que no lo puedo comprar.
   b) Me acuesto tan temprano como mis padres.
   c) Esta ciudad es la más bella que conozco.

2.
   a) Eu me diverti **tanto** nesta viagem.
   b) Este aluno é **tão** inteligente.
   c) Você vai **tão** depressa que eu não posso acompanhá-la.

3.
   a) O Manuel é **tão** alto **quanto** o João.
   b) Ele gosta **tanto** de pesca **que** vai todos os dias pescar.
   c) Eu costumo me deitar **tão** tarde **quanto** eles.

4.
   a) É o mais simpático que eu conheço.
   b) Os preços são tão caros numa loja como num magazine.

C4 ENSEÑANZAS PRÁCTICAS

La moneda

> **O real** (el real), la moneda nacional brasileña. Su abreviatura en las etiquetas es R$ 90,00 (lea **noventa reais**).
> **O centavo**, el centavo (la centésima parte del real).

El portugués en Africa: después de su independencia en 1974, los países africanos de habla portuguesa (Angola, Cabo Verde, Guinea-Bissau, Mozambique y Santo Tomé) han decidido mantener el portugués como idioma oficial, al lado de los idiomas indígenas o nacionales, casi siempre numerosos (por ejemplo, en Angola, donde el "quimbundo" es uno de los más difundidos), y de dialectos criollos muy vivaces en Cabo Verde o en Guinea-Bissau.
El portugués enseñado en las escuelas es el idioma hablado en Portugal.

A1 PRESENTACIÓN

■ La 3ª persona del singular del presente del indicativo de los verbos en rer y zer no tiene e: ele quer (querer); ele traz (traer).

encontrar	[ẽkôtráj]	*encontrar*
leva	[léva]	*lleva*
traz	[trás]	*trae*
a maçã	[a masã]	*la manzana*
o morango	[u môrãgu]	*la fresa, la frutilla*
os legumes	[us legumis]	*las legumbres*
o mercado	[u mejkádu]	*el mercado*
verde	[vêjdchi]	*verde*
maduro	[maduru]	*maduro*
bastante	[bashtãchi]	*bastante*

até logo: *hasta luego* (regreso bastante lejano)
até já: *hasta pronto* (regreso muy cercano)

A2 APLICACIÓN

1. Minha mãe costuma fazer compras aos sábados, com sua amiga.
2. Leva sempre a carteira cheia de dinheiro, e traz sempre a sacola cheia, mas a carteira vazia.
3. A mãe: – Quanto custam suas maçãs? Sua fruta não é barata e está verde. Seus morangos estão maduros?
4. A vendedora: – São os melhores morangos que a senhora encontra no mercado.
5. A mãe: – Dê-me um quilo. Seus legumes são bastante caros!
6. A vendedora: – Sabe, hoje tem poucos legumes. Minha senhora, esta sacola é sua?
7. A mãe: – Não, não é minha. É da senhora (o: é dela).
8. A vendedora: – Me dê sua sacola. A senhora não quer estas batatinhas?
9. A mãe: – Não, obrigada. Vou dar uma volta pelo mercado. Volto já.
10. A vendedora: – Até já.

A3 NOTAS

■ El posesivo de la tercera persona **seu(s)-sua(s)** se traduce *su, sus* en las form: ⌐ de cortesía (donde el verbo está en la 3ª persona): **minha senhora, me dê sua sacola**, *señora, déme su bolsa.*
Para evitar posibles confusiones, raramente se traduce por **su, sus.** Ese posesivo de la 3ª persona puede:

■ no ser traducido, si es evidente el vínculo de posesión;

■ traducirse por **seu, sua** si el posesivo es reflexivo:
faz as compras com sua amiga, *hace las compras con su amiga;*

■ traducirse por **dele, deles, dela, delas** (según el género y el número del poseedor) si el posesivo no es reflexivo:
não é o meu carro, é o carro dela, *no es mi coche, es el coche de ella.*

A4 TRADUCCIÓN

1. Mi madre acostumbra hacer sus compras el sábado, con su amiga.
2. Ella lleva siempre su billetera llena de dinero y trae siempre las bolsas llenas, pero la billetera vacía.
3. Mi madre: – ¿Cuánto cuestan sus manzanas? Sus frutas no están baratas ni maduras. – ¿Sus fresas están maduras?
4. La vendedora: – Son las mejores fresas que usted encuentra en el mercado.
5. Mi madre: – Déme un kilo. Sus legumbres son bastante caras.
6. La vendedora: – Usted sabe, hoy hay pocas legumbres. Señora, ¿esta bolsa es suya?
7. Mi madre: – No, no es mía. Es de ella.
8. La vendedora: – Déme su bolsa. ¿No quiere estas papas?
9. Mi madre: – No, gracias. Voy a dar una vuelta por el mercado; regreso pronto.
10. La vendedora: – Hasta pronto.

B1 PRESENTACIÓN

■ Los verbos **ser,** *ser* e **ir,** *ir* tienen la misma forma en el pretérito. Ej.: **foi:** *fue, ha sido o fue, ha ido.*

fui	[fui]	*fui, he ido*
foi	[fôi]	*fue, ha ido*
dei	[dêi]	*di, he dado*
deu	[dêu]	*dio, ha dado*
fiz	[fis]	*hice, he hecho*
fez	[fês]	*hizo, ha hecho*
fizeram	[fizérãu]	*hicieron, han hecho*
descansar	[dchiskãsáj]	*descansar*
deram	[dérãu]	*dieron, han dado*
demos	[demus]	*dimos*
o presente	[u prezẽchi]	*el regalo*
o brinquedo	[u brĩkêdu]	*el juguete*
engraçadíssimo	[ẽgrasadchisimu]	*muy divertido*

B2 APLICACIÓN

1. Aonde você foi ontem à noite?
2. Fui ao cinema.
3. Seu irmão também foi?
4. Não, ele ficou em casa.
5. O que você fez ontem à tarde?
6. Dei um passeio à beira-mar.
7. Minha mãe deu uma volta pelo mercado.
8. Você lhe deu o número de telefone que ela lhe pediu?
9. Você fez o que eu lhe pedi?
10. Não, não fiz, mas a minha irmã fez.
11. Vocês foram com eles?
12. Não, não fomos.
13. Que é que vocês fizeram hoje de manhã?
14. Não fizemos nada. Descansamos.
15. Foi o aniversário dela. Que presente lhe deram?
16. Nós lhe demos um brinquedo engraçadíssimo.

B3 NOTAS

■ Atención a la pronunciación de la **e** del pretérito del indicativo de ciertos verbos irregulares: la **e** es cerrada [ê] en la 3ª persona del singular y es abierta [é] en las otras.
dar: deu [dêu], **demos** [**de**mos], etc.
fazer: fez [fês], **fizemos** [**fi**zemos], etc.

■ Ciertos verbos son pronominales en español y no lo son en portugués:
acordar, *despertarse;* **dormir,** *dormirse;* **sair,** *salirse,* etc.

■ Verbos irregulares en el pretérito: **dar** (*dar*), **fazer** (*hacer*)

eu dei, *yo di*	**fiz,** *hice*
ele, você deu, *él dió*	**fez,** *hizo*
nós demos, *nosotros dimos*	**fizemos,** *hicimos*
eles, vocês deram, *ellos dieron*	**fizeram,** *hicieron*

Atención: **fiz,** *hice, he hecho*; **fez,** *hizo, ha hecho.*

B4 TRADUCCIÓN

1. ¿Adónde fuiste ayer en la noche?
2. Fui al cine.
3. ¿Fue también tu hermano?
4. No, él se quedó en la casa.
5. ¿Qué hiciste ayer por la tarde?
6. Fui a dar un paseo a la orilla del mar.
7. Mi madre fue a dar una vuelta por el mercado.
8. ¿Le has dado el número de teléfono que te pidió?
9. ¿Has hecho lo que te pedí?
10. No, no lo hice, pero mi hermana lo hizo.
11. ¿Ustedes fueron con ellos?
12. No, no fuimos.
13. ¿Qué hicieron hoy en la mañana?
14. No hicimos nada. Descansamos.
15. Era su cumpleaños. ¿Qué le regalaron?
16. Le regalamos un juguete muy divertido.

1. Traducir:
   a) Minha senhora, me dê sua sacola; eu a levo.
   b) É o aniversário dela. Você lhe deu o que eu lhe pedi?
   c) São os melhores morangos que você encontra no mercado.

2. Pasar las oraciones al pretérito del indicativo:
   a) Não fazemos nada hoje; descansamos.
   b) Ele faz as compras com a mulher.
   c) Eu não faço o que você me pede.

3. Pasar los verbos a la primera persona:
   a) Ele foi ao mercado de manhã cedo.
   b) Ele me deu um presente no dia do meu aniversário.
   c) Ela não fez o que você lhe pediu.

4. Traducir:
   a) Me desperté a las ocho.
   b) Ella me dió su bolsa; llevo su bolsa llena de legumbres a la casa.
   c) Señora, ha perdido su billetera.

5. Pronunciar:
   Ele fez o que eu lhe pedi; levou a sacola dela. Eu não posso levar uma
   sacola tão pesada. Elas fizeram muitas compras.

C2 VOCABULARIO

■ **no mercado** (*en el mercado*):
pesar, *pesar;* **vender**, *vender;* **embrulhar**, *envolver.*

■ **os legumes**, *las legumbres*	**a fruta**, *las frutas*
a couve, *la col*	**a laranja**, *la naranja*
a cenoura, *la zanahoria*	**o limão (ões)**, *el limón*
o tomate, *el tomate*	**as uvas**, *las uvas*
a salada, *la ensalada*	**o cacho de uvas**, *el racimo de uvas*
a alface, *la lechuga*	**o pêssego**, *el durazno*
o feijão (ões), *los frijoles*	**a ameixa**, *la ciruela*
o feijão verde, *los frijoles verdes*	**a pera**, *la pera*
as verduras, *las verduras*	**a banana**, *el plátano*
a cesta, *la canasta*	**o cesto**, *el canasto*
o melão (ões), *el melón*	

Los brasileños comen mucho arroz y frijoles.

1.

   a) Señora, déme su bolsa, yo se la llevo.
   b) Es su cumpleaños. ¿Le diste lo que te pedí?
   c) Son las mejores fresas que puede encontrar en el mercado.

2.

   a) Não **fizemos** nada hoje; **descansamos.**
   b) Ele **fez** as compras com a mulher.
   c) Não **fiz** o que você me **pediu.**

3.

   a) Eu **fui** ao mercado de manhã cedo.
   b) Eu lhe **dei** um presente no dia do seu aniversário.
   c) Eu não **fiz** o que você me pediu.

4.

   a) Acordei às oito horas.
   b) Ela me deu sua sacola; levo a sacola dela cheia de legumes para casa.
   c) Minha senhora, perdeu a sua carteira.

5.

   [**êli fês** u **ke êu** lye pe**di**; levó **a** sakola **dé**la. **Êu nãu pó**su leváj **u**ma sakola **tãu** pezáda; élas fizérãu **mũi**tas kõpras].

C4 EL PORTUGUÉS DE PORTUGAL

■ Diferencias de pronunciación:

fizemos	*Brasil* [**fize**mus]	*Portugal* [fizémush]
(hicimos)		
demos	*Brasil* [**de**mus]	*Portugal* [**dé**mush]
(dimos)		

■ Hay que aprender todo un vocabulario nuevo (con frecuencia de origen indígena) para ir al mercado en Brasil y descubrir, aparte de los frijoles negros (**feijão preto**), productos muchas veces desconocidos en otros lugares y que en su mayor parte no tienen traducción (**mandioca, abacaxi,** *piña*; **maracujá,** *fruto de la pasión,* **jaca, sapoti,** *zapote,* **pitomba, açaí,** que son frutas muy sabrosas...).

En el sur del país, a partir de S. Paulo, se encuentran todas las frutas y legumbres de los países templados. Algunas fueron introducidas por los alemanes e italianos que se han establecido en los estados del sur (ej. la uva) o, más recientemente, por los japoneses, que son numerosos en el estado de S. Paulo (casi 2 millones), donde se ocupan de la horticultura (fresas).

A1 PRESENTACIÓN

Ter que, como **ter de,** indica obligación. Se usa cuando el verbo que contiene la obligación no tiene complemento: **Tenho que fazer.** *Tengo que hacer (debo hacer).*

leio	[lêiu]	*leo*
leias	[lêias]	*leas*
lês	[lês]	*lees*
apreciar	[apresiáj]	*apreciar*
o jornal	[u yojnáu]	*el periódico*
o mundo	[u mũdu]	*el mundo*
a página	[a páyina]	*la página*
o semanário	[u semanáriu]	*el semanario*
os óculos	[uz ókulus]	*las gafas*
o noticiário	[u nutisiáriu]	*el noticiero*
a televisão [ões]	[a televizãu]	*la televisión*
a telenovela	[a telenovéla]	*la telenovela*
a revista	[a jevishta]	*la revista*
o anúncio	[u anũsiu]	*el anuncio*

A2 APLICACIÓN

1. João — Você lê muito?
2. Pedro — Leio, leio bastante.
3. João — Eu gosto de ler os jornais. Gosto de saber o que se passa no mundo.
4. Ana — Eu ontem comprei esta revista. Já a li toda. Tem muitas páginas, mas tem muitos anúncios.
5. João — Não é das melhores que eu já li; tem poucos artigos.
6. Pedro — Este semanário é bastante bom. Tem alguns artigos interessantes.
7. João — Tem também bastantes anúncios, mas tem muito que ler.
8. Ana — Não leia demais; você não está com seus óculos, e ler sem óculos cansa.
9. João — Agora não consigo ler à noite; vejo o noticiário da televisão, depois ouço o rádio.
10. Ana — Eu costumo ver os programas de televisão quase todos os dias; aprecio bastante as telenovelas.

A3 NOTAS

■ **Bastante** (*bastante*), **demasiado, demais** (*demasiado*). Como **muito** (*muy, mucho*) y **pouco** (*poco*), son invariables cuando modifican el sentido de un verbo o están delante de un adjetivo o un adverbio:
  Leio bastante (o **demasiado**). *Leo bastante* (o *demasiado*).
  Os programas são bastante interessantes, mas longos demais. *Los programas son bastante interesantes, pero demasiado largos.*

Bastante, demasiado + sustantivo (*bastante* o *demasiado*) concuerdan en género y número con ese sustantivo:
  O livro tem demasiadas páginas. *El libro tiene demasiadas páginas.*

■ Conjugación de **ler** (*leer*) y **ver** (*ver*) irregulares en la primera persona del singular del presente del indicativo y por lo tanto en el presente del subjuntivo y en las personas del imperativo que se derivan de él (ver **Resumen gramatical**).

A4 TRADUCCIÓN

1. Juan — ¿Lees mucho?
2. Pedro — Sí, leo bastante.
3. Juan — Me gusta leer los periódicos. Me gusta saber lo que pasa en el mundo.
4. Ana — Ayer compré esta revista. Ya la leí toda. Tiene muchas páginas, pero tiene muchos anuncios.
5. Juan — No es de las mejores que he leído; tiene pocos artículos.
6. Pedro — Este semanario es bastante bueno. Tiene algunos artículos interesantes.
7. Juan — Tiene también una gran cantidad de anuncios, pero tiene mucho qué leer.
8. Ana — No leas demasiado; no traes tus gafas, y leer sin gafas te cansa.
9. Juan — Ahora, no logro leer en la noche; veo el noticiero de la televisión y oigo el radio.
10. Ana — Yo acostumbro ver los programas de televisión casi todos los días; me gustan bastante las telenovelas.

B1 PRESENTACIÓN

■ Los indefinidos de sentido negativo se colocan antes o después del verbo, entonces precedidos de **não** (más común).
Não leio nunca o **nunca leio.** *Jamás leo.*

lembrar-se de	[lēbráj-si dchi)	*acordarse de*
acreditar em	[akredchitáj ēy]	*creer en*
enganar-se	[ēganáj-si]	*equivocarse*
choveu	[shuvêu]	*llovió*
tudo	[tudu]	*todo*
alguém	[auguēy]	*alguien*
algum	[augũ]	*algún*
ninguém	[nĩguēy]	*nadie*
nenhum	[nenũ]	*ningún*
a transmissão [ões]	[a trãsmisãu]	*la trasmisión*
a reportagem	[a jepojtáyēy]	*el reportaje*
o boletim	[u bôlêchĩ]	*el boletín*
ótimo	[óchimu]	*muy bueno, excelente*
péssimo	[pésimu]	*muy malo, pésimo*
variado	[variádu]	*variado*
às vezes	[aas vêzis]	*a veces*
cada vez	[káda vês]	*todas las veces*
a notícia	[a nutisia]	*la noticia*

B2 APLICACIÓN

1. Eu ouvi dizer que tem um programa ótimo. Todos querem que eu ouça.
2. Será verdade? Às vezes dizem que o programa é bom e é péssimo. Nenhum programa me interessa.
3. Eu nunca ouço o rádio, mas vejo todos os programas de televisão.
4. Eu não posso ver tudo, mas ligo a televisão cada vez que há uma reportagem.
5. Alguém me disse que este filme já passou. Eu não me lembro.
6. O noticiário da televisão dá notícias variadas e algumas informações práticas.
7. Nunca podemos acreditar no que o boletim meteorológico diz; sempre se engana: ontem anunciou sol, e choveu.
8. Ninguém pode ler todos os jornais.

B3 NOTAS

■ **Ouço** [ôsu] (en Portugal **oiço** [ôisu]). Los diptongos **ou** y **oi** son a veces intercambiables (**cousa** o **coisa**, *cosa*). **Ou** tiene una tendencia a imponerse; ciertas formas sólo existen con **ou**. Ej.: **ouvi,** *oí*.

■ Comparativos y superlativos irregulares: **bom,** *bueno*; **mau,** *malo* (ver **Resumen gramatical**).

■ Los pronombres y adjetivos indefinidos: algunos son invariables: **tudo,** *todo*; **nada,** *nada*; **alguém,** *alguien;* **ninguém,** *nadie.*
Otros concuerdan con el sustantivo al cual están relacionados o al cual remplazan: **todas lêem,** *todas leen* (pronombre); **todo mundo,** *todo el mundo.*

  algum, *algún;* **alguns,** *algunos;* **alguma(s),** *alguna(s);* **nenhum,** *ningún;* **nenhuma,** *ninguna.*

Atención: **tudo** (invariable), **todo** (variable):
leio tudo, *leo todo;* **todo o mundo, todos,** *todos.*

■ Conjugación de **dizer,** *decir* (ver Verbo irregular).

B4 TRADUCCIÓN

1. He oído decir que hay una buena trasmisión. Todos quieren que la oiga.
2. ¿Será cierto? A veces dicen que el programa es bueno y resulta que es muy malo. Ningún programa me interesa.
3. Jamás oigo el radio, pero veo todos los programas de televisión.
4. No puedo ver todo, pero prendo la televisión todas las veces en que hay un reportaje.
5. Alguien dice que esta película ya fue exhibida. Yo no me acuerdo.
6. El noticiero de la televisión trae noticias variadas y algunas informaciones prácticas.
7. No podemos creer jamás en lo que dice el boletín meteorológico; siempre se equivoca; ayer anunció sol, y llovió.
8. Nadie puede leer todos los periódicos.

1. **Traducir:**
   a) Cada vez que eu compro o jornal, leio os anúncios.
   b) Alguém está me esperando na rua.
   c) Você quer que eu peça uma informação.

2. **Emplear bastante(s) o demasiado(s), demasiada(s):**
   a) Há . . . gente na rua a esta hora; não posso passar.
   b) Não gosto desta revista; não tem . . . ilustrações e tem . . . anúncios.

3. **Emplear, según el caso, tudo, todo, todos, toda, todas:**
   a) Não é bom ver . . . na televisão; nem . . . os programas são bons.
   b) Nem . . . as notícias são interessantes.

4. **Poner el verbo en los modos y tiempos adecuados:**
   a) (vir) - Eles . . . comigo ao cinema.
   b) (ouvir) - Esta noite, talvez eu . . . a rádio.
   c) (ver) - Elas . . . a televisão todos os dias.
   d) (ver) - É útil que vocês . . . este programa.

5. **Traducir:**
   a) No acostumbro comprar un periódico todos los días.
   b) No le gusta el noticiero de la televisión.

6. **Pronunciar:**
   Eles vêm conosco e vêem a televisão.

C2 VOCABULARIO E INFORMACIONES PRÁCTICAS

publicar, *publicar*
assinar um jornal, *suscribirse a un periódico*
ligar o rádio ou a televisão, *prender el televisor*
desligar o rádio ou a televisão, *apagar el radio o la televisión*
acender a luz, *prender la luz*
acontecer, *suceder*
a publicação, *la publicación*
a assinatura, *la suscripción*
a edição, *la edición*
a livraria, *la librería*
o diário, *el diario.*

Títulos de algunos diarios de Brasil: **Diário de Notícias,** *Diario de Noticias.*
O Globo, *El Globo.***O Estado de São Paulo,** *El Estado de São Paulo.***O Jornal do Brasil,** *El Periódico de Brasil.* **O Jornal do Comércio,** *El Periódico del Comercio.*

1.

  a) Todas las veces que compro el periódico, leo los anuncios.
  b) Alguien me espera en la calle.
  c) Quieres que pida una información.

2.

  a) Há **demasiada** gente na rua a esta hora; não posso passar.
  b) Não gosto desta revista; não tem **bastantes** ilustrações e tem **demasiados** anúncios.

3.

  a) Não é bom ver **tudo** na televisão; nem **todos** os programas são bons.
  b) Nem **todas** as notícias são interessantes.

4.

  a) Eles **vêm** comigo ao cinema.
  b) Esta noite, talvez eu **ouça** o rádio.
  c) Elas **vêem** a televisão todos os dias.
  d) É útil que vocês **vejam** este programa.

5.

  a) Eu não costumo comprar jornal todos os dias.
  b) Ela não gosta do noticiário da televisão.

6.

(êlis **veey** konôsku i **vêêy** a televizãu).

C4 INFORMACIONES

■ Pronunciación:
Vejo, *veo:*   *Brasil* [vêyu] - *Port.* [vàyu]
Veja, *que yo vea etc.*   [vêya] -   [vàyà]

■ Ortografía: *muy bueno: Brasil -* **ótimo** *Portugal* **óptimo.**

■ Gramática: contrariamente a lo que ocurre en Portugal, **todo** NO ES seguido de **o**:
Brasil **todo mundo,** *todo el mundo - Portugal* **todo o mundo.**

■ **La prensa en Brasil.** Es difícil comentar la prensa brasileña en pocas líneas, ya que cada estado y cada gran ciudad tienen sus diarios. Mencionemos **O Estado de São Paulo** (*El Estado de São Paulo*), publicado en São Paulo, **O Globo** (*El Globo*) y **O Jornal do Brasil** (*El Periódico de Brasil*), de Río. Tres de sus semanarios son muy conocidos: **Manchete** (del género *Hola*), rico en fotografías, y **Veja** e **Isto é**, que presentan excelentes artículos sobre economía, política, sociedad, arte, música, cine, etc., no sólo del país sino también del extranjero.

A1 PRESENTACIÓN

■ En una proposición relativa, el verbo va en indicativo: **a datilógrafa que eu tenho. . .** *la mecanógrafa que tengo. . .*

■ Sin embargo, se puede encontrar también el subjuntivo; la realización de la acción expresada por el verbo es entonces deseada, hipotética: **uma datilógrafa que saiba. . .** *una mecanógrafa que sepa. . .*

pude	[**pu**dchi]	*pude*
pôde	[**pô**dchi]	*pudo*
cometer um erro	[kome**têj** ũ êju]	*cometer un error*
consertar	[kõsej**táj**]	*arreglar, reparar*
arranjar	[ajã**yáj**]	*arreglar, obtener*
a datilógrafa	[a dachi**ló**grafa]	*la mecanógrafa*
o relojoeiro	[u jeloyu**êi**ru]	*el relojero*
o sapateiro	[u sapa**têi**ru]	*el zapatero*
a sapataria	[a sapata**ri**a]	*la zapatería*
o salto	[u **sáu**tu]	*el tacón*
o barbeiro	[u baj**bêi**ru]	*el barbero*
a cabeça	[a ka**bê**sa]	*la cabeza*
o cabelo	[u ka**bê**lu]	*el cabello*
a cabeleireira	[a kabelei**rêi**ra]	*la peluquera*

A2 APLICACIÓN

1. Preciso duma datilógrafa que saiba escrever depressa à máquina.
2. A datilógrafa que eu tenho comete muitos erros; não pude arranjar outra.
3. O meu relógio está parado. Necessito arranjar um relojoeiro que o conserte rapidamente.
4. Procuro um sapateiro que conserte meus sapatos; quebrei o salto.
5. As sapatarias vendem sapatos. Não consertam.
6. Vou ao barbeiro cortar o cabelo. Faço sempre a barba em casa.
7. Tenho de ir à cabeleireira. Preciso lavar a cabeça e ajeitar o cabelo. Ontem ela não pôde me atender.

A3 NOTAS

■ No confundir:

pode [pódchi]	(*o* de *rosa*)	*él puede*
pôde [pôdchi]	(*o* de *hoja*)	*él pudo*
pude [pudchi]		*yo pude*

■ Los relativos: **que** (persona o cosa *que*):
Quem, *quien* (persona), **o qual,** *el cual* etc. (ver **Resumen gramatical**, pp. 260-261).

■ El sufijo **eiro, eira** indica una ocupación:
o cabeleireiro, *el peluquero*   **a cabeleireira,** *la peluquera*
– el sufijo **aria** indica el lugar donde se realiza la ocupación:

o sapato, *el zapato*   **a sapataria,** *la zapatería*
o pão, *el pan*   **a padaria,** *la panadería*

■ Expresiones: **ir ao médico,** *ir al médico;* **ir ao sapateiro,** *ir al zapatero;* **ir à cabeleireira,** *ir a la peluquera.*

■ Pretérito irregular de **poder,** *poder:*
pude, pôde, pudemos, puderam.

Atención.: Observe la diferencia: **pode,** *él puede*, **pôde**, *él pudo.*

A4 TRADUCCIÓN

1. Necesito una mecanógrafa que sepa escribir rápido a máquina.
2. La mecanógrafa que tengo comete muchos errores; no he logrado encontrar otra.
3. Mi reloj está parado. Necesito encontrar un relojero que pueda arreglarlo rápidamente.
4. Busco un zapatero que arregle mis zapatos; les rompí los tacones.
5. Las zapaterías venden zapatos; no los reparan.
6. Voy al peluquero a cortarme el cabello; siempre me rasuro en la casa.
7. Tengo que ir a la peluquera. Necesito lavarme el cabello y peinarme. Ayer, ella no pudo atenderme.

B1 PRESENTACIÓN

procurar	[prokurái]	buscar
precisar	[presizái]	necesitar
necessitar	[nesesitái]	necesitar
oferecer	[oferesêi]	ofrecer
alugar	[alugái]	alquilar
o emprego	[u ẽprêgu]	el empleo
a faxineira	[a fashinêira]	la sirvienta (de entrada por salida)
o apartamento	[u apajtamẽtu]	el apartamento
a casa	[a káza]	la vivienda, la casa
o contador	[u kõtadôj]	el contador
o eletricista	[u elétrisishta]	el electricista
o cozinheiro	[u cuziñeiru]	el cocinero
o quarto	[u kuájtu]	el cuarto, la recámara
seguinte	[siguĩchi]	siguiente

■ Atención: **andar** tiene varios usos y varias naturalezas;
— **andar** (verbo) *caminar;* puede remplazar el verbo **ir** o **estar**: **ando de carro,** *voy en coche;* **ando contente,** *estoy contenta;*
— **andar** (sustantivo): 1) **o andar,** *el caminar;* 2) **o andar,** *el piso, el departamento en piso.*

B2 APLICACIÓN

1. Quando precisamos arranjar um emprego, um empregado, uma casa, etc., temos de consultar a página dos anúncios.
2. Lêem-se os seguintes anúncios:
3. Procura-se faxineira.
4. Procura-se apartamento ou casa.
5. Precisa-se de um contador.
6. Precisa-se de contadores.
7. Procuram-se eletricistas.
8. Oferecem-se cozinheiros.
9. Alugam-se quartos.
10. Tocam a campainha. Será alguém já respondendo ao anúncio que eu mandei publicar no Jornal do Brasil?

B3 NOTAS

■ El plural de las palabras compuestas (ver **Resumen gramatical**):
– Un sustantivo unido a otro sustantivo o a un adjetivo: ambos toman la forma del plural:
a couve-flor → **as couves-flores**
– Un verbo + un sustantivo: únicamente el sustantivo va al plural; si el sustantivo ya está en plural, la forma no cambia:
o guarda-roupa, *el guardarropa* → **os guarda-roupas**; **o guarda-bosques,** *el guardabosques* → **os guarda-bosques.**

■ El indefinido **uno** no existe en portugués: hay dos soluciones para remplazarlo:
– la 1ª persona del plural, si la persona que habla forma parte del sujeto uno: **quando necessitamos,** *cuando uno necesita.*
– o la forma pronominal de la 3ª persona del singular, si la persona que habla puede formar parte o no del sujeto uno: **se se procura com cuidado, sempre acaba encontrando a maneira...,** *si uno busca con cuidado, siempre termina encontrando la forma...*

B4 TRADUCCIÓN

1. Cuando uno necesita encontrar un empleo, un empleado, una casa, etc., debe consultar las páginas de anuncios.
2. Se leen los siguientes anuncios:
3. Se busca una sirvienta de entrada por salida.
4. Se busca un apartamento o una casa.
5. Se necesita un contador.
6. Se necesitan contadores.
7. Se buscan electricistas.
8. Se ofrecen cocineros.
9. Se alquilan cuartos.
10. Tocan. ¿Será alguien que ya contesta al anuncio que hice publicar en el Diario de Brasil?

1. Traducir:
a) Preciso duma empregada que possa trabalhar sábado.
b) Lêem-se muitos artigos interessantes neste jornal.

2. Utilizar el relativo adecuado: quem o que:
a) A professora com . . . falo é simpática.
b) A máquina com . . . trabalho não é boa.
c) A senhora . . . vende os bolos é a pasteleira.
d) O pão . . . compro não é dos melhores.

3. Pasar al femenino:
a) Este professor ensina bem.
b) Nenhum empregado trabalha na minha casa.
c) Este turista não conhece a cidade.

4. Traducir:
a) Tocan a la puerta. ¿Quién será?
b) No se trabaja los sábados.
c) Se busca una sirvienta que trabaje el sábado por la mañana.
d) Se compra el pan en la panadería.

5. Pronunciar:
Ela não pode ficar hoje em casa; ontem pude sair e ele pôde trabalhar.

C2 VOCABULARIO

a profissão (ões), *la profesión*
o ofício, *la ocupación*
o merceeiro, *el abarrotero*
o porteiro, *el conserje*
a porteira, *la conserje*
o enfermeiro, *el enfermero*
a enfermaria, *la enfermería*
o pasteleiro, *el pastelero*
o pedreiro, *el albañil*
o encanador, *el plomero*
o engenheiro, *el ingeniero*
a engenheira, *la ingeniera*

o advogado, *el abogado*
o secretário, *el secretario*
a secretária, *la secretaria*
a secretaria, *la secretaría*
a enfermeira, *la enfermera*
a confeitaria, *la pastelería*
a farmácia, *la farmacia*
a oficina, *el taller*
a mercearia, *la tienda de abarrotes*
o farmacêutico, *el farmacéutico*

1.

a) Necesito una empleada que pueda trabajar los sábados.
b) Se leen muchos artículos interesantes en este diario.

2.

a) A professora com **quem** falo é simpática.
b) A máquina com **que** trabalho não é boa.
c) A senhora **que** vende os bolos é a pasteleira.
d) O pão **que** compro não é dos melhores.

3.

a) Esta professora ensina bem.
b) Nenhuma empregada trabalha na minha casa.
c) Esta turista não conhece a cidade.

4.

a) Batem à porta. Quem será?
b) Sábado, não trabalhamos.
c) Procura-se uma faxineira que trabalhe sábado.
d) Compra-se o pão na padaria.

5.

[éla **nãu pó**dchi fi**káj** ôyi ẽy **ká**za; õtêy **eu pu**dchi sair i êli **pô**dchi trabalyáj].

C4   RECREACIÓN

■ **À procura dum emprego**	*En busca de un empleo*
— **Idade.**	– *Edad.*
— **Vinte e oito anos.**	– *Ventiocho años.*
— **É o primeiro emprego?**	– *¿Es su primer empleo?*
— **Não.**	– *No.*
— **Então?**	– *¿Y entonces?*
— **Sou pescador há dez anos.**	– *Soy pescador desde hace diez años.*
— **Por que é que você quer vir para o circo?**	– *¿Por qué quiere venir a trabajar en el circo?*
– **Porque já me cansei de trabalhar com rede.**	– *Porque ya estoy harto de trabajar con red.*

(en *Pão com Manteiga*, 2. Lisboa 1982.)

A1 PRESENTACIÓN

■ *¿Por qué?* **Por que** [puj **kê**] introduce la pregunta y **porque** [pujkê] introduce la respuesta.
— **por** indica la causa: **por isso,** *debido a ello;*
— **por** + infinitivo, *porque:* **por não haver telefone,** *porque no hay teléfono.*

vim	[vĩ]	*vine*
veio	[vêiu]	*vino*
vimos	[vimus]	*vinimos*
estive	[eshchivi]	*estuve*
esteve	[eshtêvi]	*estuvo*
a tourada	[a tôráda]	*la corrida de toros*
a ginástica	[a yináshchika]	*la gimnasia*
a corrida	[a kujida]	*la carrera*
a saudade	[a saudádchi]	*la añoranza, la nostalgia*

A2 APLICACIÓN

1. João — Esperei você ontem. Por que você não veio?
2. Pedro — Não vim. Estive no estádio todo o dia. Não pude vir. Aproveitei este dia de sol para treinar.
3. João — E a Ana? Também não veio. Por que?
4. Pedro — Ela estava na piscina. Não pôde vir.
5. — Estivemos ocupados; foi por isso que não pudemos vir.
6. João — Por que não telefonaram para avisar?
7. Pedro — Não telefonamos porque não havia telefone disponível no estádio.
8. João — Vocês foram ao cinema ontem à noite?
9. Pedro — Não, não pudemos ir. Chegamos tarde. A Ana estava cansada depois de um dia de ginástica.
10. — Ficamos em casa e vimos com saudade um filme das últimas férias.
11. João — Não se esqueça de que domingo vamos a uma corrida de carro.

A3 NOTAS

■ Atención a **vim** [vĩ] (nasal), *yo vine* y **vi** [vi], *yo ví.*

■ Verbo **estar,** irregular en pretérito:

eu estive	*yo estuve, he estado*
ele esteve	*él estuvo, ha estado*
nós estivemos	*nosotros estuvimos, hemos estado*
eles estiveram	*ellos estuvieron, han estado*

■ Verbo **vir**, irregular en pretérito:

vir, *venir*	**ver,** *ver*
eu vim, *yo vine*	**eu vi,** *yo ví*
ele veio, *él vino*	**ele viu,** *él vió*
nós viemos, *nosotros vinimos*	**nós vimos,** *nosotros vimos*
eles vieram, *ellos vinieron*	**eles viram,** *ellos vieron*

A4 TRADUCCIÓN

1. Juan — Te esperé ayer y no viniste. ¿Por qué?
2. Pedro — No vine. Me quedé en el estadio todo el día. No pude venir. Aproveché ese día de sol para entrenarme.
3. Juan — ¿Y Ana? Tampoco vino. ¿Por qué?
4. Pedro — Se quedó en la alberca. No pudo venir.
5. — Estuvimos ocupados. Debido a ello, no pudimos venir.
6. Juan — ¿Por qué no hablaron por teléfono para avisar?
7. Pedro — No hablamos porque no había un teléfono disponible en el estadio.
8. Juan — ¿Fueron al cine ayer por la noche?
9. Pedro — No, no pudimos ir. Regresamos tarde. Ana se sentía cansada después de un día de gimnasia.
10. — Nos quedamos en la casa y vimos con nostalgia una película de las últimas vacaciones.
11. Juan — No olvides que el domingo debemos ir a una carrera de coches.

B1 PRESENTACIÓN

■ Atención a la construcción de **ter vontade de, estar com vontade de,** *tener ganas de,* y **gostar de,** *gustar.*
estou com vontade de ir ao cinema, *tengo ganas de ir al cine.*
às vezes tenho vontade de voltar a Portugal, *a veces tengo ganas de volver a Portugal.*

disse	[dchisi]	*dije, he dicho*
disseram	[dchisérãu]	*dijeron, han dicho*
agradar	[agradáj]	*gustar, agradar*
quiseram	[kizérãu]	*quisieron*
o festival	[u feshchiváu]	*el festival*
o tango	[u tángu]	*el tango*
a véspera	[a véspera]	*la víspera*
o folclore	[u fóuklóri]	*el folklore*
o sucesso	[u susésu]	*el éxito*
tal	[táu]	*tal*
popular	[populáj]	*popular*
combinado	[kõbinádu]	*combinado, está bien*
com antecedência	[kõ ãtesedésia]	*con anticipación*

B2 APLICACIÓN

1. Pedro — Você ouviu o que eu lhe disse?
2. Ana — Não. Não ouvi. O que foi?
3. Pedro — Você não quer vir ouvir tangos amanhã, com nossos amigos?
4. Ana — Não, não tenho vontade e acho que eles também não têm.
5. — Na semana passada já não quiseram ir.
6. Pedro — Há um festival de música brasileira. Me disseram que é muito bom. Talvez você queira ir, e eles também.
7. Ana — Combinado. Gosto muito da música brasileira. O João disse que é ótimo.
8. Pedro — Temos de comprar as entradas com antecedência.
9. Ana — É verdade; não conseguimos entrar no último festival de música popular brasileira, por não haver mais lugares.
10. Pedro — O sucesso foi tal que venderam tudo na véspera.

B3 NOTAS

■ Observe la pronunciación de la **x** en **êxito** [êzitu].

■ Los verbos impersonales **apetecer** (*tener ganas de*) y **agradar** (*gustar*) sólo se usan en la 3ª persona (sing. o plural) y concuerdan con el complemento que les sigue.

El sujeto en español es evocado por **me, lhe, nos, lhes.**

Esta comida não me apetece, *no se me antoja esta comida.*

Aquele rapaz não me agrada, *no me gusta aquel muchacho.*

■ Pretéritos irregulares: **dizer,** *decir;* **querer,** *querer.*

eu disse, *yo dije*	**quis,** *quise*
ele, você disse, *él dijo*	**quis,** *quiso*
nós dissemos, *nosotros dijimos*	**quisemos,** *quisimos*
eles, vocês disseram, *ellos dijeron*	**quiseram,** *quisieron*

■ No confundir **diz** [**dchis**], *él dice* (presente) y **disse** [**dchi**si], *él dijo, yo dije* (pretérito).

B4 TRADUCCIÓN

1. Pedro — ¿Oíste lo que te dije?
2. Ana — No. No oí. ¿Qué fue?
3. Pedro — ¿No quieres venir a oír tangos mañana, con nuestros amigos?
4. Ana — No, no tengo ganas, y creo que ellos tampoco tienen.
5. — La semana pasada no quisieron venir.
6. Pedro — Hay un festival de música brasileña. Me han dicho que está bueno. Quizá tengas ganas y ellos también.
7. Ana — De acuerdo. Me gusta mucho la música brasileña. Juan me ha dicho que está muy bueno.
8. Pedro — Tenemos que comprar los boletos con anticipación.
9. Ana — Es cierto. No logramos entrar al último festival de música popular brasileña, porque ya no había lugar.
10. Pedro — El éxito fue tan grande que vendieron todo la víspera.

1. **Traducir:**
   a) Não lhes agrada muito a idéia de ir às corridas.
   b) Nós gostamos muito das notícias que eles mandaram.

2. **Pasar al pretérito:**
   a) Eles estão todo o dia no estádio.
   b) Eu jogo futebol e quero ir ao estádio.
   c) Ela diz que você não quer ir à corrida.
   d) De manhã eu estou na piscina e o Pedro está em casa.
   e) Eu não posso sair e ele não pode vir.

3. **Pasar el verbo a la tercera persona del singular:**
   a) Estive muito tempo no sol.
   b) Eu fui à piscina e não quis ir à praia.
   c) Eu não pude ir à corrida.

4. **Traducir:**
   a) Ellos no tienen ganas de ir a la corrida.
   b) No les gustaron las películas.
   c) Tú tienes ganas de pasear.
   d) Tenemos ganas de esos pasteles.
   e) Me gustan las carreras de coches.

C2 VOCABULARIO Y ENSEÑANZAS PRÁCTICAS

■ **A saudade:** ese sentimiento de nostalgia es un tema constante de la poesía lírica brasileña, así como el tema favorito de los **fados**, canciones populares portuguesas.

■ Los **fados**, melancólicos, cantan la vida cotidiana, los amores infelices y el sino del hombre (**fado** viene del latin "fatum", *el destino*). Los **fados** de Coimbra y de Lisboa tienen tonalidades muy diferentes. Los **fados** de Coimbra son cantados por los estudiantes, los de Lisboa por los hombres y mujeres del pueblo (**o povo**).
El cantante de fado (**o fadista**) es siempre acompañado por una guitarra (**a viola**) y por una guitarra portuguesa (**a guitarra**), que es una guitarra de doce cuerdas metálicas en forma de corazón (**a forma dum coração**), así dice un fado de Coimbra.
El **fado** no podría representar toda la canción popular portuguesa, ya que ésta es muy variada: muy alegre en el Norte y el Sur (**chula** del Miño y **vira** del Algarve) y muy seria en Alentejo.

1.
   a) No les gusta mucho la idea de ir a las corridas de toros.
   b) Nos gustaron mucho las noticias que nos han mandado.

2.
   a) Eles **estiveram** todo o dia no estádio.
   b) Eu **joguei** futebol e **quis** ir ao estádio.
   c) Ela **disse** que você não **quis** ir à corrida.
   d) De manhã eu **estive** na piscina e o Pedro **esteve** em casa.
   e) Eu não **pude** sair e ele não **pôde** vir.

3.
   a) Ela **esteve** muito tempo no sol.
   b) Ele **foi** à piscina e não **quis** ir à praia.
   c) Ele não **pôde** ir à corrida.

4.
   a) Eles não têm vontade de ir à tourada.
   b) Não lhes agradaram os filmes.
   c) Você está com vontade de passear.
   d) Estes bolos nos apetecem.
   e) Eu gosto das corridas de carro.

C4 ENSEÑANZAS ÚTILES

■ La guitarra es un instrumento musical tan popular en Brasil como en Portugal. Los primeros la llaman **o violão** (y no **a viola,** como en Portugal). Los brasileños tienen un sentido innato de la música y todo puede convertirse en un instrumento musical (platos, cajas de cerillos, sartenes, tenedores, etc.) La música es muy variada y en general muy alegre. Hay que distinguir la música del Noreste, cercana a las raíces portuguesas, acompañada por el acordeón, de la música de la región de Bahía, muy influida por la música africana, o de aquélla que nace en los grandes centros urbanos de Río o São Paulo, que integran a todas las influencias: **o samba, a bossa nova.**

La creación musical es permanente, y la mayoría de los cantantes y compositores, comprometidos o no, tienen fama internacional: Chico Buarque de Holanda, Gilberto Gil, Milton Nascimento, Vinicius de Moraes, Caetano Veloso, Maria Bethânia, Gal Costa, Leila Pinheiro, Elis Regina, etc.

La música brasileña está presente en el resto de Hispanoamérica, e incluso forma parte del repertorio de grandes intérpretes. Por su parte, los intérpretes brasileños también incluyen en su repertorio música de autores de otros países del continente. El intercambio es constante.

A1 PRESENTACIÓN

■ **Doer,** *tener dolor,* se usa en las expresiones: **. . .está doendo,** o en un sentido impersonal o casi impersonal: **dói, doeu, está doendo: minha cabeça está doendo,** *tengo dolor de cabeza;* **suas pernas doem,** *le duelen las piernas.* La expresión usual para las sensaciones de dolor, frío, nostalgia, etc. es: **estou com. . .:**
Estou com dor de cabeça, estou com frio, calor, febre, estou com saudade, etc.

tive	[**chi**vi]	*tuve, he tenido*
teve	[**tê**vi]	*tuvo, ha tenido*
houve	[**ô**vi]	*hubo*
peguei	[pê**guê**i]	*atrapé, agarré*
gripar-se	[gri**páj**-si]	*agriparse*
receitar	[jêsêi**táj**]	*recetar, prescribir*
pregar um susto	[pre**gáj** ũ **sush**tu]	*dar susto, miedo*
a chuva	[a **shu**va]	*la lluvia*
a gripe	[a **gri**pi]	*la gripe*
o sintoma	[u sï**tô**ma]	*el síntoma*
o passeio	[u pa**sêi**u]	*la acera*
a perna	[a **péj**na]	*la pierna*
doente	[**duê**chi]	*enfermo*
coitadinho	[kôita**dchi**ñu]	*pobrecito*
ter sorte	[têj **só**jchi]	*tener buena suerte*
ter azar	[têj a**záj**]	*tener mala suerte*

A2 APLICACIÓN

1. Ana – Ontem houve muito vento e muita chuva. Esteve frio. Não tive sorte. Adoeci.
2. Maria – Você não está muito doente.
3. Ana – Peguei uma gripe, ontem tive febre.
4. Maria – Na semana passada fez muito calor. O meu filho andou muito no sol. Coitadinho, se gripou.
5. Ana – Quais foram os sintomas?
6. Maria – Teve dor de cabeça e suas pernas doeram.
7. Ana – Está com dor de cabeça e suas pernas doem?
8. Maria – Não. Fomos ao médico, que lhe receitou umas injeções. Já está bom.
9. Ana – Quem me pregou um susto foi o Pedro. Caiu na calçada. Teve pouca sorte, quebrou a perna. Que azar!

186

A3 NOTAS

■ **Coitadinho:** este diminutivo tiene un valor exclusivamente afectivo (común en portugués).
coitado, *infeliz, desafortunado* + **inho:** *pobrecito.*

■ **Estar** + **doente,** *estar enfermo* (estado pasajero), pero: **ser doente,** *ser enfermo* (estado permanente).
Estar + indicaciones climáticas: **está frio,** *hace frío.*

■ **Haver** y **ter**, tener, tienen pretérito irregular:

haver	houve	*hubo, ha habido*
ter	eu tive	*tuve, he tenido*
	ele teve	*tuvo, ha tenido*
	nós tivemos	*tuvimos, hemos tenido*
	eles tiveram	*tuvieron, han tenido*

Atención: Observar la diferencia: **tive,** *he tenido, tuve*; **teve,** *ha tenido, tuvo.*

A4 TRADUCCIÓN

1. Ana — Ayer hubo mucho viento y mucha lluvia. Hizo frío. No tuve suerte; me enfermé.
2. María — No estás tan enferma.
3. Ana — Agarré una gripe y ayer tuve fiebre.
4. María — La semana pasada, hizo mucho calor. Mi hijo anduvo con la cabeza al sol. El pobrecito se agripó.
5. Ana — ¿Cuáles fueron los síntomas?
6. María — Le dolió la cabeza y le dolieron las piernas.
7. Ana — ¿Le duele la cabeza y le duelen las piernas?
8. María — No. Fuimos al médico que le recetó unas inyecciones. Ya está bien.
9. Ana — El que me dió un susto fue Pedro. Se cayó en la acera. Tuvo mala suerte, se rompió una pierna. ¡Qué mala suerte!

B1 PRESENTACIÓN

■ **Ferir, sentir,** se conjugan como **servir** (lección 22, A3).

■ **Para que,** *para que,* se acompaña de un verbo en subjuntivo.
Para que possamos ir, *para que podamos ir.*

escorreguei	[iskujêguêi]	me resbalé
escorregar	[iskujegáj]	resbalar
ferir	[ferij]	herir
examinar	[ezamináj]	examinar
tratar	[tratáj]	tratar
pôs	[pôs]	puso
tomar uma injeção	[tomáj uma iyésãu]	ser inyectado
dormi	[dujmi]	dormí, he dormido
curar	[kuráj]	curar
ficar bom	[fikáj bõ]	recuperarse
uma bandagem	[uma bãdáyẽy]	un apósito, una venda
o gesso	[u yêsu]	el yeso
a dor	[a dôj]	el dolor
o remédio	[u jemédchiu]	la medicina
o consultório	[u kõsuutóriu]	el consultorio
boas melhoras	[bôas melyóras]	pronta recuperación

B2 APLICACIÓN

1. João — Como vai? Me disseram que você quebrou a perna. Como foi que aconteceu?
2. Pedro — Escorreguei e me feri numa perna. Quase desmaiei.
3. João — Você foi internado num hospital?
4. Pedro — Não. Fui a uma clínica. O médico me examinou e me tratou muito bem.
5. João — Ele lhe pôs uma bandagem? Você sentiu muitas dores?
6. Pedro — Primeiro, ele me aplicou uma injeção, depois me engessou. Eu me senti muito mal; quase não dormi na primeira noite.
7. João — Você quer que eu vá à farmácia comprar os remédios?
8. Pedro — Não. A Ana já foi.
9. João — Boas melhoras. Fique bom depressa para que possamos sair de férias.

B3 NOTAS

■ Atención: Las palabras terminadas en **or** son masculinas:
o calor, o calor intenso, *el calor intenso.*

excepto:		
	a dor – a dor intensa	*el dolor intenso*
	a cor – a cor clara	*el color claro*
	a flor – a flor bonita	*la flor bella*

■ **Dormir** es irregular en la 1ª pers. sing. del presente del indicativo, y por lo tanto en el presente del subjuntivo y en las personas del imperativo derivadas de él. La **o** se cambia en **u** (ver los verbos que cambian la **e** en **i**, lección 22); **ferir, sentir,** etc.

PRES. IND.:	**Durmo, dorme, dormimos, dormem.**
PRES. SUBJ.:	**Durma, durma, durmamos, durmam.**
IMPERATIVO:	**(você) durma, (vocês) durmam, (nós) durmamos.**

■ El verbo **pôr**, *poner,* es irregular en pretérito:

eu pus, *puse*	**nós pusemos**, *nosotros pusimos*
ele, você pôs, *puso*	**eles, vocês puseram,** *pusieron*

Observe: **pus,** *puse* y **pôs**, *puso.*

B4 TRADUCCIÓN

1. Juan – ¿Cómo estás? Me dijeron que te rompiste la pierna. ¿Cómo sucedió eso?
2. Pedro – Me resbalé. Me lastimé una pierna. Casi me desmayo.
3. Juan – ¿Te hospitalizaste?
4. Pedro – No. Fui a una clínica. El médico me examinó y me atendió muy bien.
5. Juan – ¿Te puso una venda? ¿Sentiste muchos dolores?
6. Pedro – Primero, me inyectó, después me enyesó. Me sentí muy mal; casi no pude dormir en la primera noche.
7. Juan – ¿Quieres que vaya a la farmacia a comprar las medicinas?
8. Pedro – No. Ya fue Ana.
9. Juan – Te deseo una pronta recuperación. Cúrate pronto para que podamos salir de vacaciones.

1. Traducir:

a) Fez frio. Seus pés doeram.

b) Ele está doente. Está com dor de cabeça.

c) Ele caiu na calçada e quebrou o pé.

2. Pasar a la primera persona del singular:

a) Ele dorme bem, mas não se sente bem.

b) Ele pôs um gesso.

c) Ele se fere no dedo.

3. Emplear el adjetivo en la forma adecuada:

a) (vermelho) − Eu gosto das flores . . .

b) (intenso) − Hoje está um calor . . .

c) (agudo) − Eu sinto uma dor . . .

d) (excessivo) − Ela sente um ardor . . .

4. Traducir:

a) El se enfermó. Le duelen las piernas.

b) Tengo dolor de cabeza.

c) Ellos tienen dolor de cabeza.

d) Tienes dolor en los pies.

5. Pronunciar:

Ele adoeceu. Está num hospital; tomou uma injeção.

C2 VOCABULARIO

■ **As partes do corpo, a saúde e as doenças,** *las partes del cuerpo, la salud y las enfermedades.*

o **olho,** *el ojo*

o **nariz,** *la nariz*

o **ouvido,** *el oído*

ter ouvido, *tener oído*

a **orelha,** *la oreja (el pabellón externo)*

a **boca,** *la boca*

a **rosto,** *la cara*

a **face,** *la mejilla*

a **barriga,** *la barriga*

o **ventre,** *el vientre*

o **pé,** *el pie*

a **mão,** *la mano*

o **dedo,** *el dedo*

a **saúde,** *la salud*

saudável, *saludable*

sadio, *sano -* **sadia,** *sana*

a **casa de saúde,** *el sanatorio*

a **consulta,** *la consulta*

a **aspirina,** *la aspirina*

o **comprimido,** *el comprimido, la pastilla*

o **supositório,** *el supositorio*

a **gripe,** *la gripe*

a **dor de cabeça,** *el dolor de cabeza*

as **amídalas,** *las anginas, las amígdalas*

a **constipação, a gripe,** *la gripe*

a **prisão de ventre,** *el estreñimiento*

1.

    a) Ha estado frío. Les dolieron los pies.
    b) El está enfermo. Tiene dolor de cabeza.
    c) El cayó en la acera y se rompió el pie.

2.

    a) Eu **durmo** bem, mas não me sinto bem.
    b) Eu **pus** um gesso.
    c) Eu me **firo** no dedo.

3.

    a) Gosto das flores vermelhas.
    b) Hoje está um calor intenso.
    c) Eu sinto uma dor aguda.
    d) Ela sente um ardor excessivo.

4.

    a) Ele adoeceu. Suas pernas doem.
    b) Estou com dor de cabeça.
    c) Eles estão com dor de cabeça.
    d) Você está com dor nos pés.

5.

[êli aduêsêu. eshtá nũ ospitáu; tomô uma ĩyésãu].

C4 RECREACIÓN

— **Bonitinho!**	– *¡Graciosito!*
— **O quê?**	– *¿Qué?*
— **Pequenino.**	– *¡Chiquito!*
— **Não compreendo.**	– *No entiendo.*
— **Moreninho.**	– *Morenito.*
— **Ah! bom.**	– *¡Ah! bueno.*
— **Queridinho.**	– *Queridito.*
— **Você está falando comigo?**	– *¿Me hablas a mí?*
— **Não. Estou estudando os sufixos diminutivos.**	– *No, estudio los sufijos diminutivos.*

(in *Pão com Manteiga.* I Lisboa, 1981) (en *Pan con Mantequilla,* I Lisboa, 1981)

■ **inho** (o **zinho**) es el sufijo diminutivo más utilizado: **bonitinho**, *gracioso;*
queridinho, *mi querido.*
Hay aun otro sufijo: **ino: pequeno + ino = pequenino,** *chiquito.*
Esos sufijos tienen también un valor afectivo; por ej.: **você quer um
cafezinho?**

A1 PRESENTACIÓN

■ Atención a la **colocación de los pronombres personales complementos:**
− **antes del verbo** en las proposiciones principales e independientes afirmativas o interrogativas, con o sin una palabra interrogativa.

trouxe	[**trô**si]	*yo traje, él trajo*
soube	[**sô**bi]	*yo supe, él supo*
emprestar	[ẽpresh**táj**]	*prestar*
pedir emprestado	[pe**dchir** ẽpresh**tá**du]	*pedir prestado*
encomendar	[ẽkumẽ**dáj**]	*encargar* (algo)
reembolsar	[jeẽbou**sáj**]	*rembolsar*
o cigarro	[u si**gá**ju]	*el cigarro*
o fósforo	[u **fós**foru]	*el cerillo*
o direito	[u dchi**rêi**tu]	*el derecho*

■ Atención: **mandar,** *mandar, ordenar.*

■ Observar: **pagar direitos por,** *pagar derechos por.*

■ **saber,** *saber;* **saber de,** *tener conocimiento de.*

A2 APLICACIÓN

1. Você trouxe a encomenda que eu lhe pedi?
2. Trouxe. Trouxe cigarros e também comprei fósforos.
3. Você trouxe os livros que eu lhe emprestei?
4. Não, não trouxe; deixei em casa.
5. Você teve notícias dos nossos amigos que foram ao Brasil?
6. Tive, eles chegaram ontem e trouxeram o que encomendamos.
7. Você soube das dificuldades que eles tiveram na Alfândega?
8. Não, não soube o que aconteceu.
9. Tiveram de pagar direitos.
10. Agora temos de reembolsar a eles.
11. E eu tenho de pedir dinheiro emprestado!

A3 NOTAS

■ Atención (continuación y final): hay varias pronunciaciones de la **x**:
- **sh**, muy frecuente: **deixei** [deishêi], *dejé, he dejado;*
- **z**, **ex** al comienzo de la palabra (raro): **o exame** [u ezámi];
- **ks,** entre dos vocales (raro); **o táxi** [u táksi];
- **s**: **próximo** [prósimu], **trouxe** [trôsi].

■ **Lugar del pronombre personal complemento**: si un verbo está precedido de un adverbio, sujeto, etc., se puede colocar el pronombre personal antes del verbo (aún en el caso de que su lugar sea después del verbo): **também lhe comprei,** *le compré también.*

— si depende de un infinitivo, se coloca después del verbo: **devo dar-lhe,** *debo darle* (o *le debo dar*). Esas normas son más válidas para Portugal, porque en Brasil el lenguaje coloquial se permite mucha libertad de colocación del pronombre complemento, y casi siempre lo coloca, suelto, antes del infinitivo: **eu devo lhe dar.**

■ **Saber,** *saber,* **trazer,** *traer:* pretérito irregular.
eu soube, *yo supe*
eu trouxe, *yo traje*

A4 TRADUCCIÓN

1. ¿Trajo lo que le encargué?
2. Sí, lo traje. Traje cigarros y también compré cerillos.
3. ¿Trajiste los libros que te presté?
4. No, no los traje; los dejé en la casa.
5. ¿Tuviste noticias de nuestros amigos que se fueron a Brasil?
6. Sí; llegaron ayer y trajeron lo que les encargamos.
7. ¿Supiste de las dificultades que tuvieron en la aduana?
8. No, no supe qué sucedió.
9. Tuvieron que pagar derechos.
10. Ahora tenemos que reembolsarles.
11. ¡Y yo tengo que pedir dinero prestado!

B1 PRESENTACIÓN

■ El pronombre personal **o** (*le*), **os** (*les*), **a** (*la*), **as** (*las*)

■ se convierte en **lo(s)**, **la(s)** después de un verbo terminado en **r, s, z**;

■ se convierte en **no(s)**, **na(s)** después de un verbo terminado en **m** u otro sonido nasal.

trazê-lo	[trazê-lu]	*traerlo*
traga-o	[trága-u]	*tráelo*
levaram-no	[levárãu-nu]	*lo llevaron, lo han llevado*
trouxemo-la	[trôsemu-la]	*la trajimos, la hemos traído*
o isqueiro	[u iskêiru]	*el encendedor*
a carteira de cigarros	[a kajtêira dchi sigájus]	*la cajetilla de cigarros*
a caixa de fósforos	[a káisha dchi fósforus]	*la caja de cerillos*
o cinzeiro	[u sĩzêiru]	*el cenicero*
o charuto	[u sharutu]	*el puro*
sem falta	[sẽy fáuta]	*sin falta*
por engano	[pur ẽgánu]	*por equivocación*
nem sequer	[nẽy sikéj]	*ni siquiera*
perceber	[pejsêbêj]]	*percibir, darse cuenta*

B2 APLICACIÓN

1. — Você trouxe o isqueiro que você levou ontem por engano?
2. — Não, me esqueci. Vou trazê-lo amanhã.
3. — Não se esqueça. Traga-o sem falta.
4. — Você também levou minha carteira de cigarros e a caixa de fósforos.
5. — Não. Eu os pus em cima da mesa antes de sair.
6. — Você nem sequer notou.
7. — Agora não vejo os cinzeiros. Certamente alguém os levou.
8. — A empregada os levou para lavar e os deixou na cozinha.
9. — Que é isto? Uma caixa de charutos?
10. — Não. É uma caixa de chocolates. Nós a trouxemos para ti.
11. — Ora essa! Para mim, não.

B3 NOTAS

■ Cuando el pronombre personal complemento **o(s)**, **a(s)** toma la forma:

■ **Lo(s)**, **la(s)**, la **r**, **s** o **z** del verbo desaparece:

vou encomendá-la	*la voy a encargar*
vou trazê-la	*la voy a traer*
vou parti-lo	*lo voy a romper*
fi-lo (fiz + o)	*lo hice*
fê-lo (fez + o)	*lo hizo*
trazemo-lo	*lo traemos*

Atención: Hay que poner:

– un acento agudo sobre la **a** después de la supresión de **r, s, z**: **encomendá-la** pero **encomendar**;

– un acento circunflejo sobre la **e** después de la supresión de **r, s, z**: **trazer** y **trazê-lo; fez** y **fê-lo.**

■ **No(s)**, **na(s)**, después de **m** u otro sonido nasal, el verbo no se modifica: **levam-no**, *lo llevan;* **põe-no**, *él lo pone.*

Atención: Se pronuncia: **lo** [lu], **los** [lus], **no** [nu], **nos** [nus].

Sin embargo, esas formas no son muy usadas en Brasil, sobre todo en el lenguaje coloquial, que tiene mucha flexibilidad en la colocación del pronombre y trata de evitar a toda costa esas formas complejas y formales.

■ Observe el uso particular del demostrativo en ciertas exclamaciones: **ora essa!** *¡vaya!*

B4 TRADUCCIÓN

1. – ¿Trajiste el encendedor que te llevaste ayer por equivocación?
2. – No. Se me olvidó. Lo traeré mañana.
3. – No lo olvides. Tráelo sin falta.
4. – Te llevaste también mi cajetilla de cigarros y la caja de cerillos.
5. – No. Las dejé sobre la mesa antes de que saliera.
6. – Ni siquiera te diste cuenta.
7. – Ahora, no veo los ceniceros. Seguramente se los llevaron.
8. – La sirvienta se los llevó para lavar y los dejó en la cocina.
9. – ¿Qué es esto? ¿Una caja de puros?
10. – No. Es una caja de chocolates. Te la trajimos a tí.
11. – ¡Vaya! Para mí, no.

1. **Traducir:**
   a) Vocês souberam do que aconteceu ao nosso amigo?
   b) Nós trouxemos o que nos encomendaram.
   c) Você trouxe a carteira de cigarros que eu lhe pedi?

2. **Pasar al pretérito:**
   a) Ele traz o que eu lhe peço.
   b) Você diz o que eu lhe conto.
   c) Ele faz o que nós lhe dizemos.
   d) Nós sabemos o que aconteceu.
   e) Você faz o que pode.
   f) Ela põe o isqueiro em cima da mesa.

3. **Remplazar la palabra en itálica por el pronombre o(s), a(s) en la forma adecuada:**
   a) Vou oferecer *um isqueiro.*
   b) Levo *os cigarros* no bolso.
   c) Eles trazem *uma caixa de chocolates.*
   d) Ele traz *uma encomenda.*
   e) Nós contamos *uma história.*

4. **Traducir:**
   a) Él trajo lo que le encargué.
   b) Él supo de tu llegada.
   c) Mandé hacer lo que me pediste.

5. **Pronunciar:**
   Ela chegou ao exame de táxi. Não trouxe livros; deixou-os em casa.

C2 VOCABULARIO

■ **Na charutaria,** *en la tabaquería.*

o fumo,	*el tabaco*
a fumaça,	*el humo*
fumar,	*fumar*
o cachimbo,	*la pipa*
a piteira,	*la boquilla*
o fogo,	*el fuego*
o lume,	*la lumbre*
acender,	*prender*
apagar,	*apagar*
pedir fogo,	*pedir fuego*
queimar,	*quemar*
arder,	*arder, consumirse*

1.

   a) ¿Supieron lo que le pasó a nuestro amigo?
   b) Trajimos lo que nos encargaron.
   c) ¿Trajiste la cajetilla de cigarros que te pedí?

2.

   a) Ele **trouxe** o que eu lhe **pedi**.
   b) Você **disse** o que eu lhe **contei**.
   c) Ele **fez** o que nós lhe **dissemos**.
   d) Nós **soubemos** o que **aconteceu**.
   e) Você **fez** o que **pôde**.
   f) Ela **pôs** o isqueiro em cima da mesa.

3.

   a) Vou oferecê-**lo**.
   b) Levo-**os** no bolso.
   c) Eles trazem-**na**.
   d) Ele trá-**la**.
   e) Contamo-**la**.

4.

   a) Você trouxe o que eu lhe encomendei.
   b) Ele soube da sua chegada.
   c) Eu mandei fazer o que você me pediu.

5.

   [**éla** shegô **au** ezámi dchi táksi. nãu trôsi livrus; dêishô-uz ẽy káza].

C4 EXPRESIONES USUALES

■ **o fumo**, *el tabaco* – **a fumaça**, *el humo*
pedir fogo, *pedir lumbre*.

— Expresiones formadas con los demostrativos:
isto é, *es decir* – **é isso aí**, *seguramente, es seguro que sí*.
é muito duro, é isso, *es muy duro, seguro que sí*.

■ **Nem por isso**, *no por ello; aún así no:*
  Nem por isso apressou o passo.
  Aún así no se apuró.
  Além disso, não trabalha!
  ¡Además, no trabaja!
  Essa agora o isso agora! *¡Ahora, eso! ¡Por ejemplo!*

A1 PRESENTACIÓN

■ **Embora,** *aunque,* es seguido de un verbo en subjuntivo.

me levantava	[mi levãtáva]	*me levantaba*
saía	[saia]	*yo salía, él salía*
ia	[ia]	*yo iba, él iba*
voltava	[voutáva]	*yo regresaba, él regresaba*
estava	[eshtáva]	*yo estaba, él estaba*
queríamos	[kiriamus]	*queríamos*
o cachorro	[u kashôju]	*el perro*
o campo	[u kãpu]	*el campo*
o pedaço	[u pedásu]	*el cacho, el trozo*
a manteiga	[a mãtêiga]	*la mantequilla*
a xícara	[a shikara]	*la taza*
o conforto	[u kõfôjtu]	*la comodidad*
o ar livre	[u áj livri]	*el aire libre*
a aposentadoria	[a apuzẽtaduria]	*la jubilación, el retiro*
duro	[duru]	*duro*
sadia	[sadchia]	*sana*

A2 APLICACIÓN

1. Pedro – Por que é que você se levantava tão cedo quando morava no campo?
2. Manuel – Eu me levantava cedo, saía e dava um passeio nos arredores antes de ir trabalhar. O cachorro ia sempre atrás de mim.
3. Isabel – Voltava para casa, comia um pedaço de pão com manteiga e tomava uma xícara de café com leite, antes de começar o trabalho.
4. Pedro – Embora eu goste duma vida ao ar livre, acho duro o trabalho no campo.
5. Manuel – É verdade. À noite eu estava tão cansado que às dez horas já estava na cama.
6. Isabel – Vida dura, mas sã. Nunca nos sentimos tão bem.
7. Manuel – Agora, eu moro numa cidade industrial.
8. Isabel – Embora tenhamos uma casa com muito conforto, temos saudade da vida no campo.
9. Manuel – Queríamos ir para lá, voltar depois de me aposentar.

A3 NOTAS

■ No confundir: **saia** [sáia] *que yo salga* y **saía** [saia] *él salía*.

■ **El copretérito del indicativo:**

Falar, *hablar*	Beber, *beber*	Partir, *partir*	
eu fal-ava	*hablaba*	beb-ia	part-ia
ele fal-ava	*hablaba*	beb-ia	part-ia
nós fal-ávamos	*hablábamos*	beb-íamos	part-íamos
eles fal-avam	*hablaban*	beb-iam	part-iam

■ El copretérito sirve para expresar la duración o la repetición de una acción en el pasado:

quando eu morava no campo, saía e dava um passeio.
cuando yo vivía en el campo, salía y paseaba.

■ El copretérito se usa en lugar del pospretérito:
quería, *yo querría* (lección 12, A1) o *yo quería.*

A4 TRADUCCIÓN

1. Pedro – ¿Por qué te levantabas tan temprano cuando vivías en el campo?
2. Manuel – Me levantaba temprano, salía y paseaba en los alrededores antes de ir a trabajar. Mi perro siempre me seguía.
3. Isabel – Regresaba a la casa, comía un pedazo de pan con mantequilla y tomaba una taza de café con leche antes de empezar el trabajo.
4. Pedro – Aunque me guste la vida al aire libre, me parece duro el trabajo en el campo.
5. Manuel – Es cierto. En las noches yo estaba tan cansado que ya estaba en la cama a las diez.
6. Isabel – Vida dura, pero sana. Jamás nos hemos sentido tan bien.
7. Manuel – Ahora, vivo en una ciudad industrial.
8. Isabel – Aunque tengamos una casa con mucha comodidad, añoramos la vida en el campo.
9. Manuel – Querríamos regresar allá después de retirarnos.

B1 PRESENTACIÓN

■ **Logo que,** *después de que* es seguido de un verbo en indicativo.

moravam	[morávãu]	*vivían*
tínhamos	[tiñamus]	*teníamos*
era	[éra]	*él era, yo era, era*
dava para	[dáva pára]	*con vista hacia*
o aluguel	[u aluguéu]	*el alquiler*
o aumento	[u aumẽtu]	*el aumento*
o engarrafamento	[u ẽgajafamẽtu]	*el embotellamiento*
o prédio	[u prédchiu]	*el edificio*
o elevador	[u elevadôj]	*el elevador*
incômodo	[ĩkomodu]	*molesto*

■ Atención: **Deixar,** *dejar* y **deixar de,** *dejar de.*
Resolver, *decidir* es seguido directamente por el infinitivo.

B2 APLICACIÓN

1. Manuel – Vocês também moraram muito tempo fora do Rio?
2. Ana – Moramos vários anos numa casa nos arredores do Rio.
3. Isabel – Onde vocês moravam?
4. Pedro – Nós tínhamos uma casa à beira-mar, a uns vinte quilômetros.
5. Ana – Era uma casa muito agradável que dava para o mar. Nós púnhamos a mesa no terraço, e estávamos quase na praia.
6. Manuel – E por que deixaram uma casa tão agradável?
7. Ana – O aluguel era muito caro, e era incômodo para o Pedro, que trabalha numa empresa do Rio.
8. Pedro – Com o aumento da gasolina e os engarrafamentos na estrada, eu deixei de vir de carro. Eu ia e vinha de ônibus; nas horas de pique, havia muita gente.
9. Ana – Logo que os nossos filhos foram para o colégio, resolvemos ir para o Rio.
10. Pedro – Alugamos um apartamento no último andar dum prédio, embora eu não goste de elevadores.
11. Manuel – E assim continuam a ver o mar, mas de longe!

B3 NOTAS

■ Cuatro verbos son irregulares en copretérito del indicativo:
ter (tener), **ser** (ser), **vir** (venir) y **por** (poner).

(eu)	tinha	era	vinha	punha
(ele)	tinha	era	vinha	punha
(nós)	tínhamos	éramos	vínhamos	púnhamos
(eles)	tinham	eram	vinham	punham

Atención:

venha, *que yo venga* y **vinha**, *yo venía*, etc.
ponha, *que yo ponga* y **punha**, *yo ponía*, etc.

■ Observar el copretérito de **ir**, *ir*: **ia, ias, ia,** etc.

B4 TRADUCCIÓN

1. Manuel – ¿Ustedes también han vivido mucho tiempo fuera de Río?
2. Ana – Sí, vivimos por varios años en una casa en los alrededores de Río.
3. Isabel – ¿Dónde vivían?
4. Pedro – Teníamos una casa a la orilla del mar, a veinte kilómetros.
5. Ana – Era una casa muy agradable con vista hacia el mar. Poníamos la mesa en la terraza y estábamos casi sobre la playa.
6. Manuel – ¿Por qué dejaron una casa tan agradable?
7. Ana – El alquiler era muy caro, y era molesto para Pedro que trabaja en una empresa de Río.
8. Pedro – Con el aumento de la gasolina y los embotellamientos en la carretera, dejé de venir en coche. Iba y venía en autobús; en las horas pico, había mucha gente.
9. Ana – Después que nuestros hijos se fueron al colegio, decidimos venir a Río.
10. Pedro – Alquilamos un apartamento en el último piso de un edificio, aunque no me gustan los elevadores.
11. Manuel – Así siguen viendo el mar, ¡pero de lejos!

1. **Traducir:**
   a) Quando eu tinha tempo, ia passear.
   b) Embora eu não goste de elevadores, moro num prédio de vinte andares.

2. **Pasar al copretérito:**
   a) Quando ele sai, vem sempre me visitar.
   b) Quando eu estou cansado, vou me deitar.
   c) Nós temos de arranjar uma outra solução.
   d) A vida numa cidade industrial não é fácil.

3. **Llenar los vacíos con la forma verbal (3ª pers. sing.):**
   a) (sair) - Quero que ele . . . cedo.
   b) (pôr) - Quando fazia bom tempo, ela. . . a mesa no jardim.
   c) (vir) - Espero que ele . . . comigo. Ela . . . quando podia.
   d) (sair) - Quando ele estava no campo, . . . muito.
   e) (pôr) - Quero que ela. . . a mesa na varanda.

4. **Pronunciar:**
   É preciso que você saia cedo. Eu saía cedo quando ia trabalhar.

C2 RECREACIÓN Y VOCABULARIO

■ **A quinta,** *casa de campo,* con un huerto y campo, cuyas dimensiones pueden ser muy variables. Esta palabra puede a veces traducirse por *finca.* **O hóspede,** *el huésped.*

■ **Estar hospedado numa casa particular,**	*estar hospedado en una casa particular.*
■ **Uma casa portuguesa (canção popular)**	*Una casa portuguesa (canción popular)*
Numa casa portuguesa fica bem pão e	*A una casa portuguesa le cuadra*
vinho sobre a mesa. E se à porta	*tener pan y vino sobre la mesa. Y*
humildemente bate alguém senta-se à	*si alguien humildemente toca a la*
mesa com a gente. Fica bem esta franqueza,	*puerta, se sienta a la mesa con uno.*
fica bem, que o povo nunca desmente. . .	*Conviene esta hospitalidad,sí conviene, que la gente jamás niega...*

1.
- a) Cuando tenía tiempo, iba a pasearme.
- b) Aunque no me gustan los elevadores, vivo en un edificio de veinte pisos.

2.
- a) Quando ele **saía, vinha** sempre visitar-me.
- b) Quando eu **estava** cansado, **ia** deitar-me.
- c) Nós **tínhamos** de arranjar uma outra solução.
- d) A vida numa cidade industrial não **era** fácil.

3.
- a) Quero que ele **saia** cedo.
- b) Quando **fazia** bom tempo, ela **punha** a mesa no jardim.
- c) Espero que ele **venha** comigo. Ela **vinha** quando podia.
- d) Quando **estava** no campo, ela **saía** muito.
- e) Quero que **ponha** a mesa na varanda.

4.
[**é** presizu ke vôsê **sáia** sêdu. **êu** saia sêdu **kuãdu** ia traba**lyáj**].

C4 VOCABULARIO

- ■ **Casa particular,** *residencia, casa particular.*
- ■ **Casarão** o **mansão,** *gran residencia burguesa.*
- ■ **Chácara,** *casa de campo,* o en el suburbio, con un huerto.
- ■ **Fazenda,** *una gran propiedad.*

■ **Uma casa brasileira (canção)**	*Una casa brasileña (canción)*
Era uma casa muito engraçada, não tinha	*Era una casa muy divertida, no tenía*
teto, não tinha nada, ninguém podia entrar	*techo, no tenía nada, nadie podía*
nela, não, porque na casa não tinha chão,	*entrar en ella, porque la casa no tenía*
ninguém podia dormir na rede porque a	*suelo; nadie podía dormir en la*
casa não tinha parede...	*hamaca, porque la casa no tenía paredes. . .*

(Vinicius de Moraes)

A1 PRESENTACIÓN

vindo	[vĩdu]	*venido, viniendo*
partido	[pajchidu]	*partido*
acontecer	[akõtesêj]	*suceder, pasar*
marcar un encontro	[majkár ũ ẽkõtru]	*hacer una cita*
perder o contrato	[pejdêr u kõtrátu]	*perder el contrato*
despedir-se	[dispidij-si]	*ser despedido*
a carona	[a karona]	*el aventón*
a rodovia	[a jodovia]	*la autopista*
o empresário	[u ẽprezáriu]	*el empresario*
o pessoal	[u pesuáu]	*el personal*
a firma	[a fijma]	*la empresa*
a vantagem	[a vãtáyẽy]	*la ventaja*
alemão [ães]	[alemáu]	*alemán*

■ **Despedir-se**, *ser despedido;* **despedir alguém,** *echar a alguien.* **Ser** (o **estar**) **despedido,** *ser despedido.*

■ **Encontrar:** *encontrar* (a alguien), **achar** (alguna cosa).

■ La expresión: **passar de meio dia,** *ser más de medio día.*

A2 APLICACIÓN

1. Pedro – Você sabe o que me aconteceu uma vez?
2. O despertador não tocou. Saí de casa tarde e quando cheguei o ônibus já tinha partido.
3. Quis ir de carona, porque é mais rápido. Os empresários argentinos tinham vindo, e tinham marcado um encontro para aquela manhã.
4. Demorei porque tive dificuldade em encontrar um carro. Além disso, tinham fechado o trânsito na rodovia e tivemos de dar uma volta maior.
5. Quando cheguei ao escritório, já passava de meio dia.
6. Os empresários estrangeiros, que tinham esperado toda a manhã, tinham saído furiosos, sem se despedir do pessoal.
7. E eu perdi o contrato, e só não fui despedido porque fazia parte da direção da firma, havia muitos anos.
8. Manuel – Acho que viver em São Paulo tem suas vantagens!

A3 NOTAS

■ **El antecopretérito:** hay dos antecopretéritos. El más común es el antecopretérito compuesto por el copretérito de **ter (tinha)** + participio (invariable).

esperar, *esperar:* **tinham esperado,** *habían esperado.*
vir, *venir:* **tínhamos vindo,** *habíamos venido.*

■ Empleo de **por** + un verbo en infinitivo. Significa *porque:* **por fazer bom tempo, saio,** *porque hace buen tiempo, salgo.*

■ El verbo **despedir,** *echar* se conjuga como el verbo **pedir,** *pedir* (ver lección 21).

■ El **participio** es indicado por **ado** (en lugar de **ar** del infinitivo) o **ido** (en lugar de **er** o **ir**):
dar, *dar* - **dado,** *dado*
comer, *comer* - **comido,** *comido*
partir, *partir, romper* - **partido,** *partido, roto.*

Atención: participio irregular: **vir,** *venir;* **vindo,** *venido.*

A4 TRADUCCIÓN

1. Pedro – ¿Sabes lo que me pasó una vez?
2. El despertador no sonó. Salí de la casa tarde y cuando llegué a la estación el autobús ya había partido.
3. Quise ir en aventón, porque es más rápido. Los directores de una empresa argentina habían venido y habían hecho una cita para aquella mañana.
4. Me tardé porque tuve dificultad en encontrar un coche. Además, habían cerrado la circulación en la autopista y tuvimos que hacer una vuelta más grande.
5. Llegué a la oficina después de medio día.
6. Los directores extranjeros que habían esperado toda la mañana habían salido furiosos, sin despedirse del personal.
7. Y yo perdí el contrato, y no me despidieron sólo porque formo parte de la dirección de la empresa desde hace muchos años.
8. Manuel – ¡Creo que vivir en São Paulo tiene sus ventajas!

B1 PRESENTACIÓN

impedir	[ĩpe**dchij**]	*impedir*
aberto	[ab**é**jtu]	*abierto*
avisado	[avi**zá**du]	*avisado*
lido	[**li**du]	*leído*
feito	[**fèi**tu]	*hecho*
escrito	[es**kri**tu]	*escrito*
resolvido	[jesou**vi**du]	*resuelto, decidido*
o balcão [ões]	[u bau**kãu**]	*el mostrador*
de antemão	[dchi ãte**mãu**]	*de antemano*
nem...	[**nẽy**]	*ni... aun*
impaciente	[ĩpa**siê**chi]	*impaciente*

■ Falsos amigos: **o balcão,** *el mostrador,* pero **a sacada,** *el balcón.*

■ Los demostrativos indican un acercamiento o alejamiento en el tiempo (ver lección 13, A2):

nestes dias, *en estos días;* **nessa manhã,** *en aquella mañana;* **naquele dia de greve,** *en aquel día de huelga* (lejano).

B2 APLICACIÓN

1. A greve tinha-o impedido de chegar às nove horas.
2. Às dez horas o banco estava aberto, mas os empregados não tinham atendido nenhum cliente.
3. Havia muita gente no balcão. Os clientes estavam impacientes.
4. Foram avisados de que não valia a pena esperar.
5. Os jornais tinham anunciado de antemão os motivos da greve.
6. Mas nem toda a gente os havia lido.
7. Naquele dia de greve, quase todas as lojas tinham ficado fechadas.
8. Os transportes não estavam completamente parados.
9. Mas muitos motoristas tinham feito greve.
10. Naquele dia eu tinha resolvido ficar em casa e tinha escrito cartas.

B3 NOTAS

■ **Concordancia del participio:**

■ Con **ser** o **estar**, el participio concuerda en género y número con el sujeto del verbo:

os bancos estão fechados, os bancos foram fechados, *los bancos están cerrados, los bancos fueron cerrados.*

■ Con **ter**, el participio es invariable:

os patrões tinham despedido vários empregados, *los patrones habían despedido a varios empleados.*

■ **El lugar del pronombre personal complemento** cuando el verbo está en el antecopretérito:

■ se coloca después del auxiliar **ter**, en los casos en que el pronombre debe estar colocado después del verbo (lección 21, A1, A3):

a greve tinha-o impedido, *la huelga lo había impedido.*

■ se coloca antes del auxiliar **ter** en los casos en que normalmente está antes del verbo (ver lección 31):

ele não o tinha avisado, *él no lo había avisado.*

■ El **antecopretérito** se forma siempre con **ter** (en copretérito), aunque sea otro el auxiliar usado en español:

tinha ido, *había ido;* **tinha falado,** *había hablado.*

■ Atención: **nem... nem...,** *ni ... ni;* **nem sequer...,** *ni siquiera;* **nem... ni, no,** *aún.*

B4 TRADUCCIÓN

---

1. La huelga le había impedido llegar a las nueve.
2. A las diez el banco estaba abierto, pero los empleados no habían atendido a ningún cliente.
3. Había mucha gente en el mostrador. Los clientes estaban impacientes.
4. Fueron avisados de que no valía la pena esperar.
5. Los periódicos habían anunciado con anticipación los motivos de la huelga.
6. Pero no toda la gente los había leído.
7. En aquel día de huelga, casi todas las tiendas habían cerrado.
8. Los transportes no estaban completamente parados.
9. Pero muchos choferes habían hecho huelga.
10. Aquel día había decidido quedarme en la casa y había escrito algunas cartas.

1. **Traducir:**
   a) Naquele tempo, eles tinham despedido muitos empregados.
   b) Nesse verão, eles tinham vindo passar uns dias conosco.

2. **Pasar el verbo al antecopretérito:**
   a) Eu leio este livro com interesse.
   b) Você faz greve com os outros.
   c) Eles vêm atrasados.
   d) Nós abrimos a porta.
   e) Você se despede dos seus amigos.

3. **Pasar las oraciones a la forma afirmativa:**
   a) Eu não os tinha visto.
   b) Penso que não lhes tinha contado isso.
   c) Não os tínhamos encontrado.
   d) Não as tinham avisado que havia greve.

4. **Traducir:**
   a) Ellos habían llegado tarde.
   b) La circulación en la autopista estaba cerrada.
   c) Se habían levantado temprano y ahora estaban cansados.

C2 VOCABULARIO

■ **Expresiones de tiempo** seguidas del indicativo:
depois que, *después que*
na altura em que, no momento em que, *en el momento en que*
sempre que, cada vez que, *cada vez que*
todas as vezes que, *todas las veces que*
desde que, *después que* (Atención: **desde que** + subjuntivo = *con tal que*)
ao mesmo tempo que, *al mismo tiempo que*
à medida que, *a la medida que*
enquanto, *mientras*   **enquanto leio,** *mientras leo*
logo que, *tan pronto como*   **mal** + verbo = *apenas*
mal me viu, fugiu, *apenas me vió, se escapó*

■ **Expresiones de tiempo** + subjuntivo:
antes que, *antes de que* - **assim que,** *tan pronto* - **até que,** *hasta que* - **na próxi-ma vez que,** *en la próxima vez que.*

1.

   a) En aquel tiempo, habían despedido a muchos empleados.
   b) En ese verano, ellos habían venido a pasar algunos días con noso-
      tros.

2.

   a) Eu **tinha lido** este livro com interesse.
   b) Você **tinha feito** greve com os outros.
   c) Eles **tinham vindo** atrasados.
   d) **Tínhamos aberto** a porta.
   e) Você **tinha se despedido** dos seus amigos.

3.

   a) Eu **os** havia visto.
   b) Penso que eu tinha **lhes** contado isso.
   c) Nós **os** havíamos encontrado.
   d) Eles **as** haviam avisado que havia greve.

4.

   a) Eles tinham chegado atrasados.
   b) O trânsito estava fechado na rodovia.
   c) Eles tinham se levantado cedo e agora estavam cansados.

C4 GRAMÁTICA:

El antecopretérito se forma a veces con el copretérito del auxiliar **haver,**
pero es más frecuente el uso del auxiliar **ter.**
Eu havia saído   eu tinha saído (más usado)

■ **Vocabulario:**

● BRAS. **pedir carona,** *pedir aventón* PORT. **pedir boleia**

● **O pessoal** designa *a los empleados de una empresa,* pero también es utilizado para designar a *los amigos, los miembros de la familia.* Ese uso familiar
también existe en Portugal.

A1 PRESENTACIÓN

Estar + gerundio indica una acción que dura, que se está realizando: **você estava dormindo,** *tú dormías o tú estabas durmiendo.*

quis	[kis]	*yo quise, él quiso*
tomar um banho	[tomár ũ **bá**ñu]	*bañarse*
cozinhar	[kuzi**ñáj**]	*cocinar*
tirar fotografias	[chi**ráj** fotografias]	*tomar fotos*
o banheiro	[u ba**ñê**iru]	*el baño, el tocador*
o banho	[u **bá**ñu]	*el baño*
o dente	[u **dê**chi]	*el diente*
o guia	[u **gui**a]	*el guía*
a planta	[a **plã**ta]	*la planta*

■ Falsos amigos: *el plan,* **o plano, o planejamento;** *el plano,* **o plano, a planta** (de una casa, edificio, etc.).

A2 APLICACIÓN

1. Ela não quis vir conosco porque estava trabalhando.
2. Eu não quis entrar no quarto porque você estava dormindo.
3. Você não pôde entrar no banheiro porque eu estava tomando banho.
4. Ele não podia responder porque estava escovando os dentes.
5. Quando você está estudando, eu vejo a televisão.
6. Eles não quiseram ficar porque você estava ouvindo música.
7. Ela arruma a sala de jantar, enquanto a mãe está cozinhando.
8. A cabeleireira falava, enquanto estava penteando o cabelo.
9. O guia estava mostrando o mapa da cidade, enquanto os turistas tiravam fotografias.
10. Por que você não quis vestir a capa de chuva? Estava chovendo quando você saiu.
11. Agora você está se molhando porque também não tem guarda-chuva.

A3 NOTAS

■ El gerundio está representado de dos formas en portugués:
– una forma compuesta: preposición **a** + infinitivo (que sólo se usa en Portugal): **a comer,** *comiendo*
– una forma simple (usada en Brasil), que se obtiene remplazando **ar, er, ir** del infinitivo por:
– **ando** (1ª conjugación) - **cantar** → **cant-ando,** *cantando.*
– **endo** (2º grupo) - **comer** → **com-endo,** *comiendo.*
– **indo** (3ª conjugación) - **partir** → **part-indo,** *partiendo.*
Esas formas de gerundio son invariables.

■ El pretérito irregular de **querer,** *querer:*
quis, *yo quise*   **quisemos,** *nosotros quisimos*
quis, *él quiso*   **quiseram,** *ellos quisieron*

A4 TRADUCCIÓN

1. Ella no quiso venir con nosotros porque estaba trabajando.
2. Yo no quise entrar en el cuarto porque estabas durmiendo.
3. No pudiste entrar al baño porque yo me estaba duchando.
4. Él no podía contestar porque estaba lavándose los dientes.
5. Cuando estás estudiando, yo veo la televisión.
6. No quisieron quedarse porque estabas escuchando música.
7. Ella arregla el comedor mientras la madre cocina.
8. La peluquera hablaba mientras arreglaba el cabello.
9. El guía mostraba el plano de la ciudad mientras los turistas tomaban fotos.
10. ¿Por qué no quisiste ponerte el impermeable? Llovía cuando saliste.
11. Ahora te estás mojando porque tampoco tienes paraguas.

B1 PRESENTACIÓN

tomar um banho	[tomár ũ báñu]	*bañarse*
vigiar	[viyiáj]	*vigilar*
soprar	[sopráj]	*soplar*
estava nadando	[eshtáva nadãdu]	*él nadaba*
estivéssemos	[eshchivésemus]	*estuviéramos*
o maiô, o biquine	[u maiô, u bikini]	*el traje de baño*
o banhista	[u bañista]	*el bañista*
a bandeira	[a bãdêira]	*la bandera*
a onda	[a ôda]	*la ola*
a sombra	[a sôbra]	*la sombra*
apesar de + inf.	[apezáj dchi]	*pese a*
cada vez mais	[káda vês máis]	*cada vez más*
como se	[kômu si]	*como si*

B2 APLICACIÓN

1. Quando cheguei à praia, ela estava tomando um banho de sol. Tinha chegado cedo.
2. Vesti meu maiô e fui para a beira-mar.
3. As crianças estavam brincando na areia.
4. O salva-vidas andava vigiando os banhistas.
5. Apesar da bandeira amarela, muita gente estava nadando.
6. Eles chegaram tarde; andaram procurando um lugar à sombra para o carro e não conseguiram.
7. Um homem, todo vestido de branco, andava vendendo sorvete.
8. De repente, o mar começou a ficar agitado e as pessoas que estavam tomando banho começaram a sair da água.
9. As ondas eram cada vez mais altas e o vento começou a soprar com força.
10. Começou a chover, como se estivéssemos no inverno.

B3 NOTAS

■ **Andar +** gerundio (ver A3) indica una acción que dura, pero que es considerada en su desarrollo.

Anda estudando, *él estudia* (hace sus estudios).

Anda nadando, *él nada* (está nadando).

Atención: Esas formas perifrásticas que expresan la duración son muy utilizadas. También se puede encontrar **ir** (*ir*), **vir** (*venir*), **ficar** (*quedarse*) en lugar de **estar** (*estar*), pero con los distintos matices aportados por esos verbos: **eu vou caminhando, ele vinha correndo, ela fica pensando**.

■ **El pretérito del subjuntivo** se forma con el radical del pretérito del indicativo (3ª pers. plur. menos **ram**) + las terminaciones **asse** (1ª conjugación), **esse** (2ª conjugación), **isse** (3ª conjugación). Ej.: **cantaram** → **cant-**.

cant-asse	com-esse	estiv-esse
cant-asse	com-esse	estiv-esse
cant-ássemos	com-êssemos	estiv-éssemos
cant-assem	com-essem	estiv-essem

■ **Como se,** *como si* es siempre seguido del pretérito del subjuntivo: **como se estivéssemos,** *como si estuviéramos*.

B4 TRADUCCIÓN

1. Cuando llegué a la playa, ella estaba asoleándose. Había llegado temprano.
2. Me puse mi traje de baño; fui a la orilla del mar.
3. Los niños estaban jugando en la arena.
4. El salvavidas vigilaba a los bañistas.
5. Pese a la bandera amarilla, mucha gente nadaba.
6. Ellos llegaron tarde; buscaron un lugar en la sombra para el coche, pero no lograron encontrarlo.
7. Un hombre, todo vestido de blanco, vendía helados.
8. De pronto, el mar empezó a agitarse; las personas que se estaban bañando empezaron a salir del agua.
9. Las olas estaban cada vez más altas, y el viento empezó a soplar con fuerza.
10. Empezó a llover, como si estuviéramos en invierno.

1. **Traducir:**
   a) Nós não quisemos ir com ele porque estávamos trabalhando.
   b) Eles não puderam sair porque você andava passeando.

2. **Pasar al pretérito:**
   a) Eu quero viajar mas não posso.
   b) Ele pode fazer o que quer.
   c) Eu ponho uma capa; ela põe um casaco.
   d) Ele vai e vem de trem.

3. **Pasar el verbo a la forma que indique la duración:**
   a) Hoje ele trabalha; agora lê.
   b) Ele estuda na faculdade.
   c) As crianças brincavam na rua.

4. **Dar el gerundio simple de los siguientes verbos:**
   vigiar chover sair soprar vir.

5. **Traducir:**
   a) Él llegó tarde porque había embotellamientos.
   b) Él no logró encontrar un lugar para estacionar su coche.
   c) Sucede que llueve en Brasil en invierno.

C2 VOCABULARIO Y RECREACIÓN

O boletim meteorológico, *el boletín meteorológico*

chover, *llover*	**nevar,** *nevar*
chove, *llueve*	**neva,** *nieva*
a chuva, *la lluvia*	**a neve,** *la nieve*
o chuveiro, *la ducha* (objeto)	**secar,** *secar*
a nuvem, *la nube*	**enxugar,** *secar*
o nevoeiro, *la niebla*	**a neblina,** *la neblina*
a trovoada, *el trueno*	**o céu nublado,** *el cielo nublado*
o trovão, *el trueno*	**a geada,** *la helada*
gelar, *helar*	**o sorvete,** *el helado* (para comer)
o gelo, *el hielo*	**o relâmpago,** *el relámpago*
faz vento, *hace aire*	**o raio,** *el rayo*
está calor (frio), faz calor (frio),	**a tempestade,** *la tormenta*
hace calor (frío)	

■ **Anedota,** *chiste* (de *Pão com Manteiga*).

— Como é o seu nome?	*¿Cómo se llama?*
— Fernando.	*– Fernando.*
— Fernando? Então você	*– ¿Fernando? Entonces usted es un gerundio.*
é um gerúndio.	

1.
a) No quisimos ir con él porque estábamos trabajando.
b) No pudieron salir porque estabas paseando.

2.
a) Eu quis viajar, mas não **pude.**
b) Ele **pôde** fazer o que **quis.**
c) Eu **pus** um impermeável; ela **pôs** um casaco.
d) Ele **foi** e **veio** de trem.

3.
a) Hoje ele **está trabalhando;** agora **está lendo.**
b) Ele **anda estudando** na faculdade.
c) As crianças **andavam** (o **estavam**) **brincando** na rua.

4.
Vigiando – chovendo – saindo – soprando – vindo.
Atención: **vindo** significa *venido* (part.) o *viniendo* (gerundio).

5.
a) Ele chegou tarde porque havia engarrafamentos.
b) Não conseguiu lugar para estacionar o carro.
c) Acontece que chove no Brasil no inverno.

C4 GRAMÁTICA

■ **Gramática:** la duración se expresa con **estar** (o **andar**) + el gerundio simple:

Está lloviendo,
BRAS. **Está chovendo**   PORT. **Está a chover.**

Vocabulario:

BRASIL		PORTUGAL
o **banheiro**	*el cuarto de baño*	*el salvavidas*
o **maiô**	*el traje de baño*	o **fato de banho**
o **sorvete,**	*el helado, la paleta*	o **gelado** (existe también
o **picolé**	*helada*	**sorvete,** pero es poco usado)
tomar um banho ⎫	*tomar una ducha*	**tomar um banho de chuveiro,**
tomar uma ducha ⎭		**tomar um duche**

A garoa, *lluvia muy fina* (especie de llovizna) de São Paulo.
Aguaceiro, *chubasco.* Lluvia violenta y brutal como la que cae en la costa del Noreste, en invierno (julio).
A seca, *sequía* (asola al interior del Nordeste brasileño, llamado **sertão,** durante meses, o hasta años).

A1 PRESENTACIÓN

■ **La voz pasiva** : **ser** + el participio del verbo.

■ **por** introduce el complemento del agente (si está expresado): **a casa é construída pelo arquiteto,** *la casa es construida por el arquitecto;* **o arquiteto constrói a casa,** *el arquitecto construye la casa.*

fôssemos	[fôsemus]	*que nosotros fuéramos*
paga	[**pá**ga]	*pagada*
entregue	[ẽ**tré**gui]	*entregada*
convidar	[kõvi**dáj**]	*invitar*
atropelar	[atrupe**láj**]	*atropellar*
a mudança	[a mu**dã**sa]	*la mudanza*
as despesas	[as dchis**pê**zas]	*los gastos*
a companhia	[a kõpa**ñi**a]	*la compañía*
o convite	[u kõ**vi**chi]	*la invitación*
o aniversário	[u añivej**sá**riu]	*el cumpleaños*
o vizinho	[u vi**zi**ñu]	*el vecino*
o caminhão [ões]	[u ka**mi**ñãu]	*el camión*
no entanto	[nu ẽ**tã**tu]	*sin embargo*

A2 APLICACIÓN

1. A casa foi construída por um arquiteto conhecido.
2. O arquiteto construiu a casa por um preço barato.
3. As despesas da mudança foram pagas pela companhia.
4. A companhia paga sempre as mudanças do pessoal.
5. A ligação foi atendida pela empregada.
6. A empregada costuma atender as ligações quando eu não estou em casa.
7. O convite lhe foi entregue pelo carteiro.
8. O carteiro entrega as cartas de manhã cedo.
9. Nós fomos convidados pelos nossos amigos para o aniversário de seu filho.
10. Os meus vizinhos costumam convidar-nos, como se fôssemos da família.
11. O pedestre foi atropelado por um caminhão.
12. No entanto, o motorista deste caminhão é prudente; nunca tinha atropelado ninguém.

A3 NOTAS

■ La **i** de la terminación del participio **ido** lleva un acento agudo cuando aquél sigue a una vocal:
saído, [saidu], *salido,* **construído** [kõshtruidu].

■ Verbos con dos participios: **soltado, solto; prendido, preso.**

■ **Construir,** *construir,* algunas irregularidades:
PRES. INDIC.: **(tu) construís, (ele) constrói, (eles) constroem.**

■ El pretérito del subjuntivo (común) de **ser** *(ser)* e **ir** *(ir)*:
fosse, fosse, fôssemos, fossem.

A4 TRADUCCIÓN

1. La casa fue construida por un arquitecto conocido.
2. El arquitecto construyó la casa a un precio barato.
3. Los gastos de mudanza fueron pagados por la compañía.
4. La compañía paga siempre los gastos de mudanza de su personal.
5. La llamada telefónica fue contestada por la sirvienta.
6. La sirvienta acostumbra contestar las llamadas cuando no estoy en la casa.
7. La invitación le fue entregada por el cartero.
8. El cartero entrega las cartas en la mañana temprano.
9. Hemos sido invitados por nuestros amigos al cumpleaños de su hijo.
10. Mis vecinos acostumbran invitarnos, como si fuéramos de la familia.
11. El peatón fue atropellado por un camión.
12. Sin embargo, el chofer de ese camión es prudente; jamás había atropellado a alguien.

B1 PRESENTACIÓN

■ Un mismo participio, empleado con **ser** o **estar**:
— con **ser**, indica una acción pasiva: la acción indicada por el verbo es realizada por un agente (el complemento de agente que puede estar expresado o subentendido);
— con **estar**, indica el resultado de una acción anterior.

A casa foi construída, *la casa ha sido construida.*
A casa já está construída, *la casa ya está construida.*

feito	[fêitu]	*hecho*
posto	[pôshtu]	*puesto, colocado*
reunir	[jeunij]	*reunir*
a reserva	[a jeséjva]	*la reservación*
o prospecto	[u prospéktu]	*el folleto*
a assembléia	[a asẽbléia]	*la asamblea*

■ Observar: **pagar em dinheiro,** *pagar en efectivo.*

B2 APLICACIÓN

1. A casa foi construída há muito tempo.
2. A casa está construída à beira-mar. Eu vou lá muitas vezes.
3. A reserva dos lugares foi feita na semana passada.
4. A reserva dos lugares já está feita.
5. A conta é sempre paga em dinheiro.
6. A conta está paga, não se preocupe.
7. Os artigos desta loja são vendidos por um preço alto.
8. Este artigo já está vendido.
9. Os prospectos foram distribuídos esta manhã.
10. Os prospectos estão todos distribuídos. Já não há mais.
11. Me avisaram que as encomendas são entregues de manhã.
12. As encomendas já estão entregues.
13. A mesa foi posta ao meio dia.
14. Quando eu chego ao meio dia, a mesa está posta.
15. Ao entrar na sala, ele viu que uma assembléia estava reunida.
16. Ninguém o havia avisado.

B3 NOTAS

Participios irregulares:
fazer, *hacer* → **feito,** *hecho* - **pôr,** *poner* → **posto,** *puesto*

■ **Ao** + **infinitivo:** se traduce en español *al* + infinitivo o se traduce en **gerundio** cuando hay dos acciones simultáneas, una de las cuales es muy breve: **ao entrar, ele viu...** *entrando, él vió...* o *al entrar, él vió...*

B4 TRADUCCIÓN

1. La casa fue construida hace mucho.
2. La casa fue construida a la orilla del mar. Voy allá muchas veces.
3. Se hizo la reservación de los lugares la semana pasada.
4. Ya se hizo la reservación de los lugares.
5. Siempre se paga la cuenta en efectivo.
6. La cuenta está pagada, no se preocupe.
7. Los artículos de esta tienda se venden a un precio elevado.
8. Este artículo ya está vendido.
9. Los folletos se han repartido en la mañana.
10. Los folletos están todos repartidos. Ya no hay más.
11. Me avisaron que los paquetes se entregan en la mañana.
12. Los paquetes ya fueron entregados.
13. Se puso la mesa al medio día.
14. Cuando llego al medio día, la mesa ya está puesta.
15. Al entrar a la sala, vió que estaba reunida una asamblea.
16. Nadie le había avisado.

1. **Traducir:**
   a) O carteiro tinha entregue as cartas; as cartas foram entregues ao seu destinatario.
   b) Não se preocupe, a conta está paga. A conta foi paga por mim.

2. **Pasar a la voz pasiva:**
   a) Minha amiga escreve uma carta.
   b) A telefonista fez uma ligação.
   c) O carteiro distribui as cartas.
   d) A empregada põe a mesa.

3. **Completar con ser o estar:**
   a) Não se preocupe, a reserva já . . . feita.
   b) As despesas . . . pagas pela empresa.
   c) O postal . . . mal escrito. Não consigo lê-lo.
   d) A reserva. . . feita a tempo.
   e) As despesas . . . pagas quando eu cheguei.

4. **Traducir:**
   a) Al abrir la puerta, vi a los amigos que me esperaban.
   b) Todos los pasteles ya están vendidos: ya no hay más.

5. **Pronunciar:**
   O carteiro distribui as cartas; as encomendas são distribuídas.

C2 VOCABULARIO Y RECREACIÓN

■ Algunos verbos que tienen un participio irregular:
– verbos de los cuales sólo se usa el participio irregular:
dizer (*decir*) → **dito** (*dicho);* **ver** (*ver*) → **visto** (*visto*); **cobrir** (*cubrir*) → **coberto** (*cubierto*);
– verbos que tienen dos formas de participio: **aceitar** (*aceptar*) → **aceitado** (r.), → **aceito** (ir.) (*aceptado*); **acender** (*prender fuego, luz,* etc.) → **acendido** (r.), **aceso** (ir.) (*prendido*).

■ **Anedota,** *chiste.*

– Minha mulher é um caso sério. Quer ver tudo que compro.
– Pois a minha é pior: quer comprar tudo que vê!

– *Mi mujer es un problema. Quiere ver todo lo que compro.*
– *Pero la mía es peor: ¡quiere comprar todo lo que ve!*

1.

    a) El cartero había entregado las cartas; las cartas fueron entregadas a su destinatario.

    b) No se preocupe, la cuenta está pagada. La cuenta fue pagada por mí.

2.

    a) Uma carta é escrita pela minha amiga.

    b) Uma ligação foi feita pela telefonista.

    c) As cartas são distribuídas pelo carteiro.

    d) A mesa é posta pela empregada.

3.

    a) Não se preocupe, a reserva já **está** feita.

    b) As despesas **são** pagas pela empresa.

    c) O postal **está** mal escrito. Não consigo lê-lo.

    d) A reserva **foi** feita a tempo.

    e) As despesas **estavam** pagas quando eu cheguei.

4.

    a) Ao abrir a porta, vi os amigos que estavam me esperando.

    b) Todos os bolos já estão vendidos. Não há mais.

5.

    [u kaj**têi**ru dishtri**bui** as **káj**tas; az ẽku**mẽ**das **sãu** dishtribu**i**das].

C4 EL PORTUGUÉS DE PORTUGAL - RECREACIÓN

■ **BRASIL**

BRASIL		PORTUGAL
assembléia	*asamblea*	**assembleia**
o caminhão	*el camión*	**o camião**
o pedestre	*el peatón*	**o peão**

■ **Poema,** *poema,* de Millôr Fernandes.

Era um homem bem vestido	*Era un hombre bien vestido*
foi beber no botequim	*fue a tomar en una cantina*
Bebeu muito, bebeu tanto	*Tomó mucho, tomó tanto*
que	*que*
s i	*s l ó*
a u e	*a i e*
d á	*d l á*
l	*a l*
a s m	*a í*
s i .	*s .*

A1 PRESENTACIÓN

■ **se + futuro del subjuntivo** indica la eventualidad de una acción futura. Ese tiempo no se utiliza en ninguna otra lengua romance. Se traduce en otros idiomas por el **presente del indicativo.**

esqueceres	[iskêsêris]	*olvidas*
tivermos	[chivéjmus]	*tenemos*
pudermos	[pudéjmus]	*podemos*
estar em condições	[eshtár ẽy kõdchisõis]	*estar en condiciones*
esquentar	[iskẽtáj]	*calentar*
o ouvinte	[u ôvĩchi]	*el oyente*
o pelotão	[u pelôtãu]	*la brigada, el pelotón*
a revisão	[a jevizãu]	*la revisión*
o problema	[u problema]	*el problema*
o mecânico	[u mekáñiku]	*el mecánico*
o alojamento	[u aloyamẽtu]	*el alojamiento*
seja onde for	[sêya õdchi fôj]	*donde sea*
desde que + subj.	[dêshdchi ke]	*con tal que*

A2 APLICACIÓN

1. O rádio – Senhor ouvinte, se sair de carro no próximo fim de semana, saia cedo.
2. Ana – Você está ouvindo?
3. Pedro – Estou. Mas se toda a gente seguir os conselhos do pelotão de trânsito, vai haver engarrafamento na ponte.
4. Ana – O carro estará em condições?
5. Pedro – Não sei; precisa duma revisão; o motor esquenta.
6. Ana – Se você não se esquecer de pôr gasolina, não teremos os problemas da semana passada.
7. Pedro – Se eu chegar na oficina a tempo, eu deixo o carro ao mecânico.
8. Ana – Se nós tivermos tempo, e se pudermos arranjar alojamento, vamos até Petrópolis.
9. Pedro – Eu quero ir seja aonde for, desde que saia daqui.

A3 NOTAS

■ **se,** *si*: se pronuncia **si**: **se eu tiver tempo** [si **êu** chivéj tẽpu], *si tengo tiempo;* **se nós conseguirmos hospedagem** [si **nós** kõsi**gui**jmus ospe**dá**yẽy], *si conseguimos alojamiento.*

■ **El futuro del subjuntivo:** se forma con el radical del pretérito (3ª per. plural menos **am**) + las terminaciones propias de ese tiempo. Los verbos irregulares en el pretérito también lo son en ese tiempo (ej.: **poder,** *poder;* ver tabla p. 247).

falar-**am**	comer-**am**	partir-**am**	for-**am**	tiver-**am**
falar	comer	partir	for	tiver
falar	comer	partir	for	tiver
falarmos	comermos	partirmos	formos	tivermos
falarem	comerem	partirem	forem	tiverem

■ **Empleo:** Ese tiempo, muy utilizado, traduce una acción futura probable en una proposición subordinada introducida por **se,** *si*: **se eu chegar a tempo, deixo o carro na oficina,** *si llego a tiempo, dejaré el coche en el taller.*

Atención: El presente del indicativo de la principal tiene un valor de futuro.

A4 TRADUCCIÓN

1. La radio – Estimado oyente, si sale en coche el próximo fin de semana, salga temprano.
2. Ana – ¿Oyes?
3. Pedro – Sí. Pero si toda la gente sigue los consejos de la brigada de tránsito, va a haber embotellamientos sobre el puente.
4. Ana – ¿Estará el coche en buenas condiciones?
5. Pedro – No sé; necesita revisión; el motor se calienta.
6. Ana – Si no se te olvida poner gasolina, no tendremos los problemas que tuvimos la semana pasada.
7. Pedro – Si llego al taller a tiempo, le dejo el coche al mecánico.
8. Ana – Si tenemos tiempo, y si podemos conseguir alojamiento, vamos hasta Petrópolis.
9. Pedro – Quiero ir a dónde sea, con tal que salga de aquí.

B1 PRESENTACIÓN

■ Después de **quando**, *cuando*, la idea de futuro se expresa con el futuro del subjuntivo.

tiver	[tivéj]	*tenga*
houver	[ôvéj]	*haga*
arrancar	[ajãkáj]	*empezar, arrancar*
funcionar	[fũsyonáj]	*funcionar, caminar*
estiver	[eshchivéj]	*esté*
puser	[puzéj]	*ponga*
falhar	[falyáj]	*fallar, presentar un defecto*
a dificuldade	[a dchifikuudádchi]	*la dificultad*
o freio	[u frêiu]	*el freno*
a bateria	[a bateria]	*la batería*
a vela	[a véla]	*la bujía*
o radiador	[u jadchiadôj]	*el radiador*
o pneu	[u pnêu]	*la llanta, la rueda*
o pneu de estepe	[u pnêu dchi ishtépi]	*la llanta de refacción*
o furo	[u furu]	*el hoyo, la perforación*
pronto	[prõtu]	*listo*

B2 APLICACIÓN

1. Pedro – Quando o senhor tiver tempo, faça uma revisão completa; o carro pega com dificuldade. O motor falha; verifique também os freios.
2. O mecânico – Se tiver muito trabalho, eu não posso fazer a revisão antes da sexta.
3. Pedro – Penso que é preciso mudar a bateria.
4. Mec. – Se a bateria não estiver em bom estado, não podemos mudá-la; neste momento, não temos nenhuma bateria nova na oficina.
5. Se eu puser velas novas, o carro deve funcionar melhor.
6. Pedro – Por favor, não se esqueça de pôr água no radiador, de encher os pneus e de consertar o pneu de estepe, se for preciso. Eu acho que tem um furo.
7. Mec. – Quando o carro estiver pronto, eu lhe telefono.
8. Pedro – Obrigado. Eu venho logo buscá-lo.

B3 NOTAS

■ Futuro del subjuntivo de **haver** (*haber*), **estar** (*estar*), **pôr** (*poner*):

PRETÉRITO	houver-am	estiver-am	puser-am
eu	houver	estiver	puser
ele, você	houver	estiver	puser
nós	houvermos	estivermos	pusermos
eles, vocês	houverem	estiverem	puserem

■ Empleo:
— después de **quando**, *cuando*, expresa una idea de futuro (presente del subjuntivo en español);
— después de **onde**, *donde*, se traduce por el presente del subjuntivo.

Quando tiver tempo, vou mandar fazer uma revisão, *cuando tenga tiempo, mandaré hacer una revisión.*
Seja aonde for, eu vou, *iré adonde sea.*

B4 TRADUCCIÓN

1. Pedro — Cuando tenga tiempo, haga una revisión completa. El coche arranca con dificultad. El motor está fallando; verifique también los frenos.
2. El mecánico — Si hay mucho trabajo, no podré hacer la revisión antes del viernes.
3. Pedro — Creo que es necesario cambiar la batería.
4. Mec. — Si la batería está mal, no podremos cambiarla; en este momento, no tenemos ninguna batería nueva en el taller.
5. Si le pongo bujías nuevas, el coche deberá funcionar mejor.
6. Pedro — Por favor, no se le olvide ponerle agua al radiador, llenar los neumáticos, y reparar el neumático de refacción, de ser necesario. Creo que tiene un hoyo (que está perforado).
7. Mec. — Cuando el coche esté listo, le hablaré por teléfono.
8. Pedro — Gracias. Vendré pronto por él.

1. **Traducir:**
   a) Se houver muito movimento, você não chegará a tempo.
   b) Se você puder, passe pela oficina.
   c) Seja onde for, tenho de mandar fazer uma revisão do carro.
   d) Quando eu tiver tempo, vou fazer uma viagem a Guarujá.

2. **Usar el verbo en futuro del subjuntivo:**
   a) Quando vocês (chegar) . . .. me telefonem.
   b) Se (fazer) . . . bom tempo, vamos à praia.
   c) Quando (ser) . . . sete horas, me acorde.
   d) Se você (poder) . . . venha se encontrar comigo.
   e) Quando vocês (ter) . . . tempo, venham a minha casa.
   f) Se eu (pôr) . . . a capa de chuva hoje, não nos molhamos.
   g) Se (haver) . . . muita gente, você não vai ao cinema.
   h) Quando você (sair) . . ., me avise.

3. **Traducir:**
   a) Cuando lleguen ellos, no se te olvide avisarme.
   b) Si tu motor se calienta, ponle agua al radiador.
   c) Cuando mi coche esté listo, hábleme por teléfono para avisarme.
   d) Si pueden, vayan todos a Argentina.

C2 VOCABULARIO

o tanque de gasolina	el tanque de gasolina
a caixa de marcha	la caja de cambios (velocidades)
o radiador está derramando	el radiador derrama (agua, líquido)
a correia do ventilador	la banda del ventilador
o motor de arranque	el motor de arranque
a embreagem	el embrague
a alavanca de mudança	la palanca de cambio
o acelerador	el acelerador
o tubo de escape	el tubo de escape
o volante	el volante
o pedal	el pedal
o pára-brisas	el parabrisas
o porta-malas	la cajuela, el maletero
o óleo	el aceite
o macaco	el gato

XXXVI ■ **C3** CORRECCIÓN

1.

    a) Si hay mucha circulación, no llegarás a tiempo.
    b) Si puedes, pasa por el taller.
    c) Donde quiera que sea, tengo que mandar hacer una revisión del coche.
    d) Cuando tenga tiempo, voy a hacer un viaje a Guarujá.

2.

    a) Quando vocês **chegarem,** me telefonem.
    b) Se **fizer** bom tempo, vamos à praia.
    c) Quando **forem** sete horas, me acorde.
    d) Se você **puder,** venha se encontrar comigo.
    e) Quando vocês **tiverem** tempo, venham a minha casa.
    f) Se **pusermos** o impermeável hoje, não nos molhamos.
    g) Se **houver** muita gente, você não vai ao cinema.
    h) Quando você **sair,** me avise.

3.

    a) Quando eles chegarem, não se esqueça de me avisar.
    b) Se seu motor esquentar, ponha água no radiador.
    c) Quando meu carro estiver pronto, me telefone para me avisar.
    d) Se vocês puderem, vão todos à Argentina.

C4 EL PORTUGUÉS DE PORTUGAL

■ **Vocabulario:** Las diferencias son numerosas en cuanto al vocabulario del automóvil. Ahí se registra una fuerte influencia americana.

BRASIL		PORTUGAL
encher o tanque	*llenar el tanque*	**encher o depósito**
o estepe [ishtépi]	*neumático de refacción*	**pneu sobresselente**
frear (o **brecar** del inglés brake)	*frenar*	**travar**
o freio o **breque**	*el freno*	**o travão**
a rodovia o **estrada de rodagem**	*la carretera*	**a estrada**
a ferrovia o **estrada de ferro**	*la vía del ferrocarril*	**o caminho de ferro**
embreagem	*embrague*	**embraiagem**
alavanca de câmbio o **de mudança**	*palanca de cambio*	**alavanca de mudanças**

▶ *El subjuntivo*: BRASIL: **subjuntivo** – PORTUGAL: **conjuntivo**.

A1 PRESENTACIÓN

quiser	[kizér]	*si quieres*
saíssemos	[saisemus]	*si saliéramos*
pudesse	[pudési]	*si yo pudiera, o él pudiera*
restar	[jeshtáj]	*quedar* [tiempo que falta]
estar cheio	[eshtáj shêiu]	*estar harto, hastiado*
lamentar	[lamētáj]	*lamentar, sentir*
a pousada	[a pôzada]	*la posada, albergue*
o hotel	[u otéu]	*el hotel*
o recepcionista	[u jesepsioñishta]	*el recepcionista*
o quarto de casal	[u kuájtu dchi kazáu]	*el cuarto matrimonial*
o quarto de solteiro	[u kuájtu dchi soutêiru]	*el cuarto individual*
a cama	[a káma]	*la cama*
a culpa	[a kuupa]	*la culpa*
o pedágio	[u pedáyiu]	*la cuota, el peaje*

A2 APLICACIÓN

1. Pedro – Queríamos um quarto de casal com duas camas.
2. O recepcionista – Lamento, mas não temos quartos de casal, nem de solteiro. A pousada está cheia. É melhor procurar no hotel.
3. Ana – Já fomos lá. Eu nunca pensei que fosse tão difícil arranjar um quarto. Até parece que estamos no verão, e estamos no inverno.
4. Se você quiser, nós podemos voltar para casa.
5. Pedro – Se eu pudesse, voltaria. Mas é tão longe, e eu estou cheio de dirigir.
6. Rec. – Hoje de tarde, ainda tínhamos quartos desocupados.
7. Pedro – Bem que eu lhe disse que saíssemos mais cedo.
8. Ana – A culpa não foi minha. Não fui eu que me atrasei. . .
9. Pedro – Foi o pedágio da ponte que nos atrasou. O locutor tinha razão.
10. Ana – Só nos resta dormir no carro!

A3 NOTAS

■ *Soy yo, eres tú* etc., **sou eu, és tu.**
El verbo concuerda con el pronombre, y el tiempo varía según el contexto:
não fui eu que chamei, *no fuí yo quien llamó.*

■ **El copretérito del indicativo** se usa muchas veces en lugar del
pospretérito: queríamos, *querríamos.*

■ **Pretérito y futuro del subjuntivo** de **querer,** *querer* y **dizer,** *decir* (a partir
del pretérito: **quiseram, disseram**).

	PRET.SUBJ.	FUT.SUBJ.	PRET.SUBJ.	FUT.SUBJ.
eu	quisesse	quiser	dissesse	disser
ele	quisesse	quiser	dissesse	disser
nós	quiséssemos	quisermos	disséssemos	dissermos
eles	quisessem	quiserem	dissessem	disserem

A4 TRADUCCIÓN

1. Pedro – Querríamos una habitación matrimonial, con dos camas.
2. El empleado de la recepción – Lo lamento, pero no tenemos habitaciones matrimoniales ni individuales. La posada está llena. Será mejor buscar en el hotel.
3. Ana – Ya hemos ido allá. Jamás pensé que fuera tan difícil conseguir una habitación. Es como si estuviéramos en verano, y estamos en invierno.
4. Si quieres, podemos regresar a la casa.
5. Pedro – Si pudiera, regresaría. Pero está tan lejos y estoy harto de manejar.
6. Rec. – Hoy en la tarde todavía teníamos cuartos.
7. Pedro – Yo te dije que saliéramos más temprano.
8. Ana – No tengo la culpa. No fuí yo quien se retrasó.
9. Pedro – Fue el peaje del puente lo que nos retrasó. El locutor tenía razón.
10. Ana – Sólo nos queda dormir en el coche.

B1 PRESENTACIÓN

■ **Por mais... que** + verbo en subjuntivo, *por más... que:*
Por mais dinheiro que ganhe, *por más dinero que gane.*
El complemento se coloca entre **mais** y el verbo.

viessem	[**vié**sẽy]	*que ellos vengan, que vinieran*
trouxessem	[trô**sé**sẽy]	*que ellos trajeran, que traigan*
descobrir	[dchisku**brij**]	*descubrir*
poupar	[pô**páj**]	*ahorrar*
cometer erros	[komê**têr** êjus]	*cometer errores*
a terra	[a **té**ja]	*la tierra, el país, la región*
o mapa	[u **má**pa]	*el mapa*
o buraco	[u bu**rá**ku]	*el hoyo*
por mais... que	[**puj máis**... ke]	*por más... que*

B2 APLICACIÓN

1. Embora goste de viajar, eu não saio da minha terra.
2. Embora gostasse de passear, ele saía pouco.
3. Eu gostaria que você conhecesse melhor o nosso país.
4. Eu lhes pedi que viessem e que trouxessem os mapas.
5. Eu quero que você chegue mais cedo.
6. Eu queria que ela voltasse cedo, para ajudar a fazer a mala.
7. Talvez ele saia ainda este ano.
8. Talvez ele saísse, se você fosse comigo.
9. O mecânico me pediu que viesse buscar o carro.
10. O locutor recomendou que saíssemos cedo.
11. Por mais dinheiro que eu ganhe, não consigo poupar.
12. Por mais dinheiro que ele ganhasse, não conseguia poupar.
13. Por mais cuidado que eu tenha, não consigo evitar os buracos da estrada.
14. Por mais cuidado que tivesse, ele continuava a cometer erros.

B3 NOTAS

■ Los verbos **cobrir**, *cubrir* y **descobrir**, *descubrir* se conjugan como **dormir** (ver lección 30, B3).

■ **La concordancia de los tiempos en las proposiciones subordinadas** cuyo verbo está en **subjuntivo** (excepto después de **se**, *si*):
— el subjuntivo va en presente si el verbo de la principal está en presente o futuro del indicativo o en el imperativo:
eu quero que você venha, *quiero que vengas;*
— el subjuntivo va en copretérito si la principal está en un tiempo pasado:
eu queria (quis) que você viesse, *yo quería (quise) que vinieras.*

■ Pretérito y futuro del subjuntivo:
— **trazer**, *traer* (a partir del pretérito **trouxeram**):
Pret. subj.   **trouxesse, trouxesse,** etc.
Fut. subj.   **trouxer, trouxer,** etc.

— **vir**, *venir* (a partir del pretérito **vieram**):
Pret. subj.   **viesse, viesse,** etc.
Fut. subj.   **vier, vier,** etc.

B4 TRADUCCIÓN

1. Aunque me gusta viajar, no salgo de mi tierra.
2. Aunque me gustara pasear, yo salía poco.
3. Yo deseaba que él conociera mejor nuestro país.
4. Les pedí que vinieran y trajeran los mapas.
5. Quiero que él venga más temprano.
6. Quería que él regresara temprano, para ayudar a arreglar la maleta.
7. Tal vez él parta todavía este año.
8. Tal vez él saliera, si fueras conmigo.
9. El mecánico me pidió que viniera por el coche.
10. El locutor nos recomendó que saliéramos temprano.
11. Por más dinero que gane, no logro ahorrar.
12. Por más dinero que ganara, no lograba ahorrar.
13. Por más cuidado que tenga, no logro evitar los hoyos de la carretera.
14. Por más cuidado que tuviera, él seguía cometiendo errores.

1. Traducir:
   a) Eu não esperava que eles chegassem tão tarde.
   b) Eu gostaria que ele conhecesse melhor o Brasil.
   c) Talvez ele não consiga fazer tudo hoje.
   d) Por mais cedo que eu viesse, não o encontrava em casa.

2. Pasar el primer verbo al pretérito y hacer las transformaciones necesarias en la subordinada:
   a) Eu peço ao empregado que traga a bagagem.
   b) Eu quero que ele venha conosco na viagem.
   c) Ela não sai de casa, embora goste muito de passear.
   d) Ela quer que eu ponha a mesa para o jantar.

3. Pasar el verbo al futuro del subjuntivo:
   a) (poder) - Quando você . . . tem de vir conosco.
   b) (vir) - Se você . . . amanhã, traga os seus mapas.
   c) (querer) - Se vocês . . . podemos ir todos no meu carro.
   d) (dizer) - Quando você me . . . o que aconteceu, eu lhe digo o que eu penso.

4. Traducir:
   a) Por más dinero que tuviera, no podía viajar.
   b) Aunque gane mucho dinero, no logro ahorrar.
   c) Si vienes, no se te olvide traer los mapas.

C2 VOCABULARIO - EL PORTUGUÉS DE PORTUGAL

■ **As pousadas,** *albergues.* Están instalados en regiones muy turísticas y muchas veces en lugares históricos. La duración de la estancia ahí es limitada. Hay alrededor de treinta de ellas en Portugal.

■ **As estalagens,** *albergues.* Establecimientos privados, pequeños, similares a las posadas por el ambiente, el estilo y la comodidad.

■ **Pensões,** *pensiones.* Especie de hoteles, casi siempre en chalets, con una acogida más familiar, más sencilla.

■ **A residência:** este término aplicado a los precedentes significa que el establecimiento no cuenta con restaurante.

■ **O motel,** *hotel,* a veces compuesto por pabellones, situado en las grandes autopistas. Todavía escasos en Portugal, son muy numerosos en Brasil.

1.

   a) No esperaba que llegaran tan tarde.
   b) Querría que él conociera mejor Brasil.
   c) Tal vez él no logre hacer todo hoy.
   d) Por más temprano que viniera no lo encontraba en la casa.

2.

   a) Eu **pedi** ao empregado que **trouxesse** a bagagem.
   b) Eu **quis** que ele **viesse** conosco na viagem.
   c) Ela não **saiu** de casa, embora **gostasse** muito de passear.
   d) Ela **quis** que eu **pusesse** a mesa para o jantar.

3.

   a) Quando você puder, tem de vir conosco.
   b) Se você vier amanhã, traga os seus mapas.
   c) Se vocês quiserem, podemos ir todos no meu carro.
   d) Quando você me disser o que aconteceu, eu lhe digo o que eu penso.

4.

   a) Por mais dinheiro que tivesse, ele não podia viajar.
   b) Embora ganhe muito dinheiro, eu não consigo poupar.
   c) Se você vier, não se esqueça de trazer os mapas.

C4 VOCABULARIO

o **corredor,** *el pasillo*
a **mesa de cabeceira,** *el buró*
o **armário,** *el armario, la alacena*
o **colchão,** *el colchón*
o **cobertor,** *el cobertor, la cobija*
o **lençol,** *la sábana*
a **fronha,** *la funda*
a **pia,** *el lavabo*
a **torneira,** *la llave*
o **sabonete,** *el jabón de baño*
o **espelho,** *el espejo*
o **candeeiro,** *el quinqué*

o **guarda-roupa,** *el guardarropas*
a **banheira,** *la tina*
a **toalha,** *la toalla*
a **colcha,** *la colcha*
a **toalha de banho,** *la toalla de baño*
o **travesseiro,** *la almohada*
a **escova (de dentes),** *el cepillo (de dientes)*
o **tapete,** *el tapete*
a **lâmpada,** *el foco*

A1 PRESENTACIÓN

■ **Roubaram-ma,** *me la robaron.* Los pronombres complementos se contraen: **me a = ma** (v. **Resumen gramatical**). Esa forma es desusada en Brasil, donde, siempre que es posible, no se usan los pronombres complementos. En Brasil se diría simplemente **roubaram.**

■ **Não ma roubaram,** *no me la robaron.* Los pronombres contraídos se colocan como los pronombres sencillos (lección 31). El uso de esas formas es corriente en Portugal.

terá ficado	[terá fikádu]	*se habrá quedado*
o fiscal	[u fiskáu]	*el policía fiscal*
fiscalizar	[fiskalizáj]	*fiscalizar, controlar*
o passageiro	[u pasayêiru]	*el pasajero*
o alto-falante	[u áuto-falãchi]	*el altavoz*
o embarque	[u ẽbájki]	*el embarque*
imediato	[imedchiátu]	*inmediato*
que chato!	[ke shátu]	*¡qué fastidio!*

■ **Levar** tiene varios sentidos:
— **levar,** *llevar, cargar:* **levou o livro,** *llevó el libro;*
— **levar,** *traer puesta una ropa;*
— **levar,** *tomar, consumir* (una expresión de tiempo): **isso levou muito tempo,** *eso tomó mucho tiempo;*
— **levar,** *recibir:* **levou uma lição,** *él recibió una lección.*

A2 APLICACIÓN

1. O passageiro — Senhor guarda, me diga o que que eu faço.
2. O fiscal — Que foi que aconteceu?
3. Pass. — A bagagem já chegou, e eu não vejo a minha mala.
4. — Ou perderam ou roubaram.
5. G. — Procure um empregado da companhia. Eu não posso fazer nada.
6. P. — Que chato! Onde estará essa mala? Terá ficado no avião?
7. O empregado - Me mostre sua passagem.
8. P. — Na próxima vez que eu vier, venho de carro. . . se eu tiver tempo. Levo mais tempo...
9. O alto - falante — Passageiros com destino ao Rio, embarque imediato.
10. P. — É capaz de minha mala continuar até o Rio.

A3 NOTAS

■ Los dos pronombres complementos de un mismo verbo, uno directo y el otro indirecto, se contraen:

me lo(s)	**me o(s)** → **mo(s)**	*te la(s)*	**te a(s)** → **ta(s)**		
me la(s)	**me a(s)** → **ma(s)**	*nos lo(s)*	**nos o(s)** → **no-lo(s)**		
te lo(s)	**te o(s)** → **to(s)**	*nos la(s)*	**nos a(s)** → **no-la(s)**		

■ **Dê cá: cá** tiene un valor enfático y no se traduce. Subraya que el acto se relaciona con quien habla. Se opone a **lá**, que se remite al interlocutor; **dê cá,** *déme (a mí)*; **toma lá,** *ten tú.*

■ **Perder,** *perder* es irregular en la 1ª pers. sing. del presente del indicativo y, por lo tanto, en presente del subjuntivo y en las personas del imperativo que se derivan de éste:

PRES. IND.:   **perco, perde, perdemos,** etc.
PRES. SUBJ.:   **perca, perca, percamos,** etc.
IMPER.:   **(você) perca, (vocês) percam, (nós) percamos.**

■ El antefuturo se forma con el futuro de **ter** + el participio del verbo: **terá falado,** *él habrá hablado.*

A4 TRADUCCIÓN

1. Pasajero – Señor policía, dígame qué debo hacer.
2. Policía – ¿Qué le sucedió?
3. Pas. – El equipaje ya llegó y no encuentro mi maleta.
4. – Me la perdieron o me la robaron.
5. Pol. – Busque a un empleado de la compañía. Yo no puedo hacer nada por usted.
6. Pas. – ¡Qué fastidio! ¿Dónde estará mi maleta? ¿Se habrá quedado en el avión?
7. El empleado – Deme su boleto.
8. Pas. – La próxima vez que venga, vendré en coche. . . si tengo tiempo. Me tomará más tiempo. . .
9. El altavoz – Pasajeros con destino a Río, el embarque es inmediato.
10. Pas. – ¡Capaz que mi maleta siga hasta Río!

B1 PRESENTACIÓN

caducar	[kadukáj]	*caducar, prescribir, vencerse*
renovar	[jenováj]	*renovar*
desembarcar	[dezẽbajkáj]	*desembarcar*
o vôo	[u vôu]	*el vuelo*
voar	[vuáj]	*volar*
o prazo	[u prázu]	*el plazo*
a validade	[a validádchi]	*la validez*
o visto	[u vishtu]	*la visa*
o formulário	[u fojmuláriu]	*el formato*
a aeromoça	[a aeromôsa]	*la azafata*
a assinatura	[a asinatura]	*la firma*

■ **A assinatura** tiene dos sentidos: *la firma* y *la suscripción*.

■ **Vamo-nos**: no olvidar que la primera persona del plural pierde la **s** final cuando el pronombre **nos** va después del verbo.

B2 APLICACIÓN

1. **O passageiro** – O vôo foi rápido. Já chegamos a Brasília. Mas agora vamos demorar porque tem muita gente na Alfândega.
2. **O guarda fiscal** – Seu passaporte, por favor.
3. **Pas.** – Aqui está.
4. **Guarda** – Seu passaporte vai vencer. O prazo de validade está acabando. Não se esqueça de renová-lo se fizer outra viagem.
5. Se continuar para o Peru, lembre-se de que é preciso um visto.
6. Falta o formulário. O senhor tem de preenchê-lo.
7. **Pas.** – Eu o tenho aqui. Me deram no avião e a aeromoça recomendou que o preenchêssemos antes de desembarcar.
8. **G.** – Tenho de devolver-lhe, porque está incompleto. Falta a assinatura.

B3 NOTAS

■ **Estar para** + infinitivo puede significar *estar a punto de*: **o passaporte está para vencer,** *el pasaporte está a punto de vencerse.*

Atención: No confundir con la forma progresiva (la duración): **o guarda está fiscalizando os passaportes,** *el policía está controlando los pasaportes.*

■ El copretérito y el futuro del subjuntivo de **fazer,** *hacer:*

COPRET.	fizesse	fizéssemos	FUT.	fizer	fizermos
	fizesse	fizessem		fizer	fizerem

B4 TRADUCCIÓN

1. Pasajero – El vuelo fue rápido. Ya llegamos a Brasilia. Pero ahora nos vamos a tardar, porque hay mucha gente en la aduana.
2. Policía – Enséñeme su pasaporte, por favor.
3. Pas. – Aquí lo tiene.
4. Pol. – Su pasaporte va a caducar. El plazo de validez está a punto de vencerse. No se le olvide renovarlo si hace otro viaje.
5. Si sigue hasta Perú, acuérdese de que necesita una visa.
6. Falta el formato que usted deberá llenar.
7. Pas. – Aquí lo tengo. Me lo dieron en el avión y la azafata recomendó llenarlo antes de desembarcar.
8. G. – Tengo que devolvérselo, porque está incompleto. Le falta su firma.

1. Traducir:
   – O passaporte venceu; o guarda me devolveu.

2. Sustituir las palabras en itálica por el pronombre personal complemento adecuado:
   a) A aeromoça dá *o jornal* ao passageiro.
   b) Ofereceram *bilhetes* ao João e ao Pedro.
   c) A aeromoça dá o jornal *ao passageiro*.
   d) Ofereceram bilhetes *ao João e ao Pedro*.

3. Traducir:
   a) ¿Dónde podrá estar mi pasaporte? Seguramente lo encontraré.
   b) Tomaré el avión mañana para ir a Brasil.
   c) Partiremos si no hay huelga.

C2 RECREACIÓN

No departamento de imigração
Um funcionário do Departamento de Imigração perguntou a um chinês o seu nome.
– "Espirro", respondeu o homem com orgulho.
– Isso é chinês? perguntou o funcionário.
– Não, disse o homem, é o meu nome em português.
– Então, perguntou o funcionário, como é o seu nome em chinês?
– At-chim, respondeu baixinho.

Espirrar, *estornudar.*

En la oficina de migración
Un funcionario de la Oficina de Migración pregunta a un chino su nombre.
– "Estornudo", contesta el hombre con orgullo.
– ¿Eso es un nombre chino? preguntó el funcionario.
– No dice el hombre, es mi nombre en portugués.
– Entonces —pregunta el funcionario—, ¿cuál es su nombre en chino?
– At-chu—, contesta quedito.

1.

   – Mi pasaporte está vencido; el policía me lo devolvió.

2.

   a) A aeromoça dá-**o** ao passageiro.
   b) Ofereceram-**nos** ao João e ao Pedro.
   c) a aeromoça dá-**lhe** o jornal.
   d) Ofereceram-**lhes** bilhetes.

3.

   a) Onde estará o meu passaporte? Vou ter de encontrá-lo.
   b) Vou pegar o avião amanhã para ir ao Brasil.
   c) Nós iremos, se não houver greve.

C4 EL PORTUGUÉS DE BRASIL

■ **Cinco grandes regiones climáticas en Brasil (26 estados):**

■ *La región norte* (el 45% del territorio y el 3.5% de la población) con su bosque virgen ecuatorial (**selva**). Ciudades principales: MANAUS, BELÉM (Amazônia). Los indígenas están refugiados ahí, entre otros lugares.

■ *El Noreste* (el 13% del territorio y el 25% de la población) es una franja costera tropical, cubierta de caña de azúcar, plantada por los portugueses (hacia 1536) y cultivada por los esclavos negros importados de África, y un inmenso interior seco y pobre, **o sertão**. Ciudades principales: RECIFE, SALVADOR, FORTALEZA.

■ *La región centro-oeste* (el 22% del territorio y el 4% de la población). Es el altiplano central semi-desértico, el *far-west* brasileño, donde se inauguró BRASILIA, la capital, en 1960.

■ *La región sureste* (el 11% del territorio y casi el 50% de la población) comprende los estados más ricos, con 3/4 de las industrias del país y las grandes ciudades de RIO DE JANEIRO, SÃO PAULO, BELO HORIZON-TE.

■ *La región sur* (el 7% del territorio y el 10% de la población), de clima templado, beneficiado por los europeos (portugueses, italianos, alemanes y franceses), que ahí vinieron a instalarse desde el siglo XIX. Ciudades: CURITIBA, PORTO ALEGRE.

A1 PRESENTACIÓN

■ El **infinitivo personal** es un infinitivo conjugado en las diferentes personas. Se utiliza después de las preposiciones: **para** (*para*), **por** (*por*), **antes de** (*antes de*) etc.

Su empleo es obligatorio cuando el sujeto del infinitivo es distinto al sujeto del verbo principal:

O diretor pediu aos empregados para chegarem..., *el director pidió a los empleados que llegaran. . .*

Ese tiempo confiere más claridad al discurso.

chegarem	[shegárẽy]	*llegar*
estarem	[eshtárẽy]	*estar*
se apresentarem	[si aprezetárẽy]	*presentarse*
saírem	[saírẽy]	*salir*
terem	[têrẽy]	*tener*
ditar	[dchitáj]	*dictar*
agradecer	[agradesêj]	*agradecer*
alegar	[alegaj]	*alegar, afirmar*
a convocação	[a kõvokasãu]	*la convocación, la convocatoria*
o tribunal	[u tribunáu]	*el tribunal*
a testemunha	[a teshtemuña]	*el testigo*
a queixa	[a kêisha]	*la queja*
injustificado	[ĩyushchifikádu]	*injustificado*
contra	[kõtra]	*contra, en contra de*

A2 APLICACIÓN

1. O diretor pediu aos empregados para chegarem cedo.
2. Avisou-os que estivessem no seu gabinete às oito horas em ponto.
3. Depois, disse-lhes que iriam receber uma convocação para se apresentarem no tribunal como testemunhas.
4. Tinha havido uma queixa contra ele: dois empregados alegavam terem sido despedidos por motivos injustificados.
5. Pediu-lhes ainda que fossem falar com ele antes de saírem. Depois chamou a secretária para lhe ditar uma carta.

A3 NOTAS

■ **Formación del infinitivo personal:** como su mismo nombre lo indica, ese tiempo es en realidad el infinitivo del verbo seguido de las terminaciones características que indican a las personas.

	falar, *hablar*	**ter,** *tener*	**sair,** *salir*
eu	falar	ter	sair
ele	falar	ter	sair
nós	falarmos	termos	sairmos
eles	falarem	terem	sairem

Atención: La 1ª y la 3ª persona son iguales.

■ **El pospretérito:** ese tiempo, comúnmente remplazado por el copretérito del indicativo, tiene sus formas propias: **disse-lhes que receberiam,** *les dijo que recibirían.*
Ese tiempo se forma a partir del infinitivo + las terminaciones en **ia.**

	falar	**ter**	**sair**
eu	falaria	teria	sairia
ele	falaria	teria	sairia
nós	falaríamos	teríamos	sairíamos
eles	falariam	teriam	sairiam

A4 TRADUCCIÓN

1. El director pidió a los empleados que llegaran temprano.
2. Les avisó que estuvieran en su oficina a las ocho en punto.
3. Después les dijo que recibirían una convocatoria para presentarse al tribunal como testigos.
4. Había habido una queja en contra de él: dos empleados habían afirmado haber sido despedidos por motivos injustificados.
5. Les pidió además que fueran hablar con él antes de salir. Luego, llamó a su secretaria para dictarle una carta.

B1 PRESENTACIÓN

■ El infinitivo personal remplaza con frecuencia el subjuntivo empleado después de las locuciones impersonales (*hay que*, **é preciso que**. . .)
É preciso mandarmos, *hay que enviar*, es decir, *es necesario que enviemos.*

recebermos	[jesebêjmus]	*recibir [nosotros]*
a secretária	[a secretária]	*la secretaria*
o gabinete	[u gabinêchi]	*la oficina, el gabinete*
o representante	[u jeprezẽtãchi]	*el representante*
o assunto	[u asũtu]	*el asunto*
a mercadoria	[a mejkaduria]	*la mercancía*
o cimento	[u simẽtu]	*el cemento*
o expediente	[u eispedchiẽchi]	*el servicio*
a expedição	[a eispedchisãu]	*la expedición*
a fatura	[a fatura]	*la factura*
o fax	[u fáks]	*el fax*
a entrevista	[a ẽtrevishta]	*la entrevista, la cita*
o pagamento	[u pagamẽtu]	*el pago*
responsável por	[jespõsáveu poj]	*responsable de*
com urgência	[kõ ujyẽsia]	*urgente, urgentemente*

B2 APLICACIÓN

1. O diretor — Eu queria que você ligasse com urgência para o Rio: quero entrar em contato com o nosso representante para tratar de um assunto.
2. A secretária — Senhor Diretor, o senhor vai ter de esperar; a linha está ocupada. É preciso mandarmos hoje o pagamento da mercadoria que recebemos na semana passada.
3. D. — Quanto é que temos de pagar pelo cimento?
4. S. O responsável pelo serviço de expedição disse que devíamos pagar 50 reais por saco.
5. D. — Então peça a fatura por fax. Quando a recebermos, é preciso mandarmos logo o dinheiro. Eu pensava que já estava paga.
6. Não marque mais nenhuma entrevista. Por ter recebido muita gente ontem, não pude atender o expediente.

B3 NOTAS

■ Pronunciación de la **x**:
— [eis] en **expedição** [eispedchisãu] *expedición:*
— [ks] en **fax** (**fáks**), *fax.*

■ El **infinitivo personal** y el **futuro del subjuntivo** tienen formas similares para los verbos regulares. **falar** (*hablar*), **sair** (*salir*), **ter** (*tener*).

INF. PERS.	FUT. SUBJ.	INF. PERS.	FUT. SUBJ.	INF. PERS.	FUT. SUBJ.
falar	falar	sair	sair	ter	ter
falar	falar	sair	sair	ter	ter
falarmos	falarmos	sairmos	sairmos	termos	termos
falarem	falarem	sairem	sairem	terem	terem

Esa confusión es imposible para los verbos irregulares.

■ Los usos de esos dos tiempos son distintos (lecciones 36 y 37 para los empleos del futuro del subjuntivo).

B4 TRADUCCIÓN

1. El director – Querría que llamara con urgencia a Río; quiero entrar en contacto con nuestro representante para tratar un asunto.
2. La secretaria – Señor Director, hay que esperar; la línea está ocupada. Hay que enviar hoy el pago de la mercancía que recibimos la semana pasada.
3. D. – ¿Cuánto hay que pagar por el cemento?
4. S. – El responsable del servicio de expedición dijo que debíamos pagar 50 reales el saco.
5. D. – Entonces, pida la factura por fax. Cuando la recibamos, hay que enviar inmediatamente el dinero. Yo pensé que ya estaba pagada.
6. No haga ninguna cita más. Por haber recibido mucha gente ayer, no pude hacer mi trabajo del día.

1. **Traducir:**
   a) Quando nós tivermos tempo, será preciso escrevermos para eles.
   b) Eu queria que ele atendesse o telefone.

2. **Escribir el verbo en la forma que convenga:**
   a) (pôr) - Eu quero que (você) . . . a carta no correio.
   b) (ir) - Ele me diz que . . . ao gabinete.
   c) (trazer) - Ele nos pede que . . . a encomenda.

3. **Escribir las mismas oraciones en pretérito:**

4. **Emplear el verbo en la forma adecuada:**
   a) Ele nos avisou para (trazer) as faturas.
   b) Ela nos pediu para (vir) cedo.
   c) Quando você (vir), é preciso (trazer) as cartas.
   d) Quando eles (trazer) a mercadoria, é necessário nós (estar) presentes.

5. **Traducir:**
   Cuando él venga, es necesario que me llames.

C2 CONSEJOS PRÁCTICOS

◼ **Modelo de carta comercial.**
El remitente, **o remetente**   *El destinatario,* **o destinatário**

                              São Paulo, 17 de fevereiro de 1995.
Indústrias Brastec S. A.   **ao Banco do Estado**
Av. Paulista 523   **de São Paulo**
São Paulo - SP   **São Paulo - SP**

Prezados senhores:
   Vimos solicitar suas providências no sentido de transferirem para a nossa conta-corrente, em sua filial de Campinas, a quantia de R$5.000,00 (cinco mil reais), debitando-a em nossa conta existente na filial desta cidade.
   Agradecemos antecipadamente e subscrevemo-nos com toda a consideração.
                              Indústrias Brastec S.A.

1.
   a) Cuando tengamos tiempo, es necesario escribirles.
   b) Quería que él contestara el teléfono.

2.
   a) Eu quero que você **ponha** a carta no correio.
   b) Ele me diz que **vá** ao gabinete.
   c) Ele nos pede que **tragamos** a encomenda.

3.
   a) Eu queria que você **pusesse** a carta no correio.
   b) Ele me dizia que **fosse** ao gabinete.
   c) Ele nos pedia que **trouxéssemos** a encomenda.

4.
   a) Ele nos avisou para **trazermos** as faturas.
   b) Ela nos pediu para **virmos** cedo.
   c) Quando você **vier**, é preciso **trazer** as cartas.
   d) Quando eles **trouxerem** a mercadoria, é necessário **estarmos** presentes.

5.
   Quando ele vier, é preciso me chamarem.

C4 TRADUCCIÓN

■ Modelo de carta comercial.

São Paulo, a 17 de febrero de 1995.

Industrias Brastec S.A.   *al Banco do Estado*
Av. Paulista 523   *de São Paulo*
São Paulo - SP   *São Paulo - SP*

Estimados Señores,
   Queremos solicitarles las medidas pertinentes para la transferencia, a nuestra cuenta de cheques de la sucursal de ese banco en Campinas, de la cantidad de R$5.000,00 (cinco mil reales), restándola de nuestra cuenta existente en la sucursal de esta ciudad.

Atentamente,

Industrias Brastec S.A.

■ **Ilmos. srs.:** abreviatura de **Ilustríssimo** (*ilustrísimo*) que puede escribirse en el encabezado de la carta y en el sobre, antes del nombre.

■ **V. Exa.:** abreviatura de **Vossa Excelência.**

245

A1 PRESENTACIÓN

■ **Se**, *si* introduce una condición que se expresa en el futuro del subjuntivo cuando es realizable. La acción que se encuentra en la principal va entonces en presente del indicativo (con valor de futuro) o en futuro.
Se você quiser, você pode (poderá) vir comigo, *si quieres, podrás venir conmigo.*

■ **Quando**, *cuando*: no se emplea el futuro del subjuntivo si la oración que empieza por **quando** es interrogativa.
Quando nós pudermos, vamos, *cuando podamos, iremos.*
Quando poderemos ir...? *¿cuándo podremos ir. . .?*

trará	[trará]	*traerá*
a igreja	[a igrêya]	*la iglesia*
a prefeitura	[a prêfêitura]	*la alcaldía*
a excursão	[a eiskujsãu]	*la excursión*
a lembrança	[a lẽbrãsa]	*el recuerdo*
barroco	[bajôku]	*barroco*

A2 APLICACIÓN

1. Se eu ganhar muito dinheiro, vou fazer (farei) uma excursão.
2. Se eu tiver férias, vou aproveitar (aproveitarei) para visitar o Brasil.
3. Se você quiser, você pode (poderá) vir comigo.
4. Se você não terminar rapidamente, eu não espero (esperarei) por você.
5. Se houver muito trânsito, eu perco (perderei) o avião.
6. Se você não quiser tomar café, tome chá, ou sucos de fruta.
7. Se nós decidirmos visitar o Norte de Portugal ou o Nordeste do Brasil, podemos (poderemos) ver bonitas igrejas barrocas.
8. Quando nós pudermos, vamos (iremos) à Prefeitura.
9. Quando iremos à Prefeitura?
10. Quando você vier, traga a lembrança que eu lhe pedi.
11. Quando ela virá?

A3 NOTAS

■ **El futuro del indicativo:** Tres verbos son irregulares: **dizer** *(decir)*, **fazer** *(hacer)*, **trazer** *(traer)*.

Dizer: direi, dirá, diremos, dirão.
Fazer: farei, fará, faremos, farão.
Trazer: trarei, trará, traremos, trarão.

■ En el **futuro del indicativo**, el pronombre personal complemento no se coloca después del verbo (ver lección 14), sino en medio del verbo, antes de la terminación que indica el tiempo y la persona. Es un empleo literario: **contar-me-á**, *el me contará*. Ese uso es casi exclusivo del lenguaje escrito, sobre todo en Brasil. Se remplaza esa expresión formal por: **ele me contará**.
Si se trata del pronombre **o(s), a(s)** en contacto con **r**, toma la forma **lo, la** y la **r** desaparece: **contá-la-ei**, *yo la contaré* (remplazada por: **eu a contarei**).

■ **Poder,** *poder* (a partir del pretérito **puderam**):

IMP. SUBJ.	FUT. SUBJ.	INF. PERS.
pudesse	puder	poder
pudesse	puder	poder
pudéssemos	pudermos	podermos
pudessem	puderem	poderem

A4 TRADUCCIÓN

1. Si gano mucho dinero, haré una excursión.
2. Si tengo vacaciones, las aprovecharé para visitar Brasil.
3. Si quieres, podrás venir conmigo.
4. Si no terminas rápidamente, no te esperaré.
5. Si hay mucha circulación, perderé mi avión.
6. Si no quiere tomar café, tome té o jugos de frutas.
7. Si nos decidimos a visitar el norte de Portugal o el noreste de Brasil, podremos ver bellas iglesias barrocas.
8. Cuando podamos, iremos a la alcaldía.
9. ¿Cuándo iremos a la alcaldía?
10. Cuando venga, traiga el recuerdo que le pedí.
11. ¿Cuándo vendrá usted?

B1 PRESENTACIÓN

■ **Se**, *si* introduce una condición que se expresa en pretérito del subjuntivo si no es realizable. La acción que depende de ella en la principal se expresa en copretérito del indicativo o en pospretérito.

Se você quisesse, podia (poderia) vir comigo (mas você não pode), *si quisieras, podrías venir conmigo (pero no puedes)*.

faria	[faria]	*yo haría*
iria	[iria]	*iría*
se eu soubesse	[si êu sôbési]	*si yo supiera*
aumentar	[aumẽtáj]	*aumentar*
o salário	[u saláriu]	*el salario*
o monumento	[u monumẽtu]	*el monumento*
o excesso	[u eisésu]	*el exceso*
sossegado	[susegádu]	*tranquilo*
fluentemente	[fluẽchimẽchi]	*con fluidez*
a bordo	[a bójdu]	*a bordo*
a língua	[a ligua]	*el idioma, la lengua*
dar a volta }	[dar a vóuta au	*dar la vuelta al mundo*
ao mundo	mũdu]	
quem me dera	[kẽy mi déra]	*Ah, si yo pudiera*

B2 APLICACIÓN

1. Se eu ganhasse a sorte grande, iria dar volta ao Mundo.
2. Se eu já soubesse falar fluentemente português, iria ao Brasil.
3. Se não houvesse tantos monumentos modernos em Brasília, eu gostaria de morar lá.
4. Se aumentassem meu salário, eu faria uma excursão.
5. Se nós tivéssemos menos bagagem, não pagaríamos excesso.
6. Se não fizesse tanto calor, a viagem seria mais agradável.
7. Quem me dera ter bastante dinheiro, para ir até o Brasil!
8. Quem me dera termos um vôo sossegado e uma boa aeromoça a bordo!
9. Quem me dera saber português, para aproveitar melhor uma estada num país de língua portuguesa!

B3 NOTAS

■ Los verbos **irregulares** en el **futuro del indicativo** también lo son en el **pospretérito**:

dizer, decir	**diria, diria,** etc.
fazer, hacer	**faria, faria,** etc.
trazer, traer	**traria, traria,** etc.

■ Los adverbios terminados en **mente** se forman a partir del adjetivo femenino seguido de **mente: rápido,** *rápido* (fem. **rápida**) → **rapidamente,** *rápidamente*. En la forma adverbial pierden el acento que tenían en el adjetivo.

■ **Quem me dera!** *ah, isi yo pudiera!* forma idiomática que sirve para expresar la queja, la lamentación. El verbo **dar** va en pretérito del subjuntivo. Ese segundo pretérito, simple, tiene sobre todo un empleo literario. El pretérito simple se forma (al igual que el copretérito y el futuro del subjuntivo) con el pretérito (3ª pers. pl. menos **ram**) seguido de terminaciones en **ra.**

falar:	**tinha falado** o **falara,**	*hablara*
comer:	**tinha comido** o **comera,**	*comiera*
partir:	**tinha partido** o **partira,**	*partiera*
dar:	**tinha dado** o **dera,**	*diera*

B4 TRADUCCIÓN

1. Si yo ganara la lotería, daría la vuelta al mundo.
2. Si ya supiera hablar con fluidez el portugués, me iría a Brasil.
3. Si no hubiera tantos monumentos modernos en Brasilia, me gustaría vivir allí.
4. Si me aumentaran el salario, me iría de excursión.
5. Si tuviéramos menos equipaje, no pagaríamos exceso.
6. Si no hiciera tanto calor, el viaje sería más agradable.
7. ¡Si yo pudiera tener mucho dinero para ir a Brasil!
8. ¡Si pudiéramos tener un vuelo tranquilo y una buena azafata a bordo!
9. ¡Si pudiera saber portugués para aprovechar mejor una estancia en un país de idioma portugués!

1. **Llenar los espacios usando los verbos entre paréntesis en las formas adecuadas:**

Quando eu (ser) . . . estudante, (ter) . . . férias três ou quatro vezes por ano. Eu (ir). . . sempre para a praia. Mas há um ano eu (estar) . . . na praia e não (divertir-se) . . . muito. (Chover) . . . quase todo o tempo.
Este ano eu não (saber) . . . se (ter) . . . férias. Se eu (ter) . . . , pelo menos uma semana, já não (voltar) . . . para o mesmo lugar. Eu (gostar) . . . de ir ao estrangeiro. Talvez (ir) . . . a Portugal. Se eu (ter) . . . dois meses de férias, (ir) . . . ao Brasil. Há quem (fazer) . . . uma viagem ao Brasil só para passar uma semana durante o Carnaval. Mas para isso, era preciso que eu (ser) . . . rico. Se eu (poder) . . . , passava o tempo todo viajando, embora eu (ter) . . . medo de andar de avião.

2. **Traducir el texto.**

C2   EL ARTE BARROCO EN PORTUGAL Y EN BRASIL

El **arte barroco,** traído de Italia, se introduce en Portugal a finales del siglo XVI. Este arte de la riqueza y alegría de vivir se desarrolla con éxito durante los siglos XVII y XVIII, gracias al oro encontrado en Brasil. Ese metal precioso adorna los monumentos religiosos y civiles, que se multiplican por todo Portugal (Braga, Porto, Viseu, Coimbra, Lisboa, Lagos, Almancil en Algarve, etc.) y en Brasil (en la región de Recife y Salvador de Bahía, en el siglo XVII, y en Río y el estado de Minas Gerais, en el siglo XVIII).

Si las fachadas proporcionan una impresión de sobriedad más que en Italia, pese a las volutas de granito o las líneas de colores que se destacan sobre las superficies claras, los interiores son más exuberantes. Los techos se cubren de pinturas con efectos de apariencia, las paredes desaparecen bajo los frescos de azulejos (sobre todo en el siglo XVII), las esculturas, los angelitos rollizos y los adornos dorados. El arte barroco encuentra una nueva personalidad.

Ouro Preto (*oro negro*) (ciudad de **Minas Gerais, Brasil**), capital de la región productora de oro en el siglo XVII, tiene orgullo de su veintena de iglesias barrocas.

1.

Quando eu *era* estudante, *tinha* férias três ou quatro vezes por ano. Eu *ia* sempre para a praia. Mas há um ano eu *estive* na praia e não *me diverti* muito. *Choveu* quase todo o tempo.

Este ano eu não *sei* se *vou ter* férias. Se eu *tiver*, pelo menos uma semana, já não *volto* para o mesmo lugar. Eu *gostaria* de ir ao estrangeiro. Talvez *vá* a Portugal. Se eu *tivesse* um mês de férias, *iria* ao Brasil. Há quem *faça* uma viagem ao Brasil só para passar uma semana durante o Carnaval. Mas para isso, era preciso que eu *fosse* rico. Se eu *pudesse, passava* o tempo todo viajando, embora eu *tenha* medo de andar de avião.

2.

Cuando era estudiante, yo tenía vacaciones tres o cuatro veces al año. Iba siempre a la playa. Pero hace un año fuí a la playa y no me divertí mucho. Llovió casi todo el tiempo.

No sé si tendré vacaciones este año. Si tengo por lo menos una semana, no regresaré al mismo lugar. Me gustaría ir al extranjero. Quizá vaya a Portugal. Si tuviera un mes de vacaciones, me iría a Brasil. Hay quienes hacen un viaje a Brasil sólo para pasar una semana durante el Carnaval. Pero para ello yo tendría que ser rico. Si pudiera, me la pasaría viajando, aunque me da miedo andar en avión.

C4 EL PORTUGUÉS DE PORTUGAL

■ Gramática:
Se usan comúnmente las formas del futuro del subjuntivo y del presente del indicativo, mientras que en Brasil, se usa con más frecuencia el futuro del subjuntivo con el futuro del indicativo (o incluso el futuro inmediato: **vou viajar**); con el pretérito del subjuntivo, se usa comúnmente el pospretérito.

Si tengo vacaciones, viajaré:
BRASIL: **se tiver férias, viajarei.**
PORT.: **se tiver férias, viajo** (o el futuro, menos común).

Si tuviera vacaciones, viajaría:
BRASIL: **se tivesse férias, viajaria.**
PORT.: **se tivesse férias, viajava** (o **viajaria,** menos común).

Resumen gramatical

SUMARIO

1 ■ El sustantivo

1. Género. El sustantivo tiene dos géneros: masculino y femenino.
Pertenecen al género masculino:
a) Los sustantivos que designan a las personas del sexo masculino y las funciones que ellas ejercen.
   o homem, *el hombre;* **o professor,** *el profesor.*

b) Los animales del sexo masculino.
   o cavalo, *el caballo;* **o gato,** *el gato;* **o cão,** *el perro.*

c) Los nombres de los mares, ríos y montañas.
   o mar Negro, *el Mar Negro;* **os Alpes,** *los Alpes;* **o Sena,** *el Sena.*

d) Los nombres de los meses y de los puntos cardinales.
   setembro, *septiembre;* **o norte,** *el norte;* **o sul,** *el sur.*

e) Los nombres terminados en **o** no acentuada.
   o aluno, *el alumno;* **o livro,** *el libro;* **o banco,** *el banco;* **o minuto,** *el minuto.*

f) La mayoría de los nombres terminados en **l** y en **or**.
   o mel, *la miel;* **o papel,** *el papel;* **o calor,** *el calor.*

2. Pertenecen al género femenino:
a) Los nombres que designan a las personas del sexo femenino y sus funciones.
   a mulher, *la mujer;* **a rainha,** *la reina;* **a professora,** *la profesora;* **a artista,** *la artista.*

b) Los nombres de los animales del sexo femenino.
   a gata, *la gata;* **a cadela,** *la perra.*

c) Los nombres de ciudades, islas, continentes o de países terminados en **a**.
   a Europa, *Europa;* **a França,** *Francia;* **Lisboa,** *Lisboa;* **as Antilhas,** *las Antillas.*

d) La mayoría de los nombres terminados en **a** no acentuada y en **em**.
   a aluna, *la alumna;* **a casa,** *la casa;* **a viagem,** *el viaje.*

Algunas palabras constituyen excepciones:
   o clima, *el clima;* **o problema,** *el problema;* **o planeta,** *el planeta;* **o dia,** *el día;* **o mapa,** *el mapa.*

ATENCIÓN: Ciertas palabras tienen una forma única:
   o doente, a doente, *el enfermo, la enferma;* **o pianista, a pianista,** *el, la pianista;* **o jovem, a jovem,** *el, la joven.*

Pero algunas palabras tienen un sólo género:
   a criança, *el niño* (niño o niña); **a testemunha,** *el testigo* (hombre o mujer).

2 ■ Formación del femenino de las palabras

a) Las palabras terminadas en **o** no acentuada cambian la **o** en **a**.
o aluno → F: a aluna; o filho → F: a filha.

b) Las palabras terminadas en **ão** forman el femenino de maneras distintas:
– ão remplazado por **oa**: o leão, a leoa, *el león, la leona;*
– ão remplazado por **ã**: o anão, a anã, *el enano, la enana;* o irmão, a irmã, *el hermano, la hermana.*
– Algunas palabras en **ão** tienen un femenino particular.
o ladrão, a ladra, *el ladrón, la ladrona;* o barão, a baronesa, *el barón, la baronesa.*

c) A las palabras terminadas en **r, s** se agrega **a** para el femenino.
o senhor, a senhora, *el señor, la señora;* o cantor, a cantora, *el cantante, la cantante;* o português, a portuguesa, *el portugués, la portuguesa.*

d) ATENCIÓN al femenino de las palabras siguientes:

o homem, *el hombre*	a mulher, *la mujer*
o avô, *el abuelo*	a avó, *la abuela*
o pai, *el padre*	a mãe, *la madre*
o rapaz, *el muchacho*	a moça, *la muchacha*
o rei, *el rey*	a rainha, *la reina*
o galo, *el gallo*	a galinha, *la gallina*
o boi, *el buey*	a vaca, *la vaca*

3 ■ Formación del plural de los sustantivos y adjetivos

a) A las palabras terminadas en vocal se agrega **s** para el plural:
a mesa → **as mesas**, *la mesa, las mesas*
o pai → **os pais**, *el padre, los padres*
o filho → **os filhos**, *el hijo, los hijos*
o pobre → **os pobres**, *el pobre, los pobres*

b) Las palabras terminadas en **ão** forman el plural de tres maneras:
– ão remplazado por **ões** (la gran mayoría)
o avião → **os aviões**, *el avión, los aviones*
o coração → **os corações**, *el corazón, los corazones*
– ão remplazado por **ães**
o alemão → **os alemães**, *el alemán, los alemanes*
o pão → **os pães**, el pan, los panes
– ão + **s**
o cidadão → **os cidadãos**, *el ciudadano, los ciudadanos*
o irmão → **os irmãos**, *el hermano, los hermanos*
a mão → **as mãos**, *la mano, las manos*

c) A las palabras terminadas en **r** o **z** se agrega **es** en el plural:

    a mulher → **as mulheres,** *la mujer, las mujeres*

    o rapaz → **os rapazes,** *el muchacho, los muchachos*

d) Las palabras terminadas en **m** cambian esta letra en **n** y se les agrega una **s**

    o homem → **os homens,** *el hombre, los hombres*

    a viagem → **as viagens,** *el viaje, los viajes*

e) Las palabras terminadas en **l**:

— Las palabras terminadas en **al, el** tónico, **el** átono, **ol** cambian esta terminación, respectivamente, en **ais, éis, eis, óis.**

    o animal → **os animais,** *el animal, los animales*

    o papel → **os papéis,** *el papel, los papeles*

    o móvel → **os móveis,** *el mueble, los muebles*

    o lençol → **os lençóis,** *la sábana, las sábanas*

Excepciones: **o mal** → **os males,** *el mal, los males*

    o cônsul → **os cônsules,** *el cónsul, los cónsules*

— Las palabras terminadas en **il** tónico cambian **il** en **is**

    o funil → **os funis,** *el embudo, los embudos*

— Las palabras terminadas en **il** átono cambian **il** en **eis**

    o réptil → **os répteis,** *el reptil, los reptiles*

f) Las palabras terminadas en **s**: las palabras terminadas en **s** en sílaba acentuada toman **es** al plural

    o ananás → **os ananases,** *el ananás, los ananaes*

    o português → **os portugueses,** *el portugués, los portugueses*

    o país → **os países,** *el país, los países*

Las demás son invariables.

    o pires → **os pires,** *el platito, los platitos* (de la taza de café o té)

    o lápis → **os lápis,** *el lápiz, los lápices*

g) Ciertas palabras son usadas únicamente en plural

    os óculos, *las gafas.*

---

4 ■ El plural de las palabras compuestas

---

a) Los dos nombres toman la forma del plural si la palabra se compone de: SUST. + SUST. o SUST. + ADJ.

    a couve-flor, *la coliflor* → **as couves-flores**

    a obra-prima, *la obra maestra* → **as obras-primas**

b) Solamente el primer nombre toma la forma del plural si la palabra se compone de:

    SUST. + PREPOSICIÓN

    o chapéu-de-sol, *el paraguas* → **os chapéus-de-sol**

c) Únicamente el sustantivo toma la marca del plural cuando la palabra se compone de VERBO + SUST.

    o guarda-chuva, *el paraguas* → **os guarda-chuvas**
– La palabra compuesta también puede mantenerse invariable:
    o guarda-livros, *el contador* → **os guarda-livros.**

5 ■ El artículo

1. EL ARTÍCULO DEFINIDO

MASC. SG.	MASC. PL.	FEM. SG.	FEM. PL.
o (*el*)	**os** (*los*)	**a** (*la*)	**as** (*las*)

El artículo definido se fusiona con las preposiciones siguientes:

PREP.	MASC. SG.	MASC. PL.	FEM. SG.	FEM. PL.
a	**ao**	**aos**	**à**	**às**
de	**do**	**dos**	**da**	**das**
em	**no**	**nos**	**na**	**nas**
por	**pelo**	**pelos**	**pela**	**pelas**

a) Se usa el artículo definido antes de los nombres de ciudades que ya tienen un significado por ellos mismos: **o Rio,** *el río*; **a Bahia,** *la bahía.*
b) Se usa el artículo definido antes de los nombres de países, excepto: **Portugal, Angola, Moçambique, Cuba.**
c) El artículo definido se usa antes de los sustantivos propios y los apellidos: **o Pedro,** *Pedro*; **o Silva,** *Silva.*
d) Los pronombres posesivos con función adjetiva pueden estar precedidos o no por los artículos definidos; con función pronominal están siempre precedidos por los artículos definidos:
    A minha casa é azul, a sua é branca; o **Minha casa é azul**
    (función adjetiva), **a sua é branca** (función pronominal).
– Si el posesivo se encuentra antes de una palabra en vocativo, no va precedido de artículo:
    Minha senhora, tenha cuidado. *Señora, tenga cuidado.*
– Si el posesivo sigue al verbo *ser* y sirve para identificar al poseedor, tampoco va precedido por el artículo, aún cuando su función es pronominal:
    Este livro é meu. *Este libro es mío.*
– Si el posesivo sigue al verbo *ser* y sirve para identificar a la cosa poseída, entonces sí va precedido por el artículo definido:
    Este livro azul é o meu; o seu é o amarelo.

2. EL ARTÍCULO INDEFINIDO

MASC. SG.	MASC. PL.	FEM. SG.	FEM. PL.
um	**–**	**uma**	**–**

El artículo indefinido se fusiona con las siguientes preposiciones [en Brasil es facultativo el uso de la preposición fusionada con el artículo (**de um, em uma etc.**)]:

PREP.	MASC. SG.	MASC. PL.	FEM. SG.	FEM. PL.
de	**dum**	**duns**	**duma**	**dumas**
em	**num**	**nuns**	**numa**	**numas**

ATENCIÓN: el artículo indefinido no tiene plural. **Uns** y **umas** tienen un sentido distinto: *algunos, algunas* (y no *unos, unas*).
um livro, *un libro*; **livros,** *libros*; **uns livros,** *algunos libros.*

---

6 ■ Los adjetivos

(los calificativos son las únicas palabras incluidas en la categoría de adjetivos; todos los demás (indefinidos, posesivos, etc.) se consideran como pronombres).
La formación del femenino y del plural de los adjetivos es similar a la de los sustantivos. Pero los adjetivos terminados en **a, e, l, m, r, s, z** tienen una sola forma, común al masculino y al femenino.

   careca, *calvo (a)*; **contente,** *contento (a)*; **inteligente,** *inteligente;* **verde,** *verde;* **azul,** *azul;* **comum,** *común;* **simples,** *sencillo (a)*; **feliz,** *feliz.*

El adjetivo concuerda en género y número con el sustantivo:

   o livro caro   **os livros caros**
   el libro caro   *los libros caros*
   a nuvem branca   **as nuvens brancas**
   la nube blanca   *las nubes blancas*

---

7 ■ Grados de comparación de los adjetivos

---

1. El comparativo (ver lecciones XXIV A y B; XXV A y B).
a) Comparativo de superioridad: **mais ... (do) que,** *más ... que*
b) Comparativo de inferioridad: **menos ... (do) que,** *menos ... que*
c) Comparativo de igualdad.
   tão + adjetivo ... **quanto,** *tan... como;* **tão** + adj. ... **como** (menos usado)
   verbo + **tanto ... quanto,** *tanto ... como;* verbo + **tanto ... como** (menos usado).
2. El superlativo (ver lección XXIV A y B).
a) El superlativo relativo, esto es, el que se obtiene de una comparación con otros dentro de la misma clase: **o mais,** *el más.*
   É o mais inteligente de todos, *es el más inteligente de todos.*

O Carlos é o aluno mais inteligente do colégio. *Carlos es el alumno más inteligente del colegio.*

b) El superlativo absoluto, o sea, el que no es objeto de comparación con otros de la misma categoría:

Muito delante del adjetivo: **é muito caro,** *es muy caro.*

Se agrega **íssimo** al adjetivo; **é caríssimo,** *es carísimo.*

NOTA. Adjetivos que tienen comparativo y superlativo irregulares:

	comparativo de superioridad	superlativo absoluto	superlativo relativo
bom	**melhor**	**ótimo**	**o melhor**
mau	**pior**	**péssimo**	**o pior**
grande	**maior**	**máximo**	**o maior**
pequeno	**menor**	**mínimo**	**o menor**

3. Los diminutivos: **-inho, zinho,** etc. Ver lección XXII.

8 ■ Los posesivos

(Ver lecciones VIII A3, XV B3, XVIII A3, XXVI A3)

		Masculino		Femenino	
		singular	plural	singular	plural
S.	1.	**(o) meu**	**(os) meus**	**(a) minha**	**(as) minhas**
	2.	**(o) teu (os) teus**	**(a) tua**	**(as) tuas**	
	3.	**(o) seu (os) seus**	**(a) sua**	**(as) suas**	
P.	1.	**(o) nosso**	**(os) nossos**	**(a) nossa**	**(as) nossas**
	2.	**(o) vosso**	**(os) vossos**	**(a) vossa**	**(as) vossas**
	3.	**(o) seu (os) seus**	**(a) sua**	**(as) suas**	

Los posesivos tienen la misma forma, tengan función de adjetivos o de pronombres: **meu livro** (adj.) **é bonito; o teu** (pron.) **é velho.**

9 ■ Los demostrativos

— Para las tablas y empleos, consultar las lecciones XVI A y B, XVIII B, XXXIII B.

— No olvidar que:

1. El demostrativo antes de *que* o *de* se traduce por **o, a, os, as: tudo o que eu disse,** *todo lo que he dicho.*

    este livro é interessante; o do Pedro não é, *este libro es interesante; el de Pedro no lo es.*

Nota: Sin embargo, se puede traducir el demostrativo delante de *de* y *que.* Se encuentran los tres demostrativos que mantienen su valor propio: **tudo aquilo que ele disse,** *todo lo que ha dicho.*

10 ■ Los pronombres personales

sujeto	complemento sin prep.		indi- recto	compl. después de.prep. (ej. **para**)	complemento con **com**
	directo				
	reflexivo	no reflex.			
eu	me	me	me	(para) mim	comigo
tu	te	te	te	(para) ti	contigo
ele	se	o (lo, no)	lhe	(para) ele	com ele
ela	se	a (la, na)	lhe	(para) ela	com ela
você	se	se	lhe	(para) você	consigo
o senhor (a)	se	se	lhe	você (Brasil)	com você
nós	nos	nos	nos	(para) nós	conosco
vós	vos	vos	vos	(para) vós	convosco
eles	se	os (los...)	lhes	(para) eles	com eles
elas	se	as (las...)	lhes	(para) elas	com elas
vocês	se	se	lhes	(para) vocês	com vocês
(os senhores)	se	se	lhes	(para) vocês	com vocês
(as senhoras)	se	se	lhes	(para) vocês	com vocês

n Atención a la pronunciación del pronombre sujeto **nós** [nós], y del pronombre complemento **nos** [nus].

n El lugar de los pronombres personales complementos: lecciones I, II, XXI, XXXI, XXXIII, XXXVIII.

11 ■ Los pronombres interrogativos

Que? *¿qué?*
O que? *¿qué?*
Quem? *¿quién?* **Quais?** *¿cuáles?*
Quanto, quantos, quantas? *¿cuánto?, ¿cuántos?, ¿cuántas?*

12 ■ Los indefinidos (pron. - adj.)

VARIABLES	INVARIABLES
todo(s), *todo, todos*	**alguém,** *alguien*
toda(s), *toda, todas*	**ninguém,** *nadie*
algum(ns), *algunos*	**tudo,** *todo;* **cada,** *cada*
alguma(s), *algunas*	**nada,** *nada*

n Uno: traducción, ver lección XXVIII B3.

13 ■ Los pronombres relativos

VARIABLES				INVARIABLES
masc.sg.	fem. sg.	masc.pl.	fem.pl.	
o qual	a qual	os quais	as quais	**que,** *que*
cujo	cuja	cujos	cujas	**quem,** *quien*
quanto	quanta	quantos	quantas	**onde,** *donde*

Que, *que* puede ser sujeto o complemento. Puede remplazar una persona, una cosa, un animal.

> **o homem que fala,** *el hombre que habla;* **o homem que vejo,** *el hombre que veo.*

> **o carro que passa na rua,** *el coche que pasa en la calle.*

Quem remplaza siempre una persona, y generalmente va precedido de una preposición: **o homem com quem falo,** *el hombre con quien hablo.*
Puede significar: *aquél que.* **Quem fala,** *aquél que habla.*
O qual, a qual representa un ser viviente o una cosa. Es menos empleado, y muchas veces va precedido de preposición:

> **as leis segundo as quais vivemos,** *las leyes según las cuales vivimos.*

Cujo, *cuyo;* **cuja,** *cuya;* **cujos, cujas,** *cuyos, cuyas.*

Con el pronombre **cujo,** el orden de los términos es el siguiente: poseedor **cujo** lo poseído verbo.

Concuerda en género y número con lo poseído: **o homem cujo filho,** *el hombre cuyo hijo;* **o homem cujos filhos,** *el hombre cuyos hijos.*

LOS VERBOS - LOS TIEMPOS

---

14 ■ El verbo *ser:*
ser, estar, ficar, andar

---

n El empleo del verbo **ser,** *ser.* Expresa:
— existencia: **penso, logo sou,** *pienso, luego existo;*
— una característica esencial (forma, materia, color, sexo, nacionalidad, profesión, tipo físico o moral, pertenencia etc.): **sou alto,** *soy alto;* **você é português,** *eres portugués;* **isso é de papel,** *eso es de papel;* **isso é do João,** *eso es de Juan;*
— con los números: **somos vinte,** *somos veinte;*
— delante de la hora (lección XI) y la fecha (lección XIV B): **que horas são?** *¿qué hora es?*
— sirve para expresar la voz pasiva (lección XXXV A1 y A3);
— se utiliza en la locución invariable **é que** (lección VII);
— indica un lugar fijo: **Brasília é no Brasil,** *Brasilia está en Brasil.*

n Empleo de **estar,** *estar.* Expresa un lugar pasajero, un estado momentáneo (lección VI B):
— empleo de **ser** y **estar** (lección VI A, B; XI A, B; XIV B; XV B; XXX A);
— empleo de **estar, ficar, andar** (lección VII A, XXVIII B);
— empleo de **ser** y **estar** + un adjetivo o un participio con valor de adjetivo (lección XV B);
— empleo de **estar** + el participio (lección XXXV B);
— concordancia del participio (lección XXXIII A y B);
— la forma progresiva: **estar** + infinitivo (lección XXXIV A), **andar** + infinitivo (lección XXXIV B);
— **estar para,**
  estar a punto de: **estou para sair,** *estoy a punto de salir;*
  estar dispuesto a: **não estou para isso,** *no estoy dispuesto a hacer eso, no tengo ganas.*

15 ■ El presente del indicativo (ver lecciones X, XV)

Como en español, indica un hecho que ocurre en el momento en que uno habla. Puede expresar también la idea de futuro. Este empleo es muy frecuente en ese idioma: **o João está doente,** *Juan está enfermo;* **amanhã vou a Belo Horizonte,** *mañana iré a Belo Horizonte.*

16 ■ El copretérito del indicativo (ver lección XXXII)

Expresa una acción pasada inacabada, una continuidad en el pasado: **quando eu era pequeno, não gostava de ir à escola,** *cuando era chico, no me gustaba ir a la escuela.*
Expresa una acción repetitiva: **aos sábados, ia sempre ao cinema,** *los sábados, iba siempre al cine.*
A veces se emplea ese tiempo en lugar del pospretérito: **eu queria falar contigo**, *me gustaría hablar contigo;* **se eu pudesse, ia passear com ele,** *si yo pudiera, iría a pasear con él*; eso ocurre con frecuencia en el lenguaje coloquial, que no se atiene al rigor gramatical.

17 ■ El pretérito (ver a partir de la lección XXIII)

Expresa una acción pasada, completamente cumplida: **hoje eu me levantei cedo,** *hoy me levanté temprano.*
Ese tiempo tiene un uso frecuente en portugués; es muchas veces traducido en español por el antepresente: **nunca fui à Inglaterra,** *jamás he ido a Inglaterra.*

18 ■ El antepresente

Se forma con el presente de **ter** + el participio del verbo, que se queda invariable; **ela tem andado,** *ella ha andado.*
Ese tiempo expresa la repetición de una acción o su continuidad hasta el momento en que uno habla; expresa una frecuencia de la acción:
   tenho ido ao cinema todos os dias esta semana, *he ido al cine todos los días en esta semana.*
   Até agora, temos trabalhado muito, *hasta ahora hemos trabajado mucho.*

19 ■ El antecopretérito del indicativo (lecciones XXXIII y XL)

Hay dos formas de ese tiempo: una simple (cuya forma pero no el uso corresponde en español a la del pretérito del subjuntivo) y otra compuesta (el antecopretérito).
1. La forma compuesta es la más común. Se compone del copretérito de **ter** + el participio del verbo (invariable): **ela tinha viajado muito,** *ella había viajado mucho.*
2. La forma simple pertenece exclusivamente al idioma escrito (literario, estilo erudito): **ele viajara muito,** *él había viajado mucho* (lección XL).

20 ■ El futuro del indicativo
(lección X B3, lección XIV, lección XIX A3)

Ese tiempo no se usa con mucha frecuencia en portugués. Sirve sobre todo para expresar una probabilidad, una duda, una suposición; frecuentemente se remplaza por el futuro inmediato y, por otra parte, no se traduce forzosamente por el futuro español.
    batem à porta, quem será? *tocan a la puerta, ¿quién puede ser?*
    que horas serão? *¿qué hora puede ser?*
La traducción de la idea de futuro está muy matizada en portugués:
1. En las proposiciones principales o independientes, se expresa por:
a) la perífrasis **ir** + infinitivo, para un futuro inmediato;
    vou trabalhar amanhã, *trabajaré mañana;*

b) el presente del indicativo, con o sin adverbio de tiempo, para un futuro cuya realización está cercana y segura: (**amanhã**) **vou ao correio,** *(mañana) iré al correo;*

c) **hei de** + infinitivo: futuro de intención; (muy poco usado en Brasil):
hei de ir a Paris, *tengo que ir (iré) a París.*

Atención: El uso del futuro del indicativo es más común en Brasil que en Portugal.

2. En ciertas subordinadas, se expresa por el presente del subjuntivo o el futuro del subjuntivo:
    espero que ele fique, *espero que se quede.*
    se fizer bom tempo, ele vem, *si el día está bonito, él vendrá.*

Atención: En las proposiciones que utilizan normalmente el indicativo, se encuentra el presente del indicativo con valor de futuro, o el mismo futuro: **ele diz que vem (virá),** *él dice que vendrá.*

21 ■ El subjuntivo
(ver lecciones XIX, XX, XXVII, XXXIV, XXXVI, XXXVII, XL)

El subjuntivo indica una acción posible, pero no realizada.

1. Después de los verbos o de locuciones que expresan duda, deseo, orden, temor, hipótesis.

talvez ele venha, *quizá venga.*
talvez ele viesse, *quizá viniera.*
espero que ele fique conosco, *espero que se quede con nosotros.*
esperei que ela ficasse, *esperé que se quedara.*

2. En las proposiciones relativas, expresa una acción posible, una hipótesis.

não conheço ninguém que tenha tanto humor, *no conozco a nadie que tenga tanto humor.*
nunca conheci ninguém que tivesse tanto humor, *no he conocido a nadie que tuviera tanto humor.*

3. Después de las conjunciones **embora, ainda que,** *aunque.*
ela sai, embora eu não queira, *sale aunque no quiero.*
você saiu, embora eu não quisesse, *saliste, aunque no quería.*

22 ■ La concordancia de los tiempos (lección XXXVII)

La subordinada va en presente del subjuntivo si la principal está en presente, imperativo o futuro.
La subordinada va en pretérito del subjuntivo si la principal está en un tiempo pasado o en el pospretérito.

eu desejo que ele venha, *deseo que él venga.*
eu desejava que ele viesse, *deseaba que él viniera.*

1. En las proposiciones condicionales, después de **se,** *si* (lección XL):
— el futuro del subjuntivo (traducido por un presente del indicativo), si la principal va en futuro, en presente con valor de futuro o en imperativo. Se trata de una condición realizable; **se eu puder, vou visitá-lo,** *si puedo, iré a visitarlo.*
— el pretérito del subjuntivo (traducido por el copretérito del indicativo) si la principal va en pospretérito (o en copretérito del indicativo con valor de pospretérito). Se trata de una condición irrealizable: **se eu tivesse dinheiro hoje, comprava** (o **compraría**) **um carro,** *si hoy tuviera dinero, compraría un coche.*

2. **Como se,** *como si,* va siempre seguida del pretérito del subjuntivo: **ele falava alto como se eu não ouvisse,** *él hablaba alto como si yo no oyera.*

23 ■ El futuro del subjuntivo
(lecciones XXXVI, XXXVII, XXXVIII y XL)

Este tiempo, que no se usa en ninguna otra lengua romance, está muy presente en el portugués. Expresa una eventualidad que vendrá en las proposiciones subordinadas. Se encuentra después de:
— **se**, para indicar que quizá la condición se realice: **se você vier, poderemos sair.**
— **como: faça como quiser,** *haga como quiera;*
— **onde: vá aonde você puder,** *ve a donde puedas.*
— **quando: quando você puder, me ajude com essas caixas...** *cuando puedas...*

Atención: Si la proposición introducida por **quando** es interrogativa, el verbo va en futuro del indicativo: **quando virás?** *¿cuándo vendrás tú?*
En las proposiciones relativas, para indicar una hipótesis: **aquele que chegar primeiro, tem (o terá) um prêmio,** *el que llegue primero, tendrá un premio.*

---

24 ■ El infinitivo personal (lección XXXIX)

Es un tiempo propio del portugués, un infinitivo que se conjuga y se emplea obligatoriamente cuando el sujeto del infinitivo no es el mismo del verbo principal. Se encuentra:
1. Después de una preposición o una expresión adverbial.
   Eu lhes dei livros para lerem, *les di libros para que leyeran.*
   antes de sairmos, telefonaremos, *antes de salir, hablaremos por teléfono.*
2. Después de las expresiones compuestas: **é** + adjetivo + verbo.
   é preciso trabalharmos, *hay que trabajar (es necesario trabajar)* (en este caso, el sujeto del infinitivo está perfectamente identificado: **nós** *(nosotros)*; pero, también se puede usar la misma expresión en un sentido completamente impersonal, y en ese caso lo que se enfatiza es la acción, no importa por quién se realice: **é preciso trabalhar,** *es necesario que el trabajo se haga.*

Ese tiempo aporta más precisión y más claridad a la oración.

---

25 ■ Los adverbios

1. Adverbios de tiempo (ver lecciones XI y XIV, C4)

hoje, *hoy*	**nunca,** *jamás*
ontem, *ayer*	**logo,** *pronto, inmediatamente*
anteontem, *anteayer*	**tarde,** *tarde*
amanhã, *mañana*	**cedo,** *temprano*

agora, *ahora*   ainda, *todavía, aún*
já, *ya, inmediatamente*   antes, *antes*
sempre, *siempre*   depois, *después*

2. Adverbios de lugar
aqui, *aquí, acá*   dentro, *dentro, adentro*
ali, *aí, allí, ahí*   atrás, *atrás*
cá, *acá, aquí*   fora, *fuera, afuera*
perto, *cerca*   onde, *donde*
longe, *lejos*

3. Adverbios de modo
bem, *bien*   aliás, *de otro modo, en otras palabras*
mal, *mal*   depressa, *rápidamente*
melhor, *mejor*   devagar, *despacio*
pior, *peor*   quase, *casi*
assim, *así*   sobretudo, *sobre todo*

y todos los terminados en **mente**, derivados de adjetivos (**felizmente,
rapidamente, etc.**)

4. Adverbios de cantidad o intensidad
muito, *mucho, muy*   menos, *menos*
mais, *más*   tão, *tan*
pouco, *poco*   tanto, *tanto*

5. Adverbios de afirmación
sim, *sí*   certamente, *seguramente*

6. Adverbios de negación
não, *no*   nem, *ni*   nunca, *jamás, nunca*

7. Adverbios de duda   talvez, *tal vez, quizá*

---

26 ■ **Las preposiciones** (lecciones X A3, XII B3)

---

1. Las preposiciones **para** (*para, hacia, a*) y **por** (*por, hacia*).
n **Para** indica exclusivamente la finalidad, el destino, la dirección hacia:
trabalho para ganhar a vida, *trabajo para ganarme la vida;* **isso é para o
João**, *eso es para Juan.*
Atención: Se emplea también con **estar** (**estar para**, *estar a punto de, estar
dispuesto a:* ver **estar**).
n **Por** es empleado en numerosos casos. Indica:
– el lugar que uno atraviesa: **entro pela porta**, *entro por la puerta.*
– el lugar donde uno se desplaza: **ando pela rua**, *camino por la calle.*
– el medio: **viajo por via aérea**, *viajo por vía aérea.*
– el tiempo aproximado (se traduce por *hacia*): **volto aí pelas seis**, *vuelvo
hacia las seis.*

266

– el precio: **comprei isso por dez reais,** *compré eso por diez* **reais;**
– la regencia de algunos verbos **(interessar-se, preocupar-se, responsabilizar-se): eu me interesso por ti,** *me interesso por tí;*
– en favor de: p**elo amor de Deus,** *por amor de Dios.*

Por + infinitivo indica la causa (se traduce también por *porque*): **não o comprei por ser muito caro,** *no lo compré porque era muy caro.*

2. Otras preposiciones

a, *a* **até,** *hasta*	**entre,** *entre*	**sem,** *sin*
com, *con*	**para,** *para, hacia*	
de, *de* **em,** *en*	**por,** *por, hacia*	
desde, *desde*	**segundo,** *según*	
durante, *durante*	**sobre,** *sobre*	**sob,** *bajo*

27 ■ Principales conjunciones

e, *y*	**também,** *también* **nem,** *ni* **ainda,** *aún, todavía*
ou... ou, *o...o*	**quando,** *cuando*
ora... ora, *ya... ya*	**enquanto,** *mientras*
quer... quer, *sea... sea*	**mal,** *apenas*
mas, *pero*	**logo que,** *tan pronto como*
portanto, *por lo tanto*	**assim que,** *tan pronto*
logo, *por lo tanto*	**desde que,** *después que, con tal que*
pois, *pues*	**até que,** *hasta que*
se, *si*	**embora,** *aunque*
como, *como*	**ainda que,** *aunque*
porque, *porque*	**se bem que,** *aún cuando*
não só... mas também, *no sólo... sino también*	

28 ■ Los números

1. Los números cardinales: 1, **um** – 2, **dois** – 3, **três**, etc. Ver C2 de las lecciones VII, VIII, IX, X, XI, XII, XIII.

2. Los números ordinales: ver lección XIV, C2.

1er. 1º, **primeiro** – 2º, **segundo** – 3º, **terceiro** – 4º, **quarto** – 5º, **quinto** – 6º, **sexto** – 7º, **sétimo** – 8º, **oitavo** – 9º, **nono** – 10º, **décimo** – 20º, **vigésimo** – 30º, **trigésimo** – 40º, **quadragésimo** – 50º, **quinquagésimo** – 60º, **sexagésimo** – 70º, **septuagésimo** – 80º, **octogésimo** – 90º, **nonagésimo** – 100º, **centésimo** – 1 000º, **milésimo** – 11º, **décimo primeiro** – 12º, **décimo segundo** – 13º, **décimo terceiro**, etc. – 21º, **vigésimo primeiro** – 22º, **vigésimo segundo,** etc.

Aunque casi no se usa en Brasil, incluimos en todas las conjugaciones la 2ª persona del singular (**tu**); la 2ª pers. del plural (**vós**) no tiene ninguna aplicación, razón por la que no la consideramos aquí.

1. Verbos regulares de la 1ª conjugación, infinitivo en **ar: cantar,** *cantar*

Pres. de indic.	Imperativo		Pres. de subj.
canto	*afirmat.*	*negat.*	cante
cantas	canta	não cantes	cantes
canta	cante	não cante	cante
cantamos	cantemos	não cantemos	cantemos
cantam	cantem	não cantem	cantem

Pretérito de indic.	Pretérito de subj.	Futuro de subj.
cantei	cantasse	cantar
cantaste	cantasses	cantares
cantou	cantasse	cantar
cantamos	cantássemos	cantarmos
cantaram	cantassem	cantarem

Futuro de indic.	Pospretérito de indic.	Infinit. personal
cantarei	cantaria	cantar
cantarás	cantarias	cantares
cantará	cantaria	cantar
cantaremos	cantaríamos	cantarmos
cantarão	cantariam	cantarem

Copret. de indic.	Pret. de subj.	Participio
cantava	cantara	cantado
cantavas	cantaras	
cantava	cantara	Gerundio
cantávamos	cantáramos	cantando
cantavam	cantaram	

2. Verbos regulares de la 2ª conjugación, infinitivo en **er: beber,** *beber*

Pres. de indic.	Imperativo		Pres. de subj.
bebo	*afirmativo*	*negativo*	beba
bebes	bebe	não bebas	bebas
bebe	beba	não beba	beba
bebemos	bebamos	não bebamos	bebamos
bebem	bebam	não bebam	bebam

Pretérito de indic.	Pretérito de subj.	Futuro de subj.
bebi	bebesse	beber
bebiste	bebesses	beberes
bebeu	bebesse	beber
bebemos	bebêssemos	bebermos
beberam	bebessem	beberem

Futuro de ind.	Pospretérito	Infinit. personal
beberei	beberia	beber
beberás	beberias	beberes
beberá	beberia	beber
beberemos	beberíamos	bebermos
beberão	beberiam	beberem

Copretérito ind.	Pret. subj.	Participio
bebia	bebera	bebido
bebias	beberas	
bebia	bebera	
bebíamos	bebêramos	Gerundio
bebiam	beberam	bebendo

3. Verbos regulares 3ª conjugación, infinitivo en **ir: partir**, *partir*

Pres. de indic.	Imperativo		Pres. de subj.
parto	*Afirmativo*	*Negativo*	parta
partes	parte	não partas	partas
parte	parta	não parta	parta
partimos	partamos	não partamos	partamos
partem	partam	não partam	partam

Pretérito de indic.	Pretérito de subj.	Futuro de subj.
parti	partisse	partir
partiste	partisses	partires
partiu	partisse	partir
partimos	partíssemos	partirmos
partiram	partissem	partirem

Futuro de indic.	Pospret. de indic.	Infinit. personal
partirei	partiria	partir
partirás	partirias	partires
partirá	partiria	partir
partiremos	partiríamos	partirmos
partirão	partiriam	partirem

Copret. de indic.	Pret. de subj.	Participio
partia	partira	**partido**
partias	partiras	
partia	partira	
partíamos	partíramos	Gerundio
partiam	partiram	**partindo**

---

30 ■ Verbos irregulares que se pueden agrupar

---

1. Los verbos terminados en **ear**, ej. **recear**, *temer*, **passear**.
Esos verbos intercalan una **i** despues de la **e** todas las veces en que ésta es acentuada. Esa irregularidad solamente ocurre en el presente del indicativo y del subjuntivo, así como en el imperativo.

Pres. indic.: **receio, receias, receia, receamos, receiam.**
Pres. subj. : **receie, receies, receie, receemos, receiem.**
Imperativo: **receies, receie, receemos, receiem.**

2. Los verbos terminados en **air**, ej. **sair**, *salir.*
Esos verbos mantienen la **i** en todas las formas de la conjugación, excepto en la 3ª persona del plural del presente del indicativo.

Pres. indic.: **saio, sais, sai, saímos, saem.**
Pres. subj.: **saia, saias, saia, saiamos, saiam.**
Imperativo: **sai, saia, saiamos, saiam.**

Atención: No confundir: **sai** (*él sale*), **saí** (*yo salí*), **saía** (*yo, él salía*), **saia** (*que yo, que él salga*).

3. Los verbos terminados en **erir, ferir,** *herir* - **ervir, servir,** *servir* - **entir, mentir,** *mentir* - **estir, vestir,** *vestir* - **eguir, seguir,** *seguir.*
Esos verbos cambian la **e** en **i** en la 1ª persona del presente del indicativo, en el presente del subjuntivo, que se deriva de él, y en las formas del imperativo que provienen del presente del subjuntivo.

Pres. de indic.	Pres. de subj.	Imperativo	
		afirmativo	*negativo*
sirvo	**sirva**		
serve	**sirvas**	**serve**	**não sirvas**
serve	**sirva**	**sirva**	**não sirva**
servimos	**sirvamos**	**sirvamos**	**não sirvamos**
servem	**sirvam**	**sirvam**	**não sirvam**

4. La **o** de algunos verbos se cambia en **u** en la 1ª persona del presente del indicativo, en presente del subjuntivo que deriva de él y en las formas del imperativo que provienen del presente del subjuntivo: **dormir,** *dormir* - **cobrir,** *cubrir.*

Pres. de indic.	Pres. de subj.	Imperativo	
		afirmativo	*negativo*
durmo	**durma**		
dormes	**durmas**	**dorme**	**não durmas**
dorme	**durma**	**durma**	**não durma**
dormimos	**durmamos**	**durmamos**	**não durmamos**
dormem	**durmam**	**durmam**	**não durmam**

5. Los verbos terminados en **-ugir, -ubir, -udir: fugir,** *huir* - **subir,** *subir* - **sacudir,** *sacudir.*

Esos verbos cambian la **u** en **o** en la 2ª y 3ª personas del singular y del plural en presente del indicativo, así como en la 2ª persona del singular del imperativo.

Pres. del indic.	Imperativo	
	afirmativo	*negativo*
fujo		
foges	**foge**	**não fujas**
foge	**fuja**	**não fuja**
fugimos	**fujamos**	**não fujamos**
fogem	**fujam**	**não fujam**

ATENCIÓN: No olvidar hacer las **modificaciones ortográficas** para mantener la pronunciación de la consonante presente en el infinitivo.

Seguir, el grupo **gu** se debe escribir **g** antes de **o** y **a.**
Presente del indicativo: **sigo, segues, segue, seguimos, seguem.**
Presente del subjuntivo: **siga, sigas, sigas, sigamos, sigam.**

Fugir (*huir*), la **g** debe ser remplazada por **j** antes de **o** y **a.**
Presente del indicativo: **fujo, foges, foge, fugimos, fogem.**
Presente del subjuntivo: **fuja, fujas, fuja, fujamos, fujam.**

Ficar (*quedarse*), la **c** debe ser remplazada por **qu** antes de **e, i.**
Presente del indicativo: **fico, ficas, fica, ficamos, ficam.**
Presente del subjuntivo: **fique, fiques, fique, fiquemos, fiquem.**
Pretérito del indicativo: **fiquei, ficaste, ficou, ficamos, ficaram.**

Começar (*empezar*), se remplaza la **ç** por **c** antes de **e, i.**
Presente del indicativo: **começo, começas, começa, começamos, começam.**
Presente del subjuntivo: **comece, comeces, comece, comecemos, comecem.**
Pretérito del indicativo: **comecei, começaste, começou, começamos, começaram.**

Descer (*bajar*), la **c** debe ser remplazada por **ç** antes de **o** y **a**.
Presente del indicativo: **desço, desces, desce, descemos, descem.**
Presente del subjuntivo: **desça, desças, desça, desçamos, desçam.**

6. Algunos verbos aislados presentan una irregularidad en la 1ª persona del presente del indicativo, lo que acarrea una irregularidad en el presente del subjuntivo y en las personas del imperativo que derivan de éste: **ouvir,** *oír* - **ouço** (v. lección XXIII, A2) - **pedir,** *pedir* → **peço** (v. lección XXI, A2) - **perder,** *perder* → **perco** (v. lección XXIII, B2).

7. Atención a las irregularidades del verbo **ler,** *leer.*

Pres. indic.	Imperativo		Pres. subj.
leio	*afirmativo*	*negativo*	**leia**
lês	**lê**	**não leias**	**leias**
lê	**leia**	**não leia**	**leia**
lemos	**leiamos**	**não leiamos**	**leiamos**
lêem	**leiam**	**não leiam**	**leiam**

31 ■ Principales verbos irregulares

Los verbos que hemos acabado de estudiar son irregulares sólo en el presente del indicativo y en los tiempos derivados de él, o sea, el presente del subjuntivo y el imperativo.

Otros verbos, irregulares en esos mismos tiempos, pueden presentar, además, irregularidades en el pretérito del indicativo y los tiempos derivados (el futuro y el pretérito del subjuntivo), al futuro del indicativo, gerundio, participio y, en cuatro de entre ellos, en el copretérito del indicativo. Los presentamos en orden alfabético y mencionamos en la tabla únicamente los tiempos que presentan irregularidades.

Pres. ind.	Pres. subj.	Imperativo	Futuro ind.	Pospretérito

dar, *dar*

Pres. ind.	Pres. subj.	Imperativo	Futuro ind.	Pospretérito
dou	dê		darei	daria
dás	dês	dá	darás	darias
dá	dê	dê	dará	daria
damos	dêmos	demos	daremos	daríamos
dão	dêem	dêem	darão	dariam

dizer, *decir*

digo	diga		direi	diria
dizes	digas	diz	dirás	dirias
diz	diga	diga	dirá	diria
dizemos	digamos	digamos	diremos	diríamos
dizem	digam	digam	dirão	diriam

estar, *estar*

estou	esteja		estarei	estaria
estás	estejas	está	estarás	estarias
está	esteja	esteja	estará	estaria
estamos	estejamos	estejamos	estaremos	estaríamos
estão	estejam	estejam	estarão	estariam

fazer, *hacer*

faço	faça		fará	faria
fazes	faças	faz	farás	farias
faz	faça	faça	fará	faria
fazemos	façamos	façamos	faremos	faríamos
fazem	façam	façam	farão	fariam

haver*, *haber*

hei	haja		haverei	haveria
hás	há		haverás	haverias
há	haja	(desusado)	haverá	haveria
havemos	hajamos		haveremos	haveríamos
hão	hajam		haverão	haveriam

*Este verbo tiene poco uso en Brasil. Por lo general aparece en el sentido de *existir* en forma impersonal, es decir, sólo se usa en 3a. persona del singular. Frecuentemente se sustituye con el verbo **ter,** *tener,* aun en los casos en los que es verbo auxiliar (**tenho sido** en lugar de **hei sido**).

Pret. ind.	Pret. subj.	Futuro subj.	Antepretérito (simple)
dei	desse	der	dera
deste	desses	deres	deras
deu	desse	der	dera
demos	déssemos	dermos	déramos
deram	dessem	derem	deram
disse	dissesse	disser	dissera
disseste	dissesses	disseres	disseras
disse	dissesse	disser	dissera
dissemos	disséssemos	dissermos	disséramos
disseram	dissessem	disserem	disseram

Particípio: **dito**

estive	estivesse	estiver	estivera
estiveste	estivesses	estiveres	estiveras
esteve	estivesse	estiver	estivera
estivemos	estivéssemos	estivermos	estivéramos
estiveram	estivessem	estiverem	estiveram
fiz	fizesse	fizer	fizera
fizeste	fizesses	fizeres	fizeras
fez	fizesse	fizer	fizera
fizemos	fizéssemos	fizermos	fizéramos
fizeram	fizessem	fizerem	fizeram

Particípio: **feito**

houve	houvesse	houver	houvera
houveste	houvesses	houveres	houveras
houve	houvesse	houver	houvera
houvemos	houvéssemos	houvermos	houvéramos
houveram	houvessem	houverem	houveram

Pres. ind.	Pres. subj.	Imperativo	Fut. ind.	Pospretérito

ir, *ir*

vou	vá		irei	iria
vais	vás	vai	irás	irias
vai	vá	vá	irá	iria
vamos	vamos	vamos	iremos	iríamos
vão	vão	vão	irão	iriam

poder, *poder*

posso	possa		poderei	poderia
podes	possas		poderás	poderias
pode	possa		poderá	poderia
podemos	possamos		poderemos	poderíamos
podem	possam		poderão	poderiam

por, *poner*

ponho	ponha		porei	poria
pões	ponhas	põe	porás	porias
põe	ponha	ponha	porá	poria
pomos	ponhamos	ponhamos	poremos	poríamos
põem	ponham	ponham	porão	poriam

querer, *querer*

quero	queira		quererei	quereria
queres	queiras		quererás	quererias
quer	queira		quererá	quereria
queremos	queiramos		quereremos	quereríamos
querem	queiram		quererão	quereriam

saber, *saber*

sei	saiba		saberei	saberia
sabes	saibas	sabe	saberás	saberias
sabe	saiba	saiba	saberá	saberia
sabemos	saibamos	saibamos	saberemos	saberíamos
sabem	saibam	saibam	saberão	saberiam

Pret. ind.	Pret. subj.	Futuro subj.	Antepret. subj.	Copret. ind.
fui	fosse	for	fora	
foste	fosses	fores	foras	
foi	fosse	for	fora	
fomos	fôssemos	formos	fôramos	
foram	fossem	forem	foram	

Participio: **ido**   Gerundio: **indo**

pude	pudesse	puder	pudera	
pudeste	pudesses	puderes	puderas	
pôde	pudesse	puder	pudera	
pudemos	pudéssemos	pudermos	pudéramos	
puderam	pudessem	puderem	puderam	

pus	pusesse	puser	pusera	punha
puseste	pusesses	puseres	puseras	punhas
pôs	pusesse	puser	pusera	punha
pusemos	puséssemos	pusermos	puséramos	púnhamos
puseram	pusessem	puserem	puseram	punham

Participio: **posto**   Gerundio: **pondo**

quis	quisesse	quiser	quisera	
quiseste	quisesses	quiseres	quiseras	
quis	quisesse	quiser	quisera	
quisemos	quiséssemos	quisermos	quiséramos	
quiseram	quisessem	quiserem	quiseram	

soube	soubesse	souber	soubera	
soubeste	soubesses	souberes	souberas	
soube	soubesse	souber	soubera	
soubemos	soubéssemos	soubermos	soubéramos	
souberam	soubessem	souberem	souberam	

Pres. ind.	Pres. subj.	Imperativo	Fut. ind.	Pospretérito ind.

ser, *ser*

Pres. ind.	Pres. subj.	Imperativo	Fut. ind.	Pospretérito ind.
sou	seja		serei	seria
és	sejas	sê	serás	serias
é	seja	seja	será	seria
somos	sejamos	sejamos	seremos	seríamos
são	sejam	sejam	serão	seriam

ter, *tener*

Pres. ind.	Pres. subj.	Imperativo	Fut. ind.	Pospretérito ind.
tenho	tenha		terei	teria
tens	tenhas	tem	terás	terias
tem	tenha	tenha	terá	teria
temos	tenhamos	tenhamos	teremos	teríamos
têm	tenham	tenham	terão	teriam

trazer, *traer*

Pres. ind.	Pres. subj.	Imperativo	Fut. ind.	Pospretérito ind.
trago	traga		trarei	traria
trazes	tragas	traz	trarás	trarias
traz	traga	traga	trará	traria
trazemos	tragamos	tragamos	traremos	traríamos
trazem	tragam	tragam	trarão	trariam

ver, *ver*

Pres. ind.	Pres. subj.	Imperativo	Fut. ind.	Pospretérito ind.
vejo	veja		verei	veria
vês	vejas	vê	verás	verias
vê	veja	veja	verá	veria
vemos	vejamos	vejamos	veremos	veríamos
vêem	vejam	vejam	verão	veriam

vir, *venir*

Pres. ind.	Pres. subj.	Imperativo	Fut. ind.	Pospretérito ind.
venho	venha		virei	viria
vens	venhas	vem	virás	virias
vem	venha	venha	virá	viria
vimos	venhamos	venhamos	viremos	viríamos
vêm	venham	venham	virão	viriam

Pret. ind.	Pret. subj.	Futuro subj.	Antepret. subj.	Copret. ind.
fui	fosse	for	fora	era
foste	fosses	fores	foras	eras
foi	fosse	for	fora	era
fomos	fôssemos	formos	fôramos	éramos
foram	fossem	forem	foram	eram
tive	tivesse	tiver	tivera	tinha
tiveste	tivesses	tiveres	tiveras	tinhas
teve	tivesse	tiver	tivera	tinha
tivemos	tivéssemos	tivermos	tivéramos	tínhamos
tiveram	tivessem	tiverem	tiveram	tinham
trouxe	trouxesse	trouxer	trouxera	
trouxeste	trouxesses	trouxeres	trouxeras	
trouxe	trouxesse	trouxer	trouxera	
trouxemos	trouxéssemos	trouxermos	trouxéramos	
trouxeram	trouxessem	trouxerem	trouxeram	
vi	visse	vir	vira	
viste	visses	vires	viras	
viu	visse	vir	vira	
vimos	víssemos	virmos	víramos	
viram	vissem	virem	viram	

Participio: **visto**

vim	viesse	vier	viera	vinha
vieste	viesses	vieres	vieras	vinhas
veio	viesse	vier	viera	vinha
viemos	viéssemos	viermos	viéramos	vínhamos
vieram	viessem	vierem	vieram	vinham

Participio: **vindo**   Gerundio: **vindo**

El alfabeto portugués

El **alfabeto** posee 23 letras (del género masculino). Las letras k (ká), w (dábliu), y (ípsilon) sólo se usan en las palabras extranjeras y sus derivados, así como en las abreviaturas: kg, (quilograma), kw (quilowatt) etc.

Las **consonantes** son siempre sencillas, excepto tres: c, r, s. En Brasil, el dígrafo cc es rarísimo. Algunas consonantes se pronuncian como en español; sin embargo, la mayoría de ellas (señaladas por un asterisco) presentan diferencias: d, g, h (ch, lh, nh), j, l, m, n, r, s, t, v, x, z. Al final de las sílabas o palabras, la **m** y la **n** no se pronuncian y nasalizan la vocal precedente: cantan (kãtãu), fim (fĩ).

Las vocales: su pronunciación (excepto i y u) está vinculada a la colocación del **acento tónico** (lecciones II A, B; V, C4):

n La A tiene dos pronunciaciones: (á) tónica, (a) tónica antes de **m** o **n**, o átona; **cada** (káda), **chama** (cháma).

n La E, cinco pronunciaciones: (é) o (ê) en sílaba tónica: **ela** (éla), **café** (kafé), **medo** (mêdu), **francês** (frãsês); (e) en sílaba átona interna o final: **bebemos** (bebemus), **pedir** (pedij), (i) en sílaba átona interna o final: **vestido** (vishchidu), **noite** (nôichi).

n La O, tres pronunciaciones: (ó) y (ô) en sílaba tónica y (u) en sílaba átona: **colo** (kólu), **avô** (avô), **avó** (avó).

Los acentos gráficos, agudo (´) o circunflejo (^), señalan un desplazamiento del acento tónico y abren la vocal (el primero) o la cierran (el segundo): **avô** (avô), **avó** (avó), **café** (kafé), **francês** (frãsès).

Todas las vocales (llamadas **orales**) pueden convertirse en **nasales** si llevan **til** (˜) o si están seguidas de **m** o **n** en sílaba interior o final: **canta** (kãta), **sente** (sêchi), **bom** (bõ), **um** (ũ), **irmã** (ijmã).

Los **diptongos** son **orales**: ai (ai), ei (ei), oi (oi), ui (ui), au (áu), eu (êu), iu (íu); **o nasales:** ãe, ãi (ãi), õe (õi), ui (ũi, sólo en muito), ém y em en final (êy), ens (êys), am en final átona (ãu), ão en sílaba final átona o tónica (ãu). La nasalidad es muy fuerte.

Pronunciaciones:

— la E final se pronuncia (i): **cidade** (cidadchi);

— la D o la T + E, I (en final o interna) se pronuncia (dchi) o (chi): **tarde** (tájdchi), **antigo** (ãchigu);

— la L al final de sílaba (o palabra) se convierte en u: **Brasil** (Braziu), **calma** (káuma);

— la R inicial y final se pronuncia (j): **senhor** (señôj); **rádio** (jádiu).

— la S delante de una consonante sonora (b, d, g, l, m, n, r, v, z) se pronuncia (z): **os barcos** (uz barkus); en medio de dos vocales se pronuncia fuertemente, como el zumbido de una abeja (zzz): **casa, rosa** (káza, józa).

— la S y la X delante de una consonante sorda (c, f, p, qu, s, t, x), así como la S y la Z al final, en cualquier caso, se pronuncian (s): **os filhos** (us filyus), **rapaz** (japás). En Río, estos casos, a excepción de la Z final, se pronuncian como sh.

Índice

El número de la lección en cifras arábigas en el índice está en números romanos en el texto.

o banco (10 A1, 13 A1)
a bandagem (30 B1)
a bandeira (34 B1)
a banheira (37 C4)
o banheiro (34 B1, C4)
o banhista (34 B1)
o banho (34 A1)
o bar (16 B4)
barata (24 A1)
a barba (28 A2)
o barbeiro (28 A1)
o barco (11 A1)
a barriga (30 C2)
o barroco (40 A1)
o barulho (9 A1)
bastante (26 A1)
a batata (22 A1)
a bateria (36 B1)
beber (16 B1)
a bebida (22 C4)
belo (6 A1)
bem (8 A1)
o bife (21 B1)
o bilhete (10 B1)
o bilheteria (10 C2)
a blusa (24 C2)
a boca (30 C2)
a bola (23 B1)
o boletim (27 B1)
o bolinho (22 A1)
bom, boa (8 A1)
o bombom (16 A1)
o bonde (10 A1)
bonito (3 B1)
bordo (40 B1)
branco (9 B1, 24 C2)
brincar (23 B1)
o brinquedo (26 B1)
o buraco (37 B1)
buscar (22 A1)
a cabeça (28 A1)
a cabeleireira (28 A1)
o cabelo (28 A1)
a cabine telefónica

(17 C2)
a cachaça (22 B1)
o cachimbo (31 C2)
o cachorro (7 B1, 32 A1)
a cadeira (16 A1)
caducar (38 B1)
o café (7 A1)
o café da manhã (22 C4)
o cais (12 A1)
a caixa do correio (17 C2)
a calça (24 B1)
o calendário (14 C2)
o calor (15 B1)
a cama (37 A1)
o caminhão (35 A1)
o caminho (12 A1)
a(s) camisa(s) (24 B1)
o campeão (23 C4)
o campo (6 B1)
o candeeiro (37 C4)
a caneta (25 B1)
cansado (15 A1)
a campainha (16 B1)
a capital (6 A1)
a cara (30 C2)
o cardápio (21 A1)
a carne (22 A1)
caro (9 B1)
a carona (33 C4)
o carregador (11 C2)
o carro (9 A1)
a carta (17 A1)
a carteira (13 C4)
a carteira de cigarro (31 B1)
a carteira de motorista (18 B1)
o carteiro (17 A1)
a casa (28 B1)
o casaco (24 C2)
o catálogo telefônico (17 C2)

cedo (6 B1)
a cenoura (26 C2)
o centavo (25 C4)
o centro (9 A1)
a cerimônia (22 B1)
certo (11 A1)
a cerveja (21 B1)
a cesta (26 C2)
o cesto (26 C2)
o céu (34 C2)
o chá (22 C2, 40 A1)
chamar (1 A1)
o chapéu (24 C2)
o charuto (31 B1)
a chegada (11 A1)
chegar (10 B1)
cheio (15 A1)
o cheque (13 A2, B1)
o chinês (38 C2)
chover (14 B1)
a chuva (30 A1)
o chuveiro (34 C2)
a cidade (6 A1)
a cigarra (23 B3)
o cigarro (31 A1)
o cimento (39 B1)
o cinzeiro (31 B1)
cinzento (24 C2)
o cliente (9 B1)
o cobertor (37 C4)
o cobrador (10 C1)
cobrir (35 C2)
a coisa (21 A1)
coitadinho (30 A1)
a colcha (37 C4)
o colchão (37 C4)
a colher (22 C2)
colorido (15 B1)
com (7 B1)
com certeza (23 B1)
começar (10 B1)
comer (18 B1)
cômico (15 A2)
a comida (21 B1)
como (2 B1)

a companhia (35 A1)
comprar (13 A1)
comprido (15 A1)
o comprimido (30 C2)
conferir (18 A1)
o conforto (32 A1)
conhecer (9 A1)
conseguir (25 A1)
o conselho (19 A1)
consertar (28 A1)
a consulta (30 C2)
o consultório (30 B1)
a conta (22 A1, 39 C2)
contar (8 B1)
contente (15 A1)
conter (17 B3)
contra (39 A1)
o convidado (22 B1)
convidar (35 A1)
o convite (35 A1)
o copo (21 A1)
o cor (15 B1)
cor de laranja (24 C2)
cor de rosa (24 C2)
o corredor (37 C4)
o correio (7 A1)
a correspondência
   (17 A2)
cortar (28 A2)
costumar (9 B1)
o costume (22 A1)
a couve (26 C2)
cozinhar (34 A1)
a criança (23 B1)
o cruzeiro (13 C3)
a culpa (37 A1)
curar (30 B1)
curto (12 A1)
a curva (19 A1)
custar (25 A1)
dar (13 A2, 26 B3)
a datilógrafa (28 A1)
de, do, da (6 A1)
de onde (17 A1)
debitar (39 C2)

decorado (15 B2)
o dedo (30 C2)
deitar-se (25 A1)
deixar (18 A1)
a delegacia (18 B1)
demorar-se (19 B1)
o dente (34 A1)
dentro (12 C4)
o departamento
   (38 C2)
depender (10 B1)
depois (11 B1)
depressa (12 B1)
descansar (26 B1)
o descanso (20 A1)
descobrir (37 B1)
desembarcar (38 B1)
desempenhar (16 C2)
desligar (17 A1)
despachar (11 C2)
despedir-se (33 A1)
o despertador (33 A2)
a despesa (35 A1)
despir-se (24 C2)
o destinatário (39 C2)
devagar (12 B1)
dever (10 A1)
devolver (17 B1)
diante (12 C4)
o diário (27 C4)
os dias da semana
   (14 A2)
difícil (37 A2)
a dificuldade (36 B1)
o dinheiro (13 A1)
a direita (12 A1)
direito (31 A1)
direto (12 A1)
o diretor (7 B2)
dirigir (19 A1)
disponível (29 A1)
a distância (10 B1)
a distração (18 B1)
distraído (18 B1)
distribuir (16 A3)

ditar (39 A1)
divertir-se (23 B1)
dizer (17 A1)
o doce (22 B1)
o documento (18 B1)
a doença (30 C2)
doente (30 A1)
doer (30 A1)
a dor (30 B1)
dormir (30 B1)
dum/a (9 A1)
durante (19 B1)
durar (19 B1)
duro (32 A1)
e (4 A1)
a edição (27 C4)
ele, ela (4 A1)
o eletricista (28 B1)
o elevador (32 B1)
em (5 A1)
embarcar (12 A1)
o embarque (38 A1)
embrulhar (26 C2)
empregado (5 B1)
o emprego (28 B1)
a empresa (19 A1)
emprestar (31 A1)
o encanador (28 C2)
encantadora (24 A1)
encarnado (24 C2)
encher (18 A1)
a encomenda (17 B1)
encomendar (31 A1)
encontrar (26 A1)
enganar-se (31 B1)
o engarrafamento
   (32 B1)
o engenheiro (28 C2)
enquanto (33 C2)
então (18 A1)
a entrada (15 A1)
entregar (17 B1)
a entrevista (39 B1)
enxugar (34 C2)
a escola (7 B1)

a escolha (24 A1)
escolher (21 A1)
escorregar (30 B1)
a escova (37 C4)
escrever (6 B1)
o escritório (7 A1)
escuro (15 B1)
o espelho (37 C4)
esperar (17 B1)
espirrar (38 C2)
esquentar (36 A1)
a estação (7 A1,14 A1)
o estádio (23 C2, 29 A2)
a estalagem (37 C2)
estar (6 B1)
estender (16 A1)
a estrada (19 A1)
o estrangeiro (20 B1)
estranho (25 B1)
estreito (15 A1)
o/a estudante (5 B1)
eu (3 A1)
o exame (20 B1)
examinar (30 B1)
o excesso (40 B1)
a excursão (40 A1)
a expedição (39 B1)
experimentar (24 B1)
a fábrica (7 B1)
a faca (22 C2)
a face (30 C2)
a faculdade (7 A1)
falar (4 B1)
faltar (11 A1)
a fatura (39 B1)
fazer (18 B1)
o feijão (22 C4)
feio (15 B1)
a feira (14 A1)
o feriado (14 B1)
as férias (14 B1)
ferir (30 B1)
a festa (15 B1)
ficar (6 B1)

o filho (8 B1)
o fim (14 A1)
a firma (33 A1)
o fogo (31 C2)
a fome (21 A1)
fora (12 C4)
o formulário (17 B1)
o fósforo (31 A1)
frear (19 A1)
o freio (36 C4)
a/em frente (12 A1)
frio (14 B1)
a fruta (21 A1)
o fumo (31 C2)
o furo (36 B1)
o garfo (22 C2)
a garrafa (16 B1)
a gasolina (18 A1)
o gelo (34 C2)
o genro (8 C2)
a gente (9 A1)
gordo (15 A1)
a gorjeta (22 A1)
gostar de (6 B1)
a greve (10 B3)
gripar-se (30 A1)
a gripe (30 A1)
o guarda (18 B1)
o guarda-chuva (24 C2)
o guardanapo (22 C2)
o guia (34 A1)
haver (9 A1)
hoje (9 B1)
o homem (3 A1)
a hora (11 A1)
a igreja (40 A1)
iluminar (9 B1)
impedir (33 B1)
incômodo (32 B1)
a informação (21 A1)
inteligente (25 B1)
o intervalo (16 B1)
o inverno (14 B1)
ir, ir encontrar-se

com (20 A1)
ir-se embora (22 B1)
irmã, irmão (7 B1)
o isqueiro (31 B1)
já (13 B1)
a janela (9 B1)
jantar (22 A1)
jogar (23 B1, C4)
o jogo (23 B1)
o jornal (27 A1)
o jovem (25 B1)
lamentar (37 A1)
a lâmpada (37 C4)
a laranja (26 C2)
largo (15 A1)
lavar (28 A1)
os legumes (26 A1)
o leite (21 B1)
a lembrança (40 A1)
lembrar-se (27 B1)
o lençol (37 C4)
ler (6 B1, 27 A1)
levantar-se (25 A1)
levar (19 B1)
lhe (21 A1)
a lição (9 A1)
a ligação (17 A2)
ligar (17 A1)
o limão (26 C2)
lindo (25 B1)
a língua (40 B1)
a linha (10 B1)
a livraria (27 C4)
livre (10 A1)
o livro (21 A1)
logo (15 B1)
logo que (33 C2)
a loja (7 B1)
longe de (7 A1)
lotado (10 A1)
o lugar (13 A1)
a luz (9 A1)
a maçã (26 A1)
maduro (26 A1)
a mãe (7 B1)

285

magazine (13 A1)
magro (15 A2)
maior (24 A1)
mais (12 A1)
mal (conjunción)
(33 C2)
a mala (11 C2)
mandar (17 B1)
a manhã (14 A1)
a manteiga (32 A1)
a mão (30 C2)
o mapa (37 B1)
marcar (11 B1)
mas (5 B1)
o médico (5 B1)
melhor (22 B2)
menos (11 A1)
o mercado (21 A1)
a mercearia (24 A1)
o mês (14 B1, C2)
a mesa (21 B1, 37 C4)
mesmo (6 A1)
o minuto (11 A1)
a moça (3 C2)
a moeda (13 C2, C4)
molhado (19 A1)
o morango (26 A1)
morar (20 A1)
mostrar (24 B1)
o motorista (10 C2)
o movimento (9 A1)
a mudança (35 A1)
mudar (10 B1)
muito (4 B1, 9 A1)
a mulher (3 A1)
a multa (18 A1)
o mundo (27 A1)
a música (23 A1)
nada (23 A1)
nadar (34 B1)
não (1 B1)
o nariz (30 C2)
o Natal (14 B1)
o negócio (19 A1)
negro (24 C2)

nem (33 B1, 11 A1)
neto (8 C2)
nevar (34 C2)
a neve (34 C2)
o nevoeiro (34 C2)
a noite (8 A1)
a nora (8 C2)
nós (6 A1)
a nota (13 C4)
a notícia (27 B1)
o noticiário (27 A1)
novo/a (8 B1)
o número (7 A1)
nunca (27 B1)
a nuvem (34 C2)
o(s), a(s) (4 A1, 17 B3)
obrigado (8 A1)
os óculos (27 A1)
ocupado (10 A1)
oferecer (28 B1)
olhar (15 A1)
o olho (30 C2)
a onda (34 B1)
onde (5 A1, 7 A1)
o ônibus (7 A1, 10 A1)
a opinião (24 B2)
a orelha (30 C2)
o orgulho (38 C2)
ótimo (27 B1)
ou (8 B2)
o outono (14 B1)
outro (12 A1)
o ouvido (30 C2)
o ouvinte (36 A1)
ouvir (23 A1)
a padaria (24 A1)
o pagamento (39 B1)
pagar (13 A1)
a página (27 A1)
o pai (7 B1, 8 B1)
a paisagem (25 B1)
o pão (24 A1)
o papel (16 C2)
para (10 A1)
parar (10 A1)

parecer (16 A1)
os parentes (8 C2)
a partida (11 B1)
partir (11 B1, B3)
o passageiro (10 B1)
a passagem (10 B1)
o passaporte (20 B1)
passar (10 B1)
passear (6 B1)
o passeio (15 A3)
a pastelaria (22 B1)
o pé (30 C2, 12 B12)
o pedaço (32 A1)
o pedestre (9 A1)
pedir (21 A1)
pedir emprestado
(31 A1)
o peixe (22 A1)
o pelotão de trânsito
(36 A1)
a pensão (37 C2)
pensar (15 A1)
pequeno (8 B1, 30 C4)
a pera (26 C2)
perder (23 B1)
perguntar (21 A1)
perigoso (19 A1)
a perna (30 A1)
perto de (7 A1)
a pesca (25 A1)
o pêssego (26 C2)
péssimo (27 B1)
a pessoa (9 A1)
o pessoal (33 A1)
a pia (37 C4)
o pires (23 C2)
a piteira (31 C2)
pitoresco (19 B1)
o plano (34 A1)
a planta (34 A1)
pobre (4 A1)
poder (12 B1)
a polícia (20 B1)
a poltrona (16 B1)
a ponte (12 B1)

o ponto de ônibus (7 A1)
por (12 B1)
pôr (22 B1)
por que, porque (29 A1)
a porta (9 B1)
o porta-moedas (13 C4)
possível (10 A1)
o postal (17 A1)
pouco (9 B1)
poupar (37 B1)
a pousada (37 A1, 37 C2)
o povo (29 C2)
a praça (9 B1)
a praia (20 A1)
a prateleira (16 B1)
prático (27 B2)
o prato (21 A1, 22 B1)
o prazo (38 B1)
precisar (28 B1)
o preço (10 B1)
o prédio (32 B1)
preencher (13 B1)
preferir (22 A1)
o prêmio (23 B1)
o presente (26 B1)
preto (24 C2)
o primo (8 C2)
proibido (12 B1)
pronto (18 A1)
provar (22 A1)
próximo (11 B1)
prudente (19 A2)
a publicação (27 C4)
publicar (27 C4)
qual (8 B1)
quando (14 B1)
a quantia (39 C2)
quanto (14 A1)
o quarto (28 B1)
quase (11 A1)
que (10 A1, B1, 13 B3,

16 A1)
o queijo (22 A1)
queimar (31 C2)
a queixa (39 A1)
quem (8 B1, 40 B1)
quente (14 B1)
querer (12 A1)
a quinta (32 C2)
o radiador (36 B1)
o rádio (23 A1, 27 A2)
o raio (34 C2)
o rapaz (3 B1)
a razão (19 A1)
o real (13 A1)
receber (23 B1)
a receita (22 C2)
receitar (30 A1)
a rede (28 C4)
reembolsar (31 A1)
a refeição (22 B1)
o refresco (22 B1)
a região (19 A2)
registrar (17 B1)
o regulamento (18 B1)
o relâmpago (34 C2)
o relógio (11 A1)
o relojoeiro (28 A1)
o remédio (30 B1)
o remetente (39 C2)
a renda (22 B1)
renovar (38 B1)
a reportagem (27 B1)
a reserva (35 B1)
a residência (37 C2)
resolver (32 B1)
responder (29 B1)
responsável (39 B1)
o resultado (20 B1)
a reunião (7 B1)
reunir (35 B1)
a revisão (36 A1)
a revista (27 A1)
rico (4 A1)
o rio (6 A1)
a rodovia (33 A1)

o romance (6 B1)
roubar (38 A1)
a roupa (24 B1)
a rua (7 B1)
saber (12 A1)
o sabonete (37 C4)
saboroso (25 B1)
sadio (30 C2, 32 A1)
a saia (24 B1)
a saída (11 A1)
sair (6 B1)
o salário (40 B1)
o salto (28 A1)
a sapataria (28 A1)
o sapateiro (28 A1)
o sapato (24 B1, 24 C2)
a saudade (29 A1)
saudável (30 C2)
a saúde (19 B1)
se (4 A1, 12 A1)
secar (34 C2)
a/o secretária, o (28 C2)
a secretaria (28 C2)
a sede (19 A1, 21 B1)
seguinte (28 B1)
seguir (12 A1)
seguro (20 A1, 18 C2)
o selo (17 A1)
sem (9 A1)
o semanário (27 A1)
o semestre (14 C4)
sempre (9 A1)
o/a senhor/a (4 A1)
sentar-se (16 B1)
ser (3 A1)
o serviço (39 B2)
servir (21 B1)
sim (4 A1)
o sinal (18 B1)
o sintoma (30 A1)
só (14 B1)
a sobremesa (22 A1)
o sobretudo (24 C2)

o/a sobrinho/a (8 C2)
o sol (15 B1)
a sombra (34 B1)
a sopa (22 A2)
o sorvete (16 A1, 34 C2)
sossegado (40 B1)
subir (18 A1)
o sucesso (29 B1)
o suco (21 C4)
o sul (9 B1)
tal (29 B1)
o talher (22 C2)
talvez (20 B1)
também (5 B1)
o tanque (18 A1)
tanto, tão (24 A1)
o tapete (37 C4)
a tarde (8 B2)
tarde (6 B1)
telefonar (17 C2, 23 B1)
o telegrama (17 B2)
a televisão (27 A1)
a tempestade (34 C2)
o tempo (9 A2)
tenra (24 A1)
ter (9 B1, 17 B1)
o terno (24 B1)
a terra (37 B1)
a testemunha (39 A1)
o/a tio/a (8 B1)
a toalha (22 B1, 37 C4)

tocar (16 B1, 23 B1)
todo (20 A1),
   tudo (27 B1, B3)
tomar (10 A1)
a torneira (37 C4)
a tourada (29 A1)
trabalhar (5 A1)
o trabalho (9 B1)
transferir (39 C2)
o trânsito (9 A1)
a transmissão (27 B1)
o transporte (10 A1)
tratar (30 B1)
o travesseiro (37 C4)
trazer (21 A1)
o trem (11 A1)
o tribunal (39 A1)
o trimestre (14 C4)
trocar (13 A1)
o troco (13 C4)
o turismo (21 A1)
o/a último/a (14 A1)
ultrapassar (19 A1)
um, uma (3 A1)
a urgência (39 B1)
útil (5 B1)
as uvas (26 C2)
o vale (17 A1)
valer a pena (19 B1)
a validade (38 B1)
a vantagem (33 A1)
variado (27 B1)
vários (17 A1)
vazio (18 A1)
a vela (36 B1)

a velocidade (19 A1)
vencer (38 B1)
a vendedora (24 A1)
vender (26 C2)
o vento (30 A2, 34 C2)
ver (16 A1)
(é) verdade (15 B1)
verde (24 C2, 26 A1)
a verdura (26 C2)
vermelho (18 B1, 24 C2)
a véspera (19 B1)
o vestido (24 B1)
vestir-se (24 C2)
vez (11 A1, B1, 34 B1, 33 C2)
a viagem (6 B1)
viajar (6 B1)
vigiar (34 B1)
o vinho (16 B2)
o violão (23 B1)
vir (19 A1)
visitar (13 A1)
o visto (38 B1)
a vitrine (24 B1)
viver (14 B1)
o vizinho (35 A1)
voar, o vôo (38 B1)
você (5 A1)
o volante (36 C2)
voltar (12 A1, 23 A1)
a vontade (16 A1)
a xícara (22 C2, 32 A1)
zangado (15 A1)
a zona (10 B1)